文學新象 104

光之石四部曲 Ⅳ

真理的聖地

THE STONE OF LIGHT: Volume 4, The Place of Truth

克里斯提昂・賈克◎著
劉美玲◎譯

高寶書版集團

文學新象 104

光之石四部曲Ⅳ：真理的聖地
THE STONE OF LIGHT: Volume 4, The Place of Truth

作　　者：克里斯提昂・賈克（Christian Jacq）
譯　　者：劉美玲
總 編 輯：林秀禎
編　　輯：蘇芳毓
出 版 者：英屬維京群島商高寶國際有限公司台灣分公司
Global Group Holdings, Ltd.
地　　址：台北市內湖區洲子街88號3樓
網　　址：gobooks.com.tw
電　　話：(02) 27992788
E-mail：readers@gobooks.com.tw（讀者服務部）
pr@gobooks.com.tw（公關諮詢部）
電　　傳：出版部（02）27990909　行銷部（02）27993088
郵政劃撥：19394552
戶　　名：英屬維京群島商高寶國際有限公司台灣分公司
發　　行：希代多媒體書版股份有限公司/Printed in Taiwan
二版日期：2008 年5 月
版　　次：二版一刷

國家圖書館出版品預行編目資料

光之石四部曲. IV, 真理的聖地/克里斯提昂・賈克(Christian Jacq)著 ; 劉美玲譯 -- 二版. -- 臺北市：希代多媒體發行, 2008.05
面； 公分.—(文學新象； TN104)
譯自：The stone of light. 4, the place of truth

ISBN 978-986-185-160-0(平裝)

876.57　　97002804

在深處於如山丘般袤廣無垠的上埃及沙漠裡，有一座不為人知的禁城，城內有一群人盡心護衛著法老王最珍貴的祕密，那就是可將大麥變成黃金、物質幻化成光的「光之石」……

1

真理村，一個神秘的工匠村，裡面所居住的工匠們專門負責在國王谷地內開鑿及裝飾陵寢。而此刻的真理村正陷入一片焦慮不安的氣氛中。自從首長尼菲寡言遇害以來，所有的男人、女人、小孩、乃至家中的寵物如忠狗小黑、看門鵝大壞蛋，都害怕太陽西下這一刻的來臨。

當太陽一沒入山頭、開始它在地底世界的夜間旅行時，村民們全都大門深鎖，躲在他們的白色小房子裡。不久之後，尼菲的陵墓內會竄出一個不祥的靈魂，同時開始尋找它的獵物。

沒有人敢因此去打擾智女卡萊兒，她正因喪夫之痛而將自己關閉在守喪與絕望的深淵裡。卡萊兒與尼菲過去在同一時間被接受進入行會，最後分別成了行會之母與行會之父，並為這個擁有三十幾名工匠及其家人的小團體奉獻他們的一切。

「不能再這樣下去了！」帕尼泊黑色的眼珠燃燒著怒火，他盯著美麗而纖細的妻子娃貝特純潔說道。「我們只會像鼠輩般躲著，生活根本已無快樂可言！」

「也許這個鬼魅終有離去的一天，」娃貝特說道，同時望著兩歲大的女兒賽雷娜熟睡在她的小床上。

他們十五歲的兒子阿沛弟則在一塊石灰岩上不斷地畫著漫畫，想藉此忘卻心裡的恐懼。

「只有智女可以撫平她丈夫的靈魂，」帕尼泊忖道，「但她卻不再有力量了……大家到最後又會把事情扯到我頭上，妳看著好了！」

尼菲和卡萊兒經過正式程序認帕尼泊為義子，之後並選任他為工匠隊的右隊隊長。行會就像一條船，身為真理村使徒的工匠們就如同左右兩隊船員，尼菲與卡萊兒希望帕尼泊能帶領隊員完成他們偉大的任務。然而行會卻無法避免一個最殘酷的事實：有個叛徒藏匿在這個小團體中，並企圖讓帕尼泊冠上謀殺義父的罪名。

雖然智女親口證明他的無辜，但帕尼泊總是能感覺到別人的懷疑眼光。

「我必須親自解決這件事情。」他決定道。

嬌小的娃貝特衝到丈夫的懷裡。

「不要去冒這種險，」她懇求道，「尼菲的陰魂總讓人覺得特別危險！」

「我為何要怕它？做父親的不會去傷害他孩子的。」

「它已成了一個一心只想報復的鬼魂……任何人都有可能會被它附身，而且血液循環受阻。沒有人能夠阻擋它，包括你在內。」

四十一歲的帕尼泊正值壯年，體力處於顛峰狀態，到目前為止尚未遇見真正的對手。

「我拒絕形同一個囚犯般生活在自己的村子裡！我們大家都應該繼續在村子內自由地走動，無論是白天或黑夜。」

「你是兩個孩子的父親，帕尼泊，你擁有一棟美麗的房子，而且還身為右隊隊長！不要去打一場注定會失敗的仗。」

帕尼泊拉著妻子的手，將她帶到屋內的另一個房間裡。

「妳仔細看著我親手雕刻、嵌在牆內的這座雕像。它代表著尼菲光明而偉大的精神，以及他乘坐太陽神舟旅行的不朽靈魂。首長讓行會生存了下來，因此不可能要它毀滅。」

「但這個陰魂……」

「我義父的名子是尼菲・霍特普。霍特普的意思是：夕陽、和平、圓滿。如果有陰魂的出現，一定是因為在葬禮中有一項儀式沒有依照正確的方式完成。他當時被人謀殺令大家都受到很大的衝擊，所以可能因疏忽而犯了一個嚴重的錯誤。也因此尼菲的遊魂才會用這種方式來要求得到安息。」

「萬一這個遊魂是個嗜血的鬼魂呢？」

「不可能的。」

帕尼泊摸了摸戴在自己身上的兩件護身符，那是一個眼睛形狀與一個聖甲蟲的護身符，若是要去從事這個危險的行為，它們缺一不可。那塊滑石做成的眼睛護身符是他在繪畫上的啟蒙恩師傑德送給他的禮物，智女特別為它舉行了開光儀式；有了它，帕尼泊可以察覺出一般人肉眼所略過的事實真相。聖甲蟲護身符則是以真理村的至寶光之石的一小塊所雕成，它代表一顆正直的心，能透視無形之物，以及和諧的永恆法則。

「看不看得清楚我的名字？」

娃貝特檢查了他的右肩，上面用紅色墨汁方方正正地畫了「帕尼泊阿當」幾個字。

「這是我最後一次懇求你放棄。」她哀求道。

「我要證明自己和尼菲的清白與無辜。」

＊　＊　＊

一股怪異的風鑽進了家家戶戶緊閉的門窗內，淒涼的呼嘯聲彷彿是一種威脅。

阿沛弟嚇得想躲進一個洗衣籃裡，但村子裡的少年就屬他的身材最魁梧，籃子的大小只能容下他的上半身。

「你簡直太可笑了，阿沛弟！學學你妹妹安穩地睡個覺吧！」

賽雷娜卻選在這時大哭了起來。她母親趕緊將她抱在懷裡安撫她。

「我會回來的。」帕尼泊保證道。

這是一個上弦月的夜晚，天色很昏暗，真理村也陷入一片死寂。高牆內的村子宛如已沉睡，但走在大街上的帕尼泊仍然聽得見村民片斷的竊竊私語和抱怨。

真理村位於尼羅河氾濫邊界五百公尺遠的一處沙漠谷地，是古時丘陵上激流沖刷下來的舊河床。村子與摘美山丘和百萬年大神廟之間的距離相等，一般的老百姓不得進入；真理村擁有自己的神廟、祠堂、工坊、倉庫、地窖、一所學校和兩座墓園，墓園內埋葬的是行會的工匠和其近親。

帕尼泊停下了腳步。

他似乎看見有人悄悄地溜進一條小徑內。

天不怕、地不怕的他仔細地觀察著西邊的陵園，大部份的陵墓頂端皆有白色小金字塔狀的石灰岩。顏色鮮艷的墓碑、經過整理的小花園與小樹叢、美麗的白色祠堂，在在都沒有喪葬的氣味，行會的祖先們長眠在這個平靜的地方保護著他們的後代。

但這一夜，在通往尼菲寡言陵墓的小路上，帕尼泊隱隱感覺到有一股敵意存在。

會不會是叛徒假扮鬼魂，企圖引他走進圈套？一想到這裡，帕尼泊不禁興奮了起來，如果能有機會敲破叛徒的腦袋，那將會是人生一大樂事！

尼菲寡言的陵寢又大又美。在活人得以進入的祠堂入口前，卡萊兒種了一棵酪梨樹，它以驚人的速度快速生長著，彷彿迫不及待地想伸展枝葉，在露天的中庭形成宜人的林蔭。

帕尼泊穿過一座類似廟宇的塔門，然後在庭院內再度停下了腳步。此刻，那股敵意不但更明顯，而且開始逼近他。祠堂的牆上刻意留下了一道隙縫，好讓尼菲含有靈氣的雕像能夠看得見活人的世界，鬼魂會不會從那個隙縫鑽出來？

帕尼泊一步一步小心往前走，彷彿是第一次來到這裡，實際上他比任何人都更熟悉這個地方，因為他義父的陵寢完全是他親手裝飾的。

如果帕尼泊如同往常般急躁地衝過去，那麼他就不會看見一個紅色的鬼影從堵死的水井內冒出來。它試圖要掐死帕尼泊，而後者及時跳開，並從它的正面一拳打下去。

然而他的拳頭卻撲了空。

鬼影不斷地左右搖晃，同時尋找攻擊的角度。帕尼泊馬上跑到祠堂內取下一枝燃燒中的火把。他讓火焰燃燒得更強烈，然後筆直地走向敵人。

「我敢打賭你一定不喜歡光芒！」

紅鬼影的面容並不是尼菲的臉。它的臉不斷地扭曲變形，如同遭受到巨大的痛楚折磨。

當火把一略過鬼影時，它隨即便消失在井裡。

「好傢伙！你別想藏在那裡面。」

帕尼泊移開兩塊石板，將火把固定在石板中間，接著開始將井內的石頭一塊塊移開，他決心要一路追到鬼影的巢穴內。

2

智女卡萊兒始終無法自喪夫之痛中恢復過來，尼菲寡言曾經是她唯一的愛，而且永遠不會有所改變。

自從他死後，卡萊兒已不再留戀人間。機警的小黑擔心主人會做出傻事，因此一步也不離開她。小黑有一個長長的鼻子，一身短黑毛，現在連睡覺都只閉一隻眼睛。非常具有靈性的牠和主人一起守喪，既不再玩耍、也不再要求散步。

卡萊兒勉強自己料理一些基本的家務，這個家當尼菲在世時充滿了點點滴滴的幸福。工匠們在尼菲當上首長的時候，送給了他們許多精緻的家具。尼菲是一個如此出色的首長，他堅定的個性和與生俱來的威望曾經帶領工匠們走向成功之路。

四十八歲的卡萊兒依然美麗如昔，她的身材纖細，五官非常的細緻，美麗的頭髮閃耀著金色的光澤。她的聲音甜美，藍色的眼睛總是散發出一種溫柔且令人信任的光芒。村民們都很崇敬她，不但如此，每個人或多或少都曾經讓她盡心地治過病。

但身為智女的她已不再有精力去進行她的任務。尼菲的死吸盡了她的生命泉源，她任由自己走向死亡，希望能夠與他盡快會合。

整個房間只有一盞燈點燃著，那是細木匠狄弟亞所雕製的一個傑作，紙莎草形的燈柱固定在一個石灰岩的底座，燈的頂端有一個銅製燈油器皿，浸泡在裡面的燈蕊於燃燒時不會發出烏煙，與陵墓內所使用的燈蕊相同。

在許多失眠的夜裡，唯一陪伴卡萊兒的就是這盞燈的微光；她有時在溫柔的火苗中以為自己又看見了丈夫的臉龐，但幻影總是很快就消失，而她在失望的深淵中卻跌得更深。

小黑把一隻前腿擱在智女的手臂上，宛如牠已猜到了她所做的可怕決定。卡萊兒不想再走下去了，再過不久她將毋需再過這種悲痛的生活；一旦進入了另一個世界，她就可以結束這一切的折磨。她在小黑眼中讀到的溫柔突然間產生了一種奇異的現象。尼菲出現在微光中，並說道：如果有一天我失敗或消失了，請不要讓真理村的火焰熄滅。我要妳以我們的愛情為證，答應我繼續努力下去，卡萊兒。

尼菲在世時曾經說過這些話，她原已忘了它們。而現在尼菲自另一個世界回來提醒她，她的職責與任務並未完成，讓她不能再如此自艾自憐下去。

一陣猛烈的敲擊聲令她的腦門嗡嗡作響。

小黑狂吠了起來，並立刻衝到大門口。

有人在敲門。

「卡萊兒，我求求妳快開門！」

卡萊兒認出那是娃貝特的聲音。

小黑停止了吠聲。卡萊兒開了門。

「快來，事情很嚴重！」

「到底發生什麼事，娃貝特？」

「帕尼泊跑到尼菲的陵墓裡……如果他固執地要與那個鬼魂拚命，一定必死無疑。只有妳能夠勸他放棄。」

卡萊兒露出一個淒涼的笑容。

「妳真的認為我還有能力去幫他的忙嗎？」

「帕尼泊只聽妳的話……我不能夠失去他！」

「妳等我一下。」

卡萊兒來到她的房間，打開一個鑲有象牙的珠寶盒。自從丈夫去世以後，這是她第一次戴上耳環與手鐲。卡萊兒拿起一面銅鏡照了一下。

鏡中映出一個因悲傷而顯得憔悴的臉龐，她必須要上點妝，才能讓臉上再度顯現年輕與活力。這些成功的改變令娃貝特眼睛為之一亮。

「妳從未如此美麗過！快來……」

小黑和巨鵝大壞蛋跟在她們兩人後頭，一路奔向尼菲寡言的陵墓。東方已呈現一片殷紅；清涼的微風令娃貝特不住地發著抖，因而加快了腳步。

經過了好幾個小時的努力，帕尼泊終於將墓井完全清空。他循著石井達到尼菲的墓室前，入口處的木門封上了泥章。

他抬起眼睛，看到通往上方的井口出現娃貝特的面容，背後是拂曉的天空。

「上來，帕尼泊！」

「辦不到！」

「你沒有權利去侵犯一座陵墓！」

「那個鬼影子就藏在裡面，我要去找它。」

「智女禁止你這麼做。」

「智女！怎麼會……」

「她人就在這裡。」

帕尼泊藉著石塊的凸緣往上攀爬，動作和貓一般敏捷。他不相信娃貝特的話，因此想親自上去求證。

卡萊兒站在那裡，身上穿著一件女祭司長的紅色長袍，同時戴上了她最美麗的首飾。

「妳……妳真的禁止我往裡面走？」

「我必須要和你一起下去。」

「太危險了！我已看見那個紅影子，它很可怕。不過它不是尼菲。」

「那極可能是在喪禮的儀式中、由於某個錯誤而產生的邪惡力量。」

「我也是這麼想，而且我一定會找到它。萬一它躲過了我，妳千萬要阻止它逃跑。」

帕尼泊進入了井深處。

他毫不猶豫地打破泥封章，然後將墓室的大門打開。

帕尼泊把那些工具、衣物箱、經過木乃伊化處理的食物籃、尼菲的雕像等，全都移到一邊，以便清出一條通往木乃伊棺的路。這時紅鬼影很可能隨時會從它藏身的地方跳出來撲到他身上。帕尼泊處於全身戒備的狀態，如同一個獵人在搜尋他所無法全然掌握的兇猛獵物。他緩慢地搬開每一項物品。儘管帕尼泊身材壯碩、孔武有力，他的行動卻能俐落得像一隻敏捷而輕巧的貓。

棺材上覆蓋著一件綠色的薄布，它靜靜地躺在一張床上。木乃伊的頸部戴著五環白色蓮花與柳樹葉製成的花圈，胸前放置了一束酪梨與葡萄樹葉。

微弱的光線進入了墓室，墓室的盡頭顯得很昏暗。帕尼泊知道紅影子就藏在那裡，但他無法辨識出它的位置。

最好的方法無疑是先退出墓室，並找來一些火把，讓墓室一片燈火通明，這麼一來鬼影便無所遁形；然而它是否會趁帕尼泊走出去時，出其不意地攻擊他？

突然間，帕尼泊的眼前映入了一個不尋常的現象：為何木乃伊頭底下的天銅光環全然沒有光芒？光環上刻有一些象形文字，照理說會有一個金色的光圈籠罩在四周，以隔離黑暗中的邪魔。

帕尼泊走近查看，當他伸手去摸此一珍貴的象徵物時，立刻驚覺到光環居然被……放反了！這不是一個無心的錯誤，而是蓄意的惡劣行為。叛徒不但謀殺了尼菲，還存心用這種方法導致邪魔的出現。

正當帕尼泊用手觸摸光環的時候，紅影子跳了出來！

邪惡的嘴臉、裂成兩半的前額，紅影子再度嘗試要掐死帕尼泊。

帕尼泊並未予以反擊，而是極力想將木乃伊頭底下的光環反轉過來。

紅影子箝著他的力量強大得令他開始無法喘氣。

剎那間，光環冒出一束火焰，觸及了紅影子，它的眼睛猛然睜大，幾乎吞噬了自己的頭部和整個身體。

帕尼泊終於得以喘口氣，然而他的頸部卻傳來灼熱的劇痛感，因而忍不住大叫了一聲。他反射性地回擊紅影子，而後者已縮成了一個小火球，接著消失在地面上。

帕尼泊步伐踉蹌，試圖走出墓室呼吸新鮮的空氣。

然而，石井的牆四面八方地向他壓過來，他知道自己離死神已不遠。

「上來，帕尼泊，」娃貝特尖叫道，「快點上來！」

3

莫希嗅了嗅廚師送上來的食物，立刻便將羊排朝廚師臉上扔過去。

「烤得太熟了，你這個蠢材！」

「可是小的完全遵照您的指示……」

「你的黃瓜沙拉根本教人難以下嚥，而且居然敢送上這種有瓶塞味的紅酒！你馬上給我滾出去，同時不准再踏入這個房子一步。」

莫希的怒火不是裝的，廚師馬上溜之大吉。這位底比斯省最有權勢的人一旦作了決定，沒有人會笨到去和他爭辯對錯。

莫希的身材五短、虎背熊腰、圓胖的臉、厚厚的嘴唇、肥嘟嘟的手腳、黑色的短髮平貼在腦袋上。自信滿滿而且野心勃勃的他出身戰車部隊，目前身居底比斯軍隊總司令兼底比斯西岸總督的要職，而他的要務之一是維護真理村的安全，並確保它的物質不虞匱乏。

真理村！這個該死的行會當年居然敢拒絕年輕時的他入會，而行會擁有一個無價之寶——光之石，他一定要將它佔為己有，才能進一步成為國家的主宰！

莫希曾經親眼看過這塊珍石，那一夜他在國王谷地邊的一座山丘上，偷偷俯瞰工匠們正在進行的儀式；一名警察發現了他的蹤跡，於是他當場敲破對方的頭顱，擺脫了這名警察。

那是他犯下的第一宗謀殺案，之後又親手或教唆犯下多起案件，以除去擋在他大好仕途前方的對手。

「洗洗手吧！親愛的。」賽克塔為丈夫端來一個長嘴銀水壺，裡面的水含有芳香的氣味。

賽克塔染了一頭金髮，而且有一對淡藍色的眼睛和豐滿的胸部，一天到晚總是擔心自己的體重過重。她並不知道自己有殺人為樂的天性，在幫助莫希爭權奪利的過程中，他讓她了解到自己的這種性格。莫希為了佔有岳父的財產，於是設下了一個陷阱將他除去，賽克塔不但未加阻止，反而在日後一起加入丈夫殺人的行列，並從中獲得極大的快感。

賽克塔為莫希一連生了兩個女兒，莫希曾經為此考慮將她休掉；然而她已猜到丈夫真正的計劃，莫希也意識到她足以對他構成相當的威脅，最後決定讓她成為盟友。從那一刻開始，兩人之間不但毫無隱瞞，而且併肩作戰、合作無間。

莫希喝了一口又香又甜的棕汁酒，酒精濃度達百分之十八。大多數不勝酒力的人一喝了這種酒便很容易醉，然而莫希不但酒量好，而且身體非常健康，只有偶而因情緒煩燥，左大腿處會出現一些小紅疹。

而他目前正處於這種情緒，因此開始不斷地抓癢……

賽克塔在他面前蹲下，並親吻他的大腿。

「你為何如此心煩，親愛的？」她用小女孩撒嬌的聲音問道。

「因為尼菲寡言雖然被除掉了，卻沒有發生我們想要的結果！」

「耐心一點吧！第一，我們主要的對手已經歸西；第二，殺他的那名叛徒已完完全全在我們的掌心中；第三，根據他所提供的最新情報，行會中的每個人現在已惶惶不可終日。」

「或許吧！但行會仍舊存在著……」

「你可曾想像它目前處於何種狀態？叛徒將木乃伊頭底下的光環倒放，引來了邪魔，嚇壞了整個村子。村民們都認為尼菲寡言想對他們採取報復，最後一定會導致他們彼此仇恨。」

「希望妳的判斷是正確的！不過我還是寧願有人來向我通報說真理村的村民決定離開那裡，並將村子交到我的手上……這時我們便可以冠冕堂皇地搜索每一個角落，以找出光之石。」

「在這種情況下，工匠們難道不會把它一起帶走？」

「若真如此，他們就等著在路上意外喪命吧！屆時我會樂意為他們發表一篇動人的致悼詞！可惜他們並未犯下這種錯誤，只是依舊躲在村子的高牆背後，而諷刺的是我和他們誓不兩立，現在卻要負責真理村的安定！」

「暗殺尼菲寡言有它絕對的必要性，」賽克塔說道，「行會一旦沒有了他，相對的也失去了靈魂。沒有人能取代他的。左隊隊長只不過是一個平凡的工匠，陵寢書記已經老得可以當古董，而智女也永遠別想從喪夫之痛中恢復過來的。」

「妳忘了還有帕尼泊這個人，也就是右隊的新任隊長！」

「根據我們線民的說法，他是一個性格衝動的人，不適合擔任首長一職。再說，他義父的死亡足以讓他失去理智，這點我可以肯定。一切會如我們原先所預計的情況，也就是說真理村會從內部開始自我毀滅，我們只需坐享其成、將它的財富及秘密輕易納入囊中。」

莫希和賽克塔信步走到豪宅內的大花園裡，這所位於西岸的別墅是他們眾多的不動產之一，成群的僕人將華麗的花園整理得繁茂怡人。兩人來到一個涼亭下，四周有洋桐槭與角豆樹形成的林蔭。一名僕人立刻為他們送來清涼的啤酒，賽克塔對這些飲料根本不屑一顧。

「很久以前我曾經在一家皮革店碰見這個帕尼泊。」莫希回憶道，「他當時非常的年輕、桀驁不馴，而且已經壯得像一頭野牛。一看他就知道是個當軍人的料子！可是他卻拒絕在我的手下做事……誰會想到他現在已成了真理村的中流砥柱之一。」

「唯一的中流砥柱是尼菲寡言。他不但指揮著工作的方向，而且能平息所有的爭吵；你放心，他是無法被取代的。邪魔首先會迫使幾個家庭逃離村子，行會裡其他的災難也會接踵而來的。」

一名負責別墅安全的警衛向他們夫妻倆跑來。

「將軍，這是一封來自比拉美西斯的信！」

警衛將信函呈上去給莫希後，隨即又回到自己的崗位。

「是掌璽大臣百依的來信，」莫希邊看邊說道，「西卜塔法老和桃賽特皇后希望見我一面，他們想聽取有關底比斯經濟的報告，同時想知道我對尼菲寡言謀殺案調查的結果如何。」

「他們很清楚你根本沒有權利進入村子呀！」

「是沒錯，但他們想確定我是否有盡全力找出兇手，並且維持行會的安全。」

「搞不好這個桃賽特是在向你設圈套？」

「她有本事做得出這種事……不過她最操心的事還是在於如何操控她的心腹大臣，藉以保有政權，百依不就是在這種情況下、成功地讓年輕又殘障的西卜塔登上王位嗎？比拉美西斯朝廷已成了一個虎穴。打從拉美西斯死後，法老的威望已逐漸衰落……這是我們的大好時機，小親親！一旦我們把光之石拿到手後，整個國家便屬於我們的了。可惜的是我無法派兵去剷平真理村，把那些村民給趕盡殺絕！」

一想到這麼一場大屠殺，賽克塔忍不住興起一陣快感。

「眼前你打算怎麼做？」

「首先我得去一趟助理區，和陵寢書記在那裡會面，並問他在內部進行的調查是否有所進展；接著再搭船到比拉美西斯。當然啦，我會讓妳陪我一起去。」

賽克塔就等這一句話。她當然不會讓老公自己一人去進行這種權力遊戲。此外，如果他敢多看某個年輕女子一眼，她會先把那個賤人給掐死，然後再懲罰莫希。

但莫希是個理性的人。他很清楚若沒有賽克塔的辦事效率，他是不可能成功的。賽克塔自願替他做壞事，而且沒有一點人性與道德的包袱。有了這麼一個親密、有野心、而且比毒蛇還要來得危險的伙伴，前途顯得一片樂觀。

「你不是打算停止村子的物資運送嗎？」

「我原本是打算這麼做，然後再將責任推到某個部屬身上，讓他做替死鬼，接著再找一位更聽話的書記來接任。」莫希承認道，「可是我已除掉了所有的眼中釘，一時之間找不到替死鬼。此外，我們馬上就要去比拉美西斯，萬一肯伊因為物資停止供給而又找不到我，很可能會把事情鬧大，到時就算我人在首府，也會受到連帶的影響。別忘了名義上我是真理村的保護者，所有的相關措施都必須令中央政府無可挑剔。到目前為止，我的這種作法讓我受到不少的表揚與晉升。」

賽克塔用濃濃的綠色眼影補妝，同時顯得心事重重。

「是桃賽特皇后讓妳擔心嗎？」

「她是很可怕沒錯，而且我希望西卜塔的黨羽能儘快把她除去……不過，我想到的是帕尼泊。你說得沒錯……這個傢伙有著像烈火一般的脾氣，想必他會試圖用高壓手段來統治行會。」

「就我們對行會規範的了解，那是不可能的事！」莫希不同意道。

「帕尼泊不怕樹立敵人，也根本不把村子的任何規範放在眼裡。」

莫希焦慮地猛吞一口口水。

「照這麼說……叛徒殺了尼菲寡言根本無濟於事？」

「當然不是這樣！假使帕尼泊真的開始掌權，他也絕不會遵循前任者的智慧管理。萬一他這麼做了，我們會儘快阻止他。」

「妳已經想好了計劃？」

「那當然！」她冷笑著回答。

4

石匠們重新將尼菲寡言的墓井填回去。

「帕尼泊這下鐵定掛了。」體格魁梧、濃眉塌鼻、雙臂短而有力的卡洛說道。

「你錯了，」同事卡沙駁斥道，「他現在正躺在祠堂裡，我相信智女一定會救活他的。」

「如果真的掛了，做什麼都沒有用。」費奈德附和道。離了婚後，他始終無法讓自己胖起來。

「是我把他從井裡拉出來的，當時他還有呼吸。」奈克特說道。他的身材壯碩，和帕尼泊幾乎不相上下。

頭髮整整齊齊、留著小鬍子的彩繪匠傑德以他一貫高雅的舉止，冷冷地望著這些同事。

胸膛寬闊的歐塞哈特是雕匠組長，正在檢查填井的工作是否已確實完成。雷努貝有個啤酒肚和淘氣的長相，他和削瘦的伊普伊準備開始固定表面的石板。

「圖弟出來了！」雷努貝叫道。

纖細的金銀匠圖弟剛從祠堂走出來，正往右隊同事這邊跑來。

「帕尼泊還活著！」

「活著……怎麼個活法？」費奈德問道，「是像個石頭、植物人還是正常人？」

「還不是很清楚。」

「我們去看看！」

石匠和雕匠們全都往祠堂走去，有三名工匠守在祠堂門口：一個是臉頰圓滾、生性開朗的帕伊，這時已失去了平日的笑容；另一個是長相醜陋、有點虛胖的長鼻子卡烏；最後一個是令人不自覺與豺狼連想在一起的烏奈士。

高大、動作緩慢的右隊細木匠狄弟亞和話很少的左隊隊長海伊正將帕尼泊的身子扶正，以便智女為他聽診。

歐塞哈特推開了烏奈士和帕伊。

「他到底說話了沒？」

「閉嘴！」卡烏說道；「智女正在聽他的心跳聲。」

帕尼泊兩眼睜開著，卻一動也不動，彷彿一尊雕像般。他的皮膚紅得像是剛被沸水燙傷過一樣。

幸好，他既未失明，心臟也還在跳動；智女用大姆指不斷地摩擦他身上的兩個護身符，好讓它們再度顯現法力。

智女一句話都不說，眼光中也沒有樂觀的味道。她已在帕尼泊的頸部與腰部注入磁氣，卻始終無法讓他的氣血循環。

突然間，一隻白、黑、褐色花紋相間的大貓跳到帕尼泊的大腿上蜷成一球，並發出呼嚕聲；牠完全不像隻家貓，反而比較像是一隻猞猁。

幾乎是同時，帕尼泊的眼睛不再顯得呆滯，智女這時才鬆了一口氣。大貓象徵著太陽戰勝黑暗，並且吸取了殘留在帕尼泊體內的邪氣。

帕尼泊終於清醒過來。

「影子……牆壁……那些牆朝我壓過來……它們在哪裡？」

「那只不過是一種幻覺，」卡萊兒溫柔地說道，「你終於回到我們身邊了。」

「我早就知道，他可不會這麼容易就被摧毀！」雷努貝叫道。「這難道不是拉美西斯大帝的一部份卡氣進入了帕尼泊的身體嗎？幸虧有這股精氣，因而讓他救了行會！帕尼泊萬歲！」

雷努貝的熱情感染了大家，在眾人的歡呼下，奇蹟式生還的帕尼泊站了起來。

「讓我過！」陵寢書記肯伊用焦躁的口氣命令道。

七十七歲的他在村子裡代表中央政府。當年，他放棄了在卡納克的美好前途，將自己奉獻給真理村和村民，雖然他總是不斷地批評他們的無數缺點，但他愛他們勝過一切，甚至連中央都已放棄說服他退休。

肯伊的身材肥胖、動作不再靈活，需要靠他的枴杖行動，不過當他急於達到某個目的地時，他會忘了自己的年紀和病痛，趕起路來一點也不像個老人家。肯伊負責將小團體的生活點滴記載於陵寢日誌，對工匠們而言，他簡直就像是個苦役犯的守衛，容不得有任何的疏失。他非常嚴格地審查每個人的請假事由，如果工匠請的是病假，他會找智女求證，以確定請假者是否真的因病無法工作。

他同時也負責管理工具的維修及分發、回收，因為這些工具屬於法老的財產，不過行會的成員有權利製造屬於自己的工具，並用於私人方面的工作，肯伊一板一眼的管理絕不會產生任何的混淆。

「聽說那個鬼影打倒了帕尼泊？」他焦急地問道。

書記助理伊姆尼在一旁隨時準備記錄，依舊是一臉獐頭鼠目的樣子。

「事情正好相反。」帕尼泊說道。

肯伊凝視帕尼泊良久。

「你看起來的確活得好好的。」

「帕尼泊救了村子！」奈克特用肯定的語氣說道，「如果鬼影繼續威脅我們，有好幾個家庭一定會因此而離開村子。」

「他為了我們冒著生命的危險，」費奈德也說道。「這種英勇的行為不但洗清了所有加諸於他的控訴，同時也配當我們的首領。」

陵寢書記用詢問的眼光望著智女與左隊隊長海伊，兩人做了一個贊成的手勢。

這時候，那位叛徒意外得說不出話來。

當他一看見大貓跳到帕尼泊身上時，他立刻往後退了一步，因為就是這隻怪貓在他尋找光之石的時候將他抓傷，他卻始終沒有找到存放光之石的地方；現在帕尼泊又戰勝了紅影子，他已成了行會不折不扣的英雄，眼看著行會馬上就要認可他擔任首長一職！

不過，眾人愛戴的尼菲已被除去，這才是重點。叛徒將木乃伊頭底下的光環刻意放反，企圖用這種方法二度謀殺尼菲；就算他的義子消滅了鬼影，尼菲還是無法再回到這個世界。

村子的法庭也許不會同意眾人情緒激動下所做的決議，說不定經過一番深思熟慮後，它會拒絕帕尼泊擔任首長。就算法庭真的選任他為首長，那將是一個不可原諒的錯誤，因為帕尼泊會是一個不稱職的首長；他會與工匠們意見分歧，因而在村子內部製造出許多衝突。這時叛徒就要懂得利用這種混亂的局勢了。

長久以來，真理村早就該由他來領導，而不是別人；既然眾人不懂得欣賞他的才幹，他便選擇了報復一途！

莫希和他的妻子讓他有機會在村外累積了一筆財富，交換的條件是為他們提供情報。他已是個有錢人。現在只剩下把光之石拿到手，再好好地與他們議價。

「多虧帕尼泊，」卡萊兒說道，「尼菲終於得以安息。光環在他的頭下散發著光芒，他的復生之軀將接收太陽的神秘力量，而他的名字尼菲・霍特普也已名符其實。他成了我們行會的祖先之一，我們每天將在自家中祭拜他光明的靈魂。對於他，所有的考驗已結束。為了紀念他和承傳他的教誨，我們要為真理村的生存繼續奮鬥下去。」

每個人都感覺得到卡萊兒眼中的哀傷永遠不會消失，但她已再度回到工作崗位，為了行會的幸福，她超越了自己的絕望情緒。有了她的法力，任何的阻礙都可以被克服。

「我一直被重感冒所折磨，」費奈德抱怨道；「妳是否願意為我治療？」

「我的診所大門再度為大家而開。」卡萊兒對他報以燦爛的微笑。

「我腳上有個傷口，一直好不了。」卡沙說道，「我的問題比費奈德的感冒嚴重多了！」

卡萊兒檢查了他的傷口。

「我知道怎麼一回事，而且能夠治好它。」

圖弟轉向帕尼泊。

「你有何打算？」

「我已是義父尼菲卡氣的使徒，所以不准任何人靠近他的陵墓。唯獨我一人可以為他供奉祭品，並負責維護他的陵寢。」

「隨便你，」烏奈士同意道；「不過你希不希望繼任尼菲過去的職務？」

「我擔任右隊隊長對我而言已經很足夠了。現在請你們大家都離開，我希望和智女單獨留下來悼念永遠無法取代的尼菲。」

沒有人提出抗議，於是一行人先行離開。

「帕尼泊將會是一個傑出的首長。」叛徒向陵寢書記建言道。

「這要由法庭來決定。」肯伊答道。

肯伊才剛走進家門，他有名無實的年輕妻子牛妞立刻向他跑過來。

「莫希將軍人已經在村子的大門外，他希望能立刻見到您！」

5

到村子的主要入口一共得經過五道堡壘，莫希每經過一道都得報上他的名字和頭銜。那些努比亞警察嚴格地執行索貝克隊長的命令，一點兒也不馬虎，所有的來訪者，不論官位大小都得遵守規定。

到了第五座堡壘時，索貝克親自出面迎接莫希。

索貝克是個不受賄賂、個性堅毅的努比亞人，二十年來，他始終為一個謎團所困惑：是誰在國王谷地山丘上殺害了他的部下？這個悲劇已是陳年往事，調查的工作早已停止；而且尼菲寡言的謀殺案也使得這個案情變得不重要，然而索貝克堅信長久以來一直有人想加害於行會，而且這兩宗謀殺案一定彼此有關聯。

索貝克不喜歡莫希。他認為莫希過於高傲自大，同時野心勃勃，不過他沒有理由拒絕莫希進入助理區。陶匠貝肯是助理區的工頭，他們主要的工作是讓行會維持舒適的生活條件。

「沒有什麼問題要報告嗎，索貝克？」莫希傲慢地問道。

「我這邊沒有什麼可以報告的。」

「一旦有事，馬上通知我。我可不想讓別人有批評我的機會。」

「助理工作的待遇好，工作環境也很好，而且村子裡似乎什麼也不缺。」

「你叫人去通知陵寢書記，告訴他我希望立刻見他。」

在等待的這段時間裡，莫希打量著助理工的工作坊。每天當太陽下山時，工人們便回到農田邊的房子。他們的工作都經過嚴謹的安排，好讓工匠們儘可能地減少一些不必要的粗工，如此一來，工匠們才能專心致力於他們的首要任務：透過光之石，將金坊的神秘轉化於他們的作品之中。

不久之後，這一切都將屬於莫希，他將是唯一對他們下命令的人。

肯伊踩著艱難的步伐向來訪者走過去。他拿著枴杖，在莫希面前停下。

「您身體近來可好，肯伊？」

「不好，非常不好……歲月的負擔對我越來越沉重。」

「您是不是該考慮退休、好好享享清福？」

「我還有很多事情要做，尤其是在悲劇發生以後。」

「我正是為了尼菲被謀殺的一事而來。國王召我到首府，他想知道我調查的結果如何……可是只有您才能在村子裡進行調查！」

「的確，將軍。」

「您找到兇手了嗎？」

「很遺憾沒有。」

「有沒有什麼嫌疑犯？」

肯伊看起來有點不自在。

「我不妨把事實告訴您，將軍，不過您必須答應我三緘其口。」

莫希全身一凜，難不成這個老書記已認出了叛徒的真面目？

「您這個要求令我有點為難，肯伊……我對國王不能有所隱瞞。」

「西卜塔國王可以說是住在比拉美西斯的一位青少年，離真理村有十萬八千里遠，而我們卻有責任要保護真理村。我會擬一份報告寄給國王本人，並將目前調查的詳細情形作一個說明，您可以請國王放心，告訴他行會仍繼續正常運作，就當作什麼事都沒發生過一般。」

莫希的肌肉開始收縮，左腿也開始發癢。

這麼說來，尼菲之死並沒有令這些工匠受到致命的一擊！

「好吧，肯伊，我答應您保持沉默。」

「我們幾乎確定兇手是行會裡的一員。」

「意思是……你們之中存在著一個叛徒？」

「恐怕是這樣。」肯伊用蒼老而疲倦的聲音說道。

「我很難想像……或許我的推測會比較合理。」

「您可不可以說說看？」肯伊好奇地問道。

「依我看，暗殺首長的人可能只是一名助理工。」

「助理工……他們並不能進入村子呀！」

「兇手很可能成功地潛入了村子，而沒有被守衛發現。想必他是打算到尼菲家裡偷些值錢的東西，不巧被尼菲發現，他在驚慌之下便把尼菲給殺了。」

「一名助理工……」肯伊喃喃自語道，眼神中又燃起了一絲希望。

「我建議您不妨盤問他們。假使盤問不出個所以然，我再到助理區去審問這些工人。助理區在村子之外，所以不礙事，況且我的手下很有經驗，一定會讓他們吐實的。假使兇手真的是他們其中一個人，他非得從實招來不可。」

「我會把您的建議提報到法庭。」

「我到時便向國王說我們同心協力地在調查事實的真相。」

「請您特別告訴他，我們正在等他的工作指示，以便開始進行他的陵寢和百萬年大神廟等工程。」

「等我一回來，我們再交換心得。希望您到時已經查出兇手的身份。」

「我也這麼希望，將軍。」

莫希勉強抑制住自己的怒氣，登上了馬車便直接離去，他連問都沒問誰是尼菲寡言的繼任者。除了帕尼泊還有誰？只有這個小子才有辦法將行會從一盤散沙的局勢中挽救回來。叛徒隨後就會向莫希證實這點，而賽克塔計劃要除去這個眼中釘不是沒有道理。

* * *

「是一名助理工？」索貝克隊長仔細聽完陵寢書記的話後，驚訝地說道。

「為什麼不可能？」

「大門的守衛應該會發現他潛入村子。」

「人總有疏失的時候……再說，兇手可能找到一個很好的方法攀牆而過，而沒有被發現。」

「那麼他至少也會在村子裡被人發現。」索貝克反駁道。

「越是做虧心事的人越會更加小心。」

「這名助理工八成是瘋了，才會想到要殺害首長。」

「他可能是在驚惶失措的情況下做出這種事。」

「我真的很希望莫希的推測是對的，」索貝克坦言道，「也希望所有的工匠都是清白的，但我還是有所懷疑。」

「不妨盤問那些助理工，索貝克，看看他們的證詞相不相符，同時從中找出一些蛛絲馬跡。」

「這沒問題。」

在陵寢書記折回村子的同時，索貝克不斷地想著一個問題：莫希明明知道這個調查工作會交給他來負責，為何不直接了當對他說出他的想法？

帕尼泊用方解石製作完成一張方形供桌，並且將它放在尼菲陵墓祠堂內的石門正前方，這座象徵性的石門刻滿了象形文字，是通往冥間的一道門。

在供桌的桌面上，帕尼泊刻了一些圖案，有牛腿和牛排、鴨子、洋蔥、黃瓜、白菜、無花果、葡萄、蜜棗、石榴、糕餅、麵包、牛奶、葡萄酒及水壺。

智女用她的法力賦予這張供桌生氣，讓它在空無一人時也能發揮它的作用。如此一來，即便是首長親近的人不復存在，具有生命的石桌將繼續貢獻食物給尼菲的靈魂。

但帕尼泊並不只滿足於此，因為所有的往生者基本上都有一張供桌；在智女的建議下並研究了雕匠的工作情形後，他決定為尼菲製作一尊雕像，而且是用另一種新的技術來雕刻。

這尊雕像有一對極為特殊的眼睛，它們完全符合埃及醫生在眼科方面的解剖學理論：角膜用大水晶雕刻，以展現目光的炯炯有神；鞏膜用碳酸鎂來表現，其內含的小靜脈將用氧化鐵的材質製成，瞳孔刻在大水晶內，而虹膜則用棕色樹脂來完成，不但如此，瞳孔與角膜的自然不對稱性也刻畫得栩栩如生。

＊　　＊　　＊

卡萊兒於拂曉時分來到工作室，帕尼泊正好剛結束他的工作。一道陽光照射在雕像上，雕像的目光如同在凝視著永恆。卡萊兒的眼淚立刻奪眶而出。

多虧他們的義子帕尼泊，尼菲得以活在永恆，不受衰老和死亡的威脅。雕像中的尼菲採取立姿、右腳在前、雙手貼在身邊、朝著西方世界的大道走去，並繼續指引行會走向光明。

卡萊兒幾乎要在雕像前跪下，帕尼泊及時拉住了她。

「他的卡氣將存在於石像中，」他對她說道，「不過他卻活在妳心中，是妳要承傳他的智慧。妳是真理村的女主人，請不要遺棄我們。」

6

拉美西斯大帝當年在三角洲上建立了首府比拉美西斯，離西北方敵人入侵的路線不遠。因此，只要一有動亂發生，法老可以隨時進行干預。首府擁有一個港口，大運輸船可以停泊於此，這個「碧綠之城」內有許多的水道穿梭其中，兩旁有無數的果園、花園及豪華別墅。生活在此，無疑是一件賞心悅目之事。只是城內還有一個菁英部隊駐紮於此，同時也有一個兵工廠，以便隨時能夠供應武器給邊防部隊。

莫希和妻子賽克塔無心去欣賞比拉美西斯的美麗。他們一抵達首府立刻就被引到皇宮內。皇宮的牆上四處可見到拉美西斯大帝的名字，它們被刻在象徵宇宙的橢圓框內，表示國王的靈魂永恆存在。

掌璽大臣百依隨即在他的辦公室接見了莫希夫婦。辦公室架上的文件堆積如山，彷彿隨時要倒塌一般。百依又瘦又小，相當神經質，黑眼珠骨碌碌地打轉，尖尖的下巴有一小撮山羊鬍。他對仰慕已久的桃賽特皇后忠心耿耿，當年為了消除朝廷內的派系及爭端問題，他成功地讓年輕的西卜塔登基成為法老，幕後則由他實際掌政。

「很高興再度見到您，將軍。同時也很高興能有這個機會向尊夫人問候。一路上的旅途會不會太勞累？」

「對我而言倒是一種短暫的休息。」

「那樣最好，那樣最好。我已安排兩位暫住在皇宮的一間別館內，並交待了一些命令，希望讓兩位在首府的這段時間裡能享有最舒適的款待。我想夫人可能需要盥洗並休息一下，不是嗎？」

兩名僕人出現在門口，賽克塔只好心不甘、情不願地跟著他們離開。當辦公室的門再度關上時，百依一派和氣的態度已不見。現在莫希面對的是一位嚴肅的政府大官。

「底比斯目前到底發生了什麼事，將軍？」

「整個情況完全正常，您請放心；而且我現在就可以向您報告收成的情形良好，稅收也極為理想。」

「沒有人會懷疑您在管理方面的長才，親愛的莫希，但尼菲寡言被謀殺一事教人怎麼想？」

「這場悲劇令我感到很震驚。陵寢書記和我本人將同心協力找出兇手。」

「很好。不過你們是否已經找到了具體的線索？」

「只有肯伊能在村子內進行調查。如果他需要我在村外幫忙，我將提供一切必要的人力。」

「我覺得您似乎已經很清楚兇手是誰，將軍。」

「清楚是不至於……但我相信嫌犯應該是那些助理工之一。」

百依查閱了一份文件。

「肯伊寫給我的信上的確也是這麼說，他和您的看法相去不遠。」

莫希捏了一把冷汗，他不知道掌璽大臣已經由快船收到陵寢書記的一封信，由於他不知道信上的內容，很可能因此而說錯話。

「肯伊要我放心，行會依舊如往常般努力工作，法老也可以信任它能擔任一切應盡的職責。」

「據信中所提，」百依繼續說道，「村子裡出現的邪魔原本會擾亂村子的安寧，但新上任的右隊隊長帕尼泊以他的勇氣驅走了這股黑暗的力量，讓村子再度獲得平靜。尼菲首長現在已安息，工匠們也開始準備進行一些必要的建築，以期待新法老的統治揚名立萬。」

「全國人民也都會因而得福。」莫希儘可能裝出肯定的態度附和道。

「不過還是要將兇手繩之以法，同時確保行會外在的安全。」

「這是我的職責之一，我一定會全力以赴！」

「您我都知道，將軍。您和我曾經成功地避免了一場內戰，我們現在應該要加強鞏固西卜塔法老和桃賽特皇后的政權。」

「您的意思是……他們的政權受到威脅？」

「請別裝傻了，莫希。西卜塔雖然聰明過人，但他完全沒有治理國家的經驗。再說，他的身體也很脆弱，若沒有桃賽特的佐政，他根本無法承受治國的壓力。而皇后本人必須面對一些可怕的對手……朝廷裡有一部份的人嫌她是女流之輩，另外一些人則嫌她是塞特裔二世的寡婦。」

「皇后擁有她突出的特質，為底比斯人留下了深刻的印象……依我看，她有足夠的資格當法老。」

「這是無庸置疑的，但比拉美西斯的軍事將領們希望埃及的首領是一位強而有力的男性，而且有能力抵禦外來的侵犯，甚至發動一場預防戰。」

「這位強而有力的男性……已經出現了嗎？」

「他名叫塞特・奈克特。雖說他已是上了年紀的大官，他卻非常了解敘利亞以及巴勒斯坦一帶的情勢，而且很受精兵部隊的歡迎。」

「他所受到的歡迎程度，難道足以……奪取政權？」

「目前還不至於，將軍，還不至於……但不幸的是，這種可能性並不是沒有。我希望塞特・奈克特是個守王法的人，而且不敢造次。過於樂觀是一種嚴重的錯誤，您不認為嗎？」

莫希沉思了一會兒。

百依將這些重要的消息透露給他，並非出於偶然，因此他召莫希到比拉美西斯的目的，不純粹只是想要了解底比斯的經濟狀況和尼菲被殺的案情。

面對這麼一個詭譎的局面，莫希不得不冒個險。

「承蒙您如此信任我、讓我知道這些機密，不過您是否希望我做些什麼？」

「問得好，莫希……不錯，我這些話可以說是屬於國家機密。您已經知道了這些秘密，所以也成了最清楚國家情形的大臣之一。我希望您能忠誠地合作。當然啦，您也許會有支持塞特・奈克特的念頭，希望日後成為他的大法官。」

「掌璽大臣，我可以向您保證……」

「我很了解人性，將軍，也寧可事先預防。如果您試圖背叛合法的法老，我絕不會手下留情。」

* * *

莫希和賽克塔參加了一場盛大的宴會，桃賽特皇后也親臨了會場。莫希夫妻兩人覺得她比過去更美麗，也更危險，而賽克塔更是嫉妒她所自然散發的高貴氣質。莫希從賽克塔的眼光中得知她又興起了殺人的慾望。

「冷靜一點，親愛的，」他低聲說道，「這是皇后的地盤，沒有人能動她一根汗毛。」

賽克塔朝一位年紀很老的大臣媚笑，後者從宴會開始到現在一句話都沒說。

「您是本地人嗎？」她問道，希望能夠打開他的話匣子。

「我有幸身為本地人，美麗的夫人，而且我的事業生涯到現在沒有出現過缺點。也因此我有幸為真正的領袖效忠服務。」

「西卜塔國王不是一位真正的領袖嗎？」莫希意外地問道。

「我們當然尊敬所有合法的法老，但也懷疑他過於年輕和缺乏經驗。希望時間能彌補他這些缺點，並學習如何治理國家。」

「他從來不出席這種場合嗎？」賽克塔問道。

「從不。他把大部份的時間都花在廟裡，晨祀之後便開始研究古人的著作。這種精神雖然值得讚許，但卻有可能會與現實脫節。」

「我是底比斯人，」賽克塔像個小女孩般嗲聲說道，「我不太了解比拉美西斯的朝廷情形……您是不是想告訴我們，桃賽特皇后才是國家的真正主人？」

「沒有人會懷疑這點。」

「您對這種情形似乎頗不以為然。」莫希察覺道。

大臣搖搖手，拒絕了侍女送上來的烤鴨。

「好奇心不要太重，將軍，您只要珍惜眼前所擁有的便可。底比斯是一個怡人的城市，您的嚴格管理為它帶來了令人讚賞的結果。過多的慾望會將您帶入危險之路，而且您會找不到任何的盟友。」

「您是否忽略了掌璽大臣百依對我的信任？」

「我不會忽略這個城市所發生的每一件事情，而且我勸您儘早離開。」

莫希有點被激怒了。

「您是什麼人，居然敢用這種口氣和我說話？」

大臣站了起來，莫希夫婦倆才發現這個人以其年紀而言，身體健壯得令人吃驚。

「我的任務繁重，也沒有習慣參加這種正式的宴會，不過今天這個宴會讓我有機會認識兩位。臨走之前，我有必要告訴您，塞特．奈克特並不需要您，況且身為將軍的首要責任是服從他的國王。」

7

助理工隊長貝肯一走進助理區，索貝克立刻便叫住了他。

「把你所有的部下全都叫到歐貝德的鐵舖前集合。」索貝克命令道。

貝肯不服氣地把頭抬高。

「你有什麼地方可以挑剔的？」

「你到時就知道了。」

「我要你把話先說清楚。」

索貝克抓了抓左眼下方的傷疤，那是他在努比亞的大草原中和一隻豹做殊死戰所留下的紀念品。

所有認識索貝克隊長的人都很清楚，這個動作代表他的怒火上升，而且是怒不可遏。

「別發火，」貝肯用軟弱的語氣勸道，「我只不過是想知道……」

「去把所有的助理工找來！」

貝肯自認還是乖乖聽話為妙，不過他知道要集合所有的助理工實在很困難，這些人有洗衣工、屠夫、麵包師傅、釀製啤酒工、鍋匠、皮革匠、紡織工、樵夫、漁夫和園丁，他們都是為村民工作的助理工。

鐵匠歐貝德是第一個強烈反彈的人。

「你待我們比那些屠宰場的畜牲還不如！是誰叫你這麼做的？」

「這是索貝克隊長的命令……我也無可奈何！」

「若索貝克有越權的情形發生，你的責任不就是為我們說話嗎？」

「你自己去向上面的人抱怨吧！」

歐貝德原籍是敘利亞人，五短身材、滿臉的大鬍子、脾氣不是很好。他二話不多說便直接去找索貝克。

「我們是擁有自由的工人，」歐貝德宣稱道，「你沒有任何權利叫我們做事。」

「你的記性可真差，」索貝克說道，「萬一那個助理工犯了嚴重的錯誤，我就有義務逮捕他。」

歐貝德皺緊了眉頭。

「這麼說來，我們全都犯了一個嚴重的錯誤囉？你根本是在拿我們開玩笑，索貝克，我這就去向陵寢書記報告！」

「我是聽命於他才這麼做的，因為你們全都涉嫌謀殺尼菲寡言。」

歐貝德張口結舌、一句話都說不出來。所有的喧嘩頓時變得鴉雀無聲。

「大家排成一排，」索貝克命令道，「而且保持安靜。我在辦公室一個一個審問你們。」

「我要求貝肯在場為我辯護！」鍋匠打岔道。「大家都知道你會用什麼方法……任何人都有可能被你屈打成招！」

索貝克狠狠盯著他。

「你倒是舉個例子。」

鍋匠垂下了眼皮。

「不，不……」

「我要的是明確的答案，而且我有的是時間，可以和你們慢慢磨。不做虧心事，半夜不怕鬼敲門。行事光明磊落的人很快便會被釋放。你們別想對我撒謊，我的嗅覺和獵狗一樣靈敏。」

貝肯走近索貝克。

「我可以私下和你談談嗎？」

「那正好，我原本就打算第一個盤問你。」

兩人走進了鐵舖。索貝克很滿意這裡，因為它象徵著烈火燃燒的光明將會使兇手現出原形。

「說吧！你鐵定是隱瞞了什麼事！」

「有個助理工不見了。」

「你確定。」

「他叫利布，是洗衣工，父親是底比斯人，母親是利比亞人。這個人已經五十來歲，為了養家糊口，工作得很辛苦。他有時會偷一些粗布，不過我總是睜一隻眼閉一隻眼。」

「他會不會是生病了？」

「如果是這樣，他老婆應該會通知我。他的缺席很不尋常，我敢向你保證！」

「我現在就去他家一趟。在我回來之前，你們先回去工作。」

*　　*　　*

利布處於渾渾噩噩的狀態中。

他思緒緩慢，很難集中精神去了解發生了什麼事。在通往真理村的路上，一名農婦走過來向他說話時，他原先以為對方認錯了人。但她叫的確實是他的名字，而且對他的一切瞭若指掌，甚至包括那些無傷大雅的偷竊行為。

利布心裡忐忑不安，並開始為自己辯護，他告訴對方自己家境貧困，不得已才會這麼做。

農婦要他放心，她解釋是他的同事們派她來的，因為他們剛收到百萬年大神廟的工坊所送出來的一批新布，打算將其中最好的幾塊拿出來大家分了，然後才去工作。這真是不可錯過的油水！

「我並不認識妳……妳打從哪裡來的？」

「我是陶匠貝肯的新姪女。」賽克塔嬌聲嬌氣地說道。

「喔……他不會讓妳倒味口嗎？」

「他人很好！而且多虧他，大家才可以分這一杯羹。」

賽克塔離開小徑，走向沙漠邊上的一個檉柳叢。

「這裡是會面的地點，」她解釋道，「而且這個地方很安全。」

「那最好！萬一被索貝克隊長抓到，我們馬上就會丟了差事，而且會被判重刑關到大牢裡。」

「不用怕……貝肯都設想過了。」

利布已經開始幻想他妻子到時把他分得的上好布料拿去做個好買賣。儘管洗衣工這個行業很辛苦，總算還是可以撈到一些好處。

利布打量著賽克塔凹凸有緻的身材。

「貝肯倒是很會選姪女……不過他才剛換過一個新的！通常他都會維持比較久的時間才對。」

「他這段時間精力過於充沛。」

「真是個不折不扣的老公羊！早知道我就不結婚，學他逍遙地過日子。」

「其實，我也不是個不解風情的人……好東西要跟好朋友分享嘛。」

利布用他長滿繭的手撫摸著賽克塔的胸部。

「如果被我老婆知道了……」

「誰會去講？」

利布低下頭去親她的乳尖，接著又往下探索。

他的姿勢簡直太理想了。賽克塔從假髮上抽出一根長長的毒針，朝利布的後頸又快又準地刺下去，手法不下於專業的外科醫生。

利布的身體起了一陣痙攣。她猛然地推開他，而他臨終前的痛苦掙扎帶給她無限的快感。

接著她把兇器抽回來，將死者脫光衣服，再從她寬袍內取出一條預藏的上等纏腰布，然後幫他穿上。那是叛徒從尼菲家中偷出來的纏腰布。

確定四下無人之後，賽克塔這才走向農田。

* * *

事實已經擺在眼前：洗衣工利布逃走了。他的妻子哭得死去活來，而索貝克隊長則命令部下在真理村的四周仔細搜索。如果這些調查不得其果，他到時只好要求莫希介入。

「利布一定是犯了滔天大罪，才會拋妻棄子、消失無蹤。」貝肯判斷道。

「目前沒有什麼能證明他暗殺了尼菲。」索貝克反駁道。「他和首長是否有過不愉快？」

「沒有，不過這一定因為某種特殊情況而造成。我已向你說過，利布是一個沒有什麼大作為的小偷，搞不好他是因為潛入尼菲家中，打算大幹一票，不巧尼菲正好在家。」

「哪有這麼巧，不但沒有人看見他，而且家裡也都找不到任何贓物？」

索貝克的問題考倒了貝肯。正當他努力尋找答案時，一名警察闖進了索貝克的辦公室。

「找到了，隊長，找到了！問題是他已經死了。」

索貝克立即動身前往現場。

「你們有沒有看到那條纏腰布？」一名警察問道。「簡直是上好的布！上面甚至還有文字標明品牌……」

上面的象形文畫的是一顆心與氣管，也就是「尼菲」這個字。索貝克把布拿在手上。

「想必又是沒有目擊者，對吧？」

「沒有，隊長。這個地方一大早都沒有什麼人出入。」

卡萊兒檢查了纏腰布。

「沒錯，這是尼菲的東西。他有兩條新的，我剛剛已查過，確實少了一條。」

「這案子總算告一段落，」肯伊下結論道，「利布的確殺了首長。當他得知索貝克隊長準備要盤問所有的助理工時，他便決定逃走。不過造化作弄人，他還來不及受到應有的懲罰，死神已把他帶走。」

「所以您的報告打算這麼寫了？」索貝克說道。

「應該說我們的報告。」陵寢書記糾正道。

「我可不簽名。」索貝克回答。

「為什麼？」卡萊兒問道。

「因為我不相信這名洗衣工是自然死亡的。」

「這條纏腰布……不正是他犯罪的有力證據嗎？」肯伊堅持道。

「有人企圖要矇騙我們。」

「若真如此，你更要簽名，」卡萊兒建議道，「這宗新謀殺案背後的主謀者會以為我們真的上了當。」

8

由於牛妞的勤快，肯伊的房子潔白耀眼得像一顆珍珠。所有的家具總是一塵不染，牛妞甚至得以進入肯伊的書房打掃，而且不會弄亂他堆積如山的文件檔案。除此之外，她做菜很有一手，肯伊說起來應該是全天下最快樂的丈夫，也終於可以全心投入於他的文學代表作《夢之鑰》。

但牛妞的態度使他有點內疚。

「拜託妳坐下來休息一會兒。」

「懶惰是最不可原諒的缺點，不是嗎？」

「妳轉得我頭都暈了，我想要跟妳認真地說幾句話。」

牛妞在一張草薦椅上坐了下來。

「我洗耳恭聽。」

「我已是一個老朽之身，而妳是一個年輕的姑娘。當初我娶妳是因為要把所有的財產留下來給妳，同時也把話說得很清楚，妳是一個自由的女人，妳可以選擇妳想過的生活。然而妳為什麼總是如此投入在這個房子、一心只會照顧我、而忘了妳自身的幸福？」

「因為這種日子讓我覺得很幸福，而且我所有的願望都已達成。我已幫您準備好到法庭穿的衣服，也希望您能做出明智的決定。真理村需要一個像帕尼泊這種真正的首長。」

真理村法庭在瑪亞特與哈托爾神廟的露天中庭召開。成員有智女、左隊隊長、陵寢書記、碧玉和另外四名抽籤選中的陪審員：傑德、奈克特、卡烏和一名哈托爾女祭司。

八名成員代表八種原始力量，他們所作成的一致決議將不容置疑。陪審團的工作是辨明事實與謊言、避免強權欺負弱小、對村子生活上的一些問題作出判決，從遺產證明到村民之間的糾紛都包括在內。

「有幾名工匠連袂向我們做出一個正式的提議，」肯伊宣稱道，「那就是提名帕尼泊擔任首長，成為尼菲寡言的繼任者。在此我沒必要一再強調這個決定有多重要，它必須通過大家一致的贊成。」

「帕尼泊冒著生命危險救了行會，」奈克特說道，「大夥兒都知道我個人並不欣賞他的個性，但事實就是事實。當他必須保護我們時，他會是我們最厚實的靠山。」

「身為一個義子，如果對他的義父忠誠不渝，難道不該繼任他義父的職責嗎？」智女問道。

「帕尼泊不但是一名出色的技術師，」海伊說道，「他同時也擁有當領袖的能耐。帕尼泊的領導方式將會與尼菲有所不同，也勢必會引起一些爭論，但我們沒有更好的選擇，因此我建議不妨信任他。」

「這不太像是你一貫的態度。」肯伊留意到這一點。

「重要的是行會的未來。我相信帕尼泊會盡其所能來為行會服務。」

「我同意左隊隊長的看法，」卡烏用他嘶啞的聲音說道，「我也認為他不善於處理人際關係，也因此可能會帶來一些衝突，不過我們需要他的勇氣和精力。」

碧玉和另一名女祭司則保持沉默。

「照這麼看來，」肯伊說道，「沒有人對提名帕尼泊繼任首長持反對的意見。」

「你忘了還有我。」傑德插話道。

「帕尼泊是你的徒弟，你一直都是支持他的。」

「正因為如此，我才有話要說。」

「我不懂你的意思，傑德。」

「從一開始，我就知道帕尼泊會是一個出色的彩繪匠；但這中間需要很長的一段時間來訓練他，讓他的手在自由發揮之餘，還要遵守和諧的法則。今天他當上了右隊隊長，當然很好，他已懂得控制自己，不再那麼急性子，這也證明他有能力依行會的精神來做事。但如果我們不按步就班一步一步來，恐怕帕尼泊會被自己個性中的烈火給毀掉。給他一點時間來勝任目前的職務，我們以後再依他的行為重新評估。」

「問題是我們沒有這個時間！」奈克特強調道。

「我們陵寢書記的身體還硬朗得很，有必要時，他可以代表我們面對政府當局，其他兩位工匠隊長則致力於他們的工作。日後我們再做最後的決定。」

「萬一只差你一個人同意，你願不願意改變初衷？」肯伊問道。

「這麼做是一個不可原諒的懦夫行為。塞特神的火熊熊燃燒著帕尼泊的心，這個火和雷電一樣可怕，它足以摧毀擋在前方的任何阻礙，但如果我們對帕尼泊要求太多，它也足以毀了帕尼泊。」

由於智女不再予以置評，肯伊只有宣佈法庭的決議：帕尼泊將不出任真理村首長一職。

* * *

碧玉正在準備祭祀用的器具。纖細的她是卡萊兒的助理，負責保管祭祀的物品與村子婦女不可或缺的化妝品。

真理村與其他的村子不同，每個人都有一個神職；工匠們和他們的妻子即是村子裡的男女祭司，所有的典禮與儀式都不需要有外來的祭司。他們有自己的階級劃分，與外界完全不相干，而且只視法老和皇后為他們的上級。

碧玉清點香膏瓶的數量，以確定一個都不少。這些造型矮短、平穩的瓶子皆用麻木塞封住瓶口，材質屬於石灰岩、方解石、或蛇紋石，每一個都是小小的傑作品。

她一清點完便開始將花束放在廟裡的祭壇上，智女稍後會開始祭拜的工作。過去她總是有首長陪伴著進行晨祀，村民則於同一時間在自家祭拜祖先的雕像、為祖先上香，並為供桌上的鮮花澆水，讓祖先的卡氣聞得到花香。

而現在，卡萊兒將獨自一人進行廟裡的晨祀，因為法庭延後了新首長的上任決定。她將同時扮演象徵國王與皇后、首長與女祭司長的雙重角色。

碧玉脖子上戴著一條石榴石項鍊，那是帕尼泊自沙漠遠征隊回來時送給她的禮物。她穿越露天中庭，心裡一邊想著自己和帕尼泊的奇特關係。

是的，他們從彼此身上所獲得的情慾比過去任何時候都要來得強烈，沒有任何的阻礙會降低他們之間的熱情。帕尼泊很清楚碧玉發過重誓一輩子不結婚，而且他也永遠不被准許在她家中過夜。只是，他所不知道的是，碧玉擁有一種娃貝特所沒有的神力，她於無形中逐漸地把神力傳給他。

碧玉在兩人初次見面時，便有預感帕尼泊日後在行會的歷史中將扮演一個重要的角色，她應該要盡全力幫助他塑造出領袖的氣質，讓他超越自己的能力與缺點。

唯有肩負偉大的任務才能平熄帕尼泊體內的火。娃貝特提供給他的是一個家庭的平衡生活，而碧玉則要維持他內心各種慾望的活力。尼菲寡言的運氣很好，他可以自同一個女人身上找到這兩樣東西，而帕尼泊卻必須生活在兩者之間，他追求的是不屬於這個世界的一種創作力量，而非其義父所具有的智慧及平靜。

有時，碧玉也會震懾於帕尼泊的力量，但和大多數的人不同的是，他擁有承擔自己命運的能力。碧玉所要做的是引導他走向對作品與行會的大愛，避免因過度的雄心而失去了正直。

傑德反對帕尼泊現在擔任首長是對的。當時如果有必要，碧玉也會支持傑德的意見。

她來到大街上，整個村子仍沉浸於睡夢中。

帕尼泊迎面向她走來。

「這麼早就起床了？」

「天氣這麼好……而且我想見妳。」

「現在是祭祀的時間，而不是享樂的時候，帕尼泊。」

「正因為如此……身為工匠隊長必須懂得所有的技術，所以我最近花了不少時間和金銀匠圖弟一起工作。我想到妳身為哈托爾女祭司，應該會用到這個首飾。」

清晨的光線照在一個金質的頭冠上，輕盈得有點不可思議。它除了有彩色的玫瑰花形裝飾外，還鏤刻著兩個小小的羚羊頭，手工極為精巧。

碧玉不敢相信自己的眼睛，她任由帕尼泊那雙巧手為自己將頭冠戴上。在村民陸續起床、準備祭拜祖先的同時，他已走遠。

9

村民們一般用來裝各種不同東西的甕高約一個半手肘、呈橢圓形、防水性極佳、整個厚度燒得非常均勻，它的表層漆上了紅色和擁有人的名字，這種以中部埃及地方黏土製成的甕非常輕巧和方便。

雕匠組長歐塞哈特奉老婆之命、帶著甕去裝水。他步伐緩慢地走向村子西北邊的穀倉。穀倉內的穀粒依品質與送達的時間區分成好幾堆。

多虧陵寢書記的嚴格管理，穀倉內總是堆滿了穀粒，就算在經濟不穩定的時期也能確保真理村不虞匱乏。

歐塞哈特驚訝地發現左隊隊長海伊在第一座穀倉前，正面對著帕伊及卡烏的老婆。她們兩人用相當難聽的話數落著海伊，而他始終保持冷靜的態度，並堅持不讓她們進入穀倉。

「這是怎麼一回事兒？」歐塞哈特訝異地問道。

「大法官已徵用了所有的穀倉，」海伊答道。「在沒有收到明確的命令之前，我們被禁止進入穀倉。」

「這個徵收令根本於法無據！」帕尼泊吼道。

「的確，」陵寢書記承認道，「但你可不要拿我屋裡的任何東西出氣！簽署信件的人不是我，而是大法官的助理。」

「可是，是您要海伊禁止所有的人進入！」

「在等待情勢明朗化之前，沒有必要讓村子去冒任何的危險。反正我們的穀粒還可以應付好幾天，做麵包和啤酒都不成問題，所以暫時不需要用到穀倉的庫存。」

「可是您受限於關節炎和痛風，根本不能……」

「我會加重處方的劑量，」卡萊兒剛為肯伊看完診說道，「但肯伊這兩天不能下床走路。」

「看來我只好自己到莫希將軍那裡了，」帕尼泊決定道：「他必須解決這種不合理的情形，並且避免未來再度發生這種荒謬的事。」

「你要試著圓融一點……說不定這只是行政上的一個錯誤。」

「我們在繪畫或雕刻時，也沒有說可以出任何一點差錯！」帕尼泊反駁道。

* * *

帕尼泊腳步走得很快，他決定要好好責備西岸總督一番，而不聽他的辯白。此外，他會在莫希面前當場把徵收令撕毀，並要求他立刻送一批上好的化妝品到村子，以作為精神賠償。

有個東西溫柔地舔了舔他的小腿。

「小黑！我沒有叫你跟我來呀……」

小黑大大的核桃眼中盡是要求與默契。

就在前往西岸政府辦公室的一半路程中，一名五十來歲、滿臉鬍子的壯漢擋住了帕尼泊的去路。

「嗨，朋友！今天是個好日子，不是嗎？」

「那要看對誰而言。」

「我想和你聊一聊。」

「你我並不認識，況且我在趕時間。」

「你這個人頗不友善喔……」

「別擋住去路，我再向你重覆一遍：本人在趕時間。」

「老實說，我的伙伴們也想加入我們的談話。」

麥田裡一下子冒出幾名大漢，將帕尼泊團團圍住。帕尼泊算算他們一共有九個人，同時注意到他們彼此很相像：同樣的外貌、同樣的舉止、前額同樣的低。

他們每個人手上都拿了一把木棍。

「你看吧！」大鬍子說道，「大家有話好說，不要把別人惹毛了嘛！可是現在你已經成了眼中釘。所以說，我和我的伙伴們打算好好教訓你，讓你一輩子再也開不了口。」

「你相不相信只要我說一句話，而且只要兩個字，就可以讓情況改觀？」

大鬍子愣了一下。

「兩個字……哪兩個字？」

「攻擊！」

小黑猛然跳了起來，狠狠地在大鬍子的手臂上咬一口，痛得他尖叫出聲。同時間帕尼泊用頭衝撞靠他最近的傢伙的肚子，然後便立刻閃到一邊，避開了木棍的攻擊，一個轉身，他雙手合十、猛力敲向攻擊者的後頸。

帕尼泊肋骨受到狠狠的一擊，差點兒倒下。然而他的忍痛能力不但沒有讓他倒下，反而用膝蓋一頂、將對方的下巴給擊碎。儘管如此，他的左肩接著又受到重擊，這時他意識到這夥人是一群有備而來的流氓。

帕尼泊馬上翻滾在地、一隻手捏住一名壯漢的鼠蹊部、將他高高舉起、拋向另外兩個傢伙，三人像雪球般翻滾在地。帕尼泊身手矯健得像隻老虎，面對其中一個對手的襲擊，他一腳便踢斷了對手的鼻樑。

小黑鬆脫了原先口中的獵物，馬上朝一個正要動手刺殺帕尼泊的壞蛋的小腿咬下去。壞蛋受到驚嚇，手中的武器應聲而落，立刻被帕尼泊順勢撿起。

帕尼泊滿臉是血，視線模糊，但他還是昂然站了起來，並旋轉著手中的棍棒。

「我們走！」首領叫道。

幾個還能走的傢伙趕緊拖了昏死在地上的伙伴，一票人就這麼一哄而散。小黑很想追上去，不過牠寧可留在帕尼泊身邊。他在喘口氣的同時也給了牠溫柔的愛撫。

衛兵們一看見這個滿身是傷的怪物走進西岸中央政府的中庭時，立刻拿起了他們的短劍比向來者。一名書記嚇得扔掉手中的卷宗，轉身躲進了上司的辦公室內。

小黑發出低沉的怒吼聲、露出尖銳的牙齒，準備隨時開始另一場攻防戰。

「本人是真理村的工匠帕尼泊阿當，我要立刻見莫希將軍一面。」

帕尼泊的名字早已越過高牆、聲名遠播，每個人都知道他能赤手空拳、一人打敗為數眾多且帶有武器的對手。

「我這就去通知他，」一名軍官說道，「請在這裡等一會兒，並看好你的狗。」

等待的時間非常短。莫希穿著最新款式的衣服，親自前來迎接帕尼泊。

「帕尼泊！你怎麼變成這樣……」

「有人襲擊我。他們一共有九個人，身上都帶著木棍。而且這些人都不是普通的農民。」

「你的意思是？」

「他們都是精於搏鬥的壯漢。」

莫希的臉色沉了下來。

「我擔心的事還是發生了……」

帕尼泊不禁怒火中燒。

「您早就知道他們準備要做掉我？」

「不，當然不知道，只是有些報告曾經提到有一幫利比亞土匪穿越沙漠，打算進入這一帶作奸犯科。我已增加了巡邏隊，心想儘快捉到這幫土匪。九個人……你最後打敗他們了嗎？」

「他們逃跑了，其中有幾個骨頭已經被打斷。」

「我帶你到醫務室。」

「智女會為我治療的。我身為右隊隊長，有必要向您提出一個嚴重的問題……由於我的職務的重要性，請您客氣一點，並停止用『你』來稱呼我。」

「好的，好的……請您到我辦公室。」

莫希一看到小黑跟在他們後面，於是停下了腳步。

「這隻狗是不是該留在外面？」

「小黑是一個高貴而勇敢的戰士。牠陪我一起來。」

「好吧！」

帕尼泊極為厭惡莫希的辦公室，裡面到處都是一些拙劣的畫飾。

「您請坐，帕尼泊。」

「不需要。」

「您會不會口渴？」

「是的，渴望獲得公正。」

莫希驚訝地睜大眼睛。

「您有什麼不公正的事情要申訴嗎？」

「真理村的穀倉被徵收一事。」

「可是……這根本是不合法的事情！」

「但我們的確收到一份相關文件，上面有大法官助理的親筆簽名。」

帕尼泊把沾滿汗水與血跡的文件攤在莫希的辦公桌上，後者仔細地看了一遍。

「這份文件是假的，」他下結論道，「這名助理根本不存在。」

10

這天早晨，莫希展開了一場真正的鳥類大屠殺。他已在紙莎草樹林裡殘酷地打了五個多小時的獵。只是獵殺的舉動並不足以平息他的躁怒。和帕尼泊的談話過程中，他幾乎無法控制自己的脾氣。代價高昂的九名士兵、驍勇善戰的九名士兵被買通去令帕尼泊永遠住口……而帕尼泊何德何能，居然打敗了這九個人！

賽克塔的計劃可以說是天衣無縫：用揑造的徵收穀倉一事，將帕尼泊引出村子，同時安排了那一幫傭兵半路攔截，他們所收到的命令是如果這名危險的歹徒有所反抗，便革殺勿論。一個人對九個人，帕尼泊應該是一點機會都沒有！

只有一個解釋：冥冥之中有一股超自然的力量在幫助帕尼泊，而這股力量一定是來自光之石。

這個想法使得莫希更強烈地想把真理村的珍寶據為己有！就是那塊石頭令行會得以克服逆境、滿懷信心地面對所有最嚴酷的挑戰。只要行會擁有它一天，就連最兇狠的攻擊都無法對行會造成大傷害。

可想而知，莫希身為真理村的正式保護者，所做的補償當然會超出帕尼泊的要求。他不但正式向陵寢書記道歉，同時也送給了行會一批香膏和葡萄酒，希望能藉此忘了這個令人遺憾的行政錯誤。

桃賽特皇后的美總是讓百依喘不過氣來。在每一天的每一個時刻裡，她臉上得體的妝、身上有品味的珠寶，在在都令她如此的美麗耀眼。忠貞於塞特裔二世的她始終未再婚；她有權威性，卻又適可而止，在統治埃及的過程中，她盡量避免去得罪西卜塔的支持者。

「法老的健康情形是否有任何改善，百依？」

「很不幸還是老樣子，陛下。不過他從來沒有抱怨過，閱讀古人的經文、與廟裡智者的討論讓他活得很快樂。」

「他是不是把國家大事完全放在一旁？」

「這方面他全然信任您。」

「這正是你原先所想要的，不是嗎？」

百依垂下了眼睛。

「最近塞特・奈克特這個老臣的動作頻頻，」皇后繼續說道，「顧名思義，他的名字表示『塞特是勝利者』，這教人不得不擔心。你是否完全掌控了情勢？」

「不完全，陛下。這位大臣說話很有份量，他主張國家應該要追隨塞特的路線，而這個路線從尊夫過世後便中斷了。」

「他的理由為何？」

「他認為埃及的國力已逐漸衰弱，而您在軍事方面卻不夠關心與注重。他的看法是有必要對敘利亞—巴勒斯坦來一次兵力展示。」

「這的確不是我的政策。你想他會大膽到試圖奪取政權嗎？」

「塞特・奈克特是一個沉著而意志堅強的人，因此不能低估他。」

「看來我的敵人並沒有減少……」

「很不幸確實如此，陛下，目前朝廷的成員讓我不是很樂觀。不過我不會讓他們肆無忌憚，同時我也會不斷地加強防禦措施，讓您沒有後顧之憂地統治國家。」

皇后臉上的微笑令百依紅了臉。

「我曾答應要給你一個驚喜，記得嗎？這個世界不過是宇宙的極小部份，百依，我們應該要開始考慮我們的陵寢一事。智女還未選定我在皇后谷地的墓地，不過有關你的陵墓，我已做了一個決定。」

百依感到喉嚨乾澀。他只希望能夠永遠伴隨皇后在側，即便在另一個世界也一樣。

「你將永眠於國王谷地，與你曾經效忠服務過的塞特裔二世相隔不遠。」

百依不敢相信自己的耳朵。

「我，在國王谷地，可是……」

「你對國家的貢獻至大，這是你應得的特殊待遇。你明天就出發到真理村，把新的任務交待給行會：建立西卜塔的百萬年大神廟和兩座陵墓，亦即國王的和你的陵寢。」

「陛下，我該怎麼……怎麼謝您？」

「永遠忠於你自己，百依。」

百依情緒激動地顫抖著，他忍不住低聲說出了藏在心裡已久的話。

「當您到另一個世界的那一天，諸神必定會賦予您法老之名，陛下，願我在那兒的居所能與您相近。」

＊　＊　＊

「神廟將蓋在圖特摩斯三世及百萬年大神廟的中間，」左隊隊長海伊說道，智女、帕尼泊及陵寢書記也在場。「至於西卜塔的陵墓，我們已經找到了一個很好的地點，就在塞特裔二世的北邊不遠處。」

百依點點頭表示同意。

「既然您是這兩位法老的使徒，」海伊繼續說道，「您的陵墓將靠近西卜塔的陵寢，也就是在谷地的同一區。」

「我想我的陵墓應該是一個簡單的墓穴，沒有什麼裝飾？」

「照習慣而言，非皇室家族的陵墓的確是如此，但這不是桃賽特皇后的意願，西卜塔法老也同意她的決定。」肯伊說明道，「這是我們設計出來的藍圖。」

藍圖上有幾個走廊相互連接、一間木乃伊室、一些彩繪的牆壁……百依驚訝得幾乎說不出話來。

「可是……這看起來簡直就像是一座皇室的陵寢！」

「這是皇后的要求，」智女說道；「到時這座陵寢不會舉行像法老一樣的祝聖典禮，不過會紀念您生命所作出的偉大貢獻。」

自從百依為埃及賣命以來，這是他第一次感到不知所措。

*　*　*

費奈德在智女選定的地點做最後一次的確認工作，然後拿起木槌與尼菲的金鑿，帶著敬畏的心情走近岩石，進行神聖的動工儀式。

索貝克因為擔心安全問題，因此加強了國王谷地內的戒備措施，同時親自巡邏谷地邊上的幾座山丘。帕尼泊受到攻擊一事，更令他的憂慮達到頂點；萬一真的是那些利比亞歹徒幹的好事，他們很可能想到墓園有黃金而進犯，國王谷地便首當其衝成為他們覬覦的目標，因此要更加特別地小心。

問題是莫希的話可不可信？當然，索貝克不會因為懷疑而去冒任何的危險，但他總是忍不住認為野心太大的莫希隱瞞了事實的真相。

帕尼泊的傷在智女的藥膏治療下很快就沒事了。他精力絲毫不減地舉起他那著名的大鎬往岩石鑿下去。

經由這個簡單的動作，整個團隊感染了他的熱情，也和他一樣希望再次造就出一個偉大的建築。石匠們輪番上陣，其他工匠則搭蓋了一個工作室，以便在其中準備雕塑、繪畫及陪葬品的工作。

就這樣，奇蹟出現了！經由工具的此起彼落聲及大家的同心協力，整個工地充滿了歡樂的氣氛。而且出乎眾人的意料之外，帕尼泊行事一點兒也不專橫，他心平氣和地檢查每個人的工作、耐心地解決所有的困難，同時自己帶頭做榜樣。

「尼菲選他當義子的確沒有看走眼。」卡洛觀察道。

「我們不要高興得太早，」烏奈士說道，「目前帕尼泊是在抑制自己，然而誰都知道江山易改、本性難移。」

「你錯了，」卡烏反駁道：「他身為工匠隊長，很清楚自己的責任在哪裡。」

「你這是在幻想。」費奈德說道。

「一點兒都不，」奈克特表態道；「我雖然是帕尼泊的死對頭，可是我發現他肩負的責任徹底改變了他，我們選他當隊長是正確的。」

* * *

肯伊坐在他的岩洞寶座內監視著工程的進行。由於做了一整夜的惡夢，他醒來後心情惡劣到極點，這一天想必是災難連連。

第一個狀況發生在早上的時間，卡沙無法直起腰身。

「腰扭到。」他表情痛苦地抱怨道。

帕尼泊馬上進行處理。他用智女教他的關節復位法為卡沙矯正脊椎骨的位置，讓整個氣血得以再度正常循環。

「他需要休息幾天。」帕尼泊向陵寢書記說道。

不到幾分鐘的時間，這回輪到帕伊停止工作。

「可能扭傷了手腕。」帕伊猜測道；「我需要包紮一下。」

肯伊檢查他腫脹的手腕，知道他說的是事實，幾乎就在同時，伊普伊的大叫聲讓肯伊嚇了一大跳；他的腳大概是被奈克特手中滑掉的大鐵鎬給砸到。

同事們全都圍了過來，並把他抬到擔架上。

「誰曉得是不是這個工地遭到詛咒？」卡洛嘟噥道。

11

帕尼泊由於升任右隊隊長的關係，因此在村子的東南角分配到另一棟房子。他先將一些木材家具塗上一種透明中帶黑的雪松木油加清漆，以達到仿烏木的效果，完工後便開始哄女兒入睡。賽雷娜有一雙綠色的眼睛，在父親巨大的懷中看起來是如此的嬌弱而令人憐愛。

先是歐塞哈特受到扭傷，接著又是費奈德被碎石擊傷臉頰，帕尼泊終於決定請智女出面協助。經過了一夜的作法，智女已驅走了工地的邪氣，帕尼泊這才放了心。

工匠們雖然害怕會再有意外發生，但大家還是回到了工作崗位。當一大籃的石灰岩碎片意外地傾倒時，這回一個受傷的人都沒有。雷努貝開始唱起了行會的勝利之歌，節奏強烈而輕快的歌聲感染了每個人的心情，大家又重新拾回工作的滿足感。

智女要求帕尼泊優先進行一項任務：儘快完成西卜塔的陵寢。她並未多做解釋，只是有預感這個工地不會維持很久。由於帕尼泊同時間也已開始挖掘掌璽大臣百依的陵墓，因此他必須向隊員做最大的要求，卻又不能影響到工作的品質與休息的時間。

在這種情況下，他只能請求一些自願者犧牲他們的假日來工作，並補償他們一些加班費。奈克特、歐塞哈特、卡沙及烏奈士不管妻子們的抗議，都自願加班，幸虧娃貝特很懂得如何安撫這些妻子們的情緒。

幾個月以來，這是帕尼泊第一次在自家中休息幾個小時、享受家裡的舒適、欣賞著蓮花和葡萄藤畫飾。

娃貝特怒氣沖沖地自房間走出來。

「我有兩根梳頭的髮針不見了！」她抱怨道。「該不會是你把它們拿走了吧？」

娃貝特很喜歡這兩枝木質和骨質髮針，這些髮針長約二十幾公分，其中一端很尖銳。她有時用它們來搔搔頭皮，有時用來解髮結，而不會弄亂綁好的小辮子。此外，帕尼泊在它們的頂端精雕一隻小小的隼頭做為裝飾，令許多婦女羨慕不已。

「妳明明知道我不會去動妳的東西。」

「這麼說是阿沛弟了！」

「他到哪裡去了？」

「我不知道。自從他學做石膏之後，他以為自己已經出師了，變得不喜歡受管教。」

帕尼泊在賽雷娜額頭上溫柔地親一下，她報以甜甜的一笑。

「你會永遠和我在一起嗎？」

「那當然……不過我現在得先去找妳哥哥。」

「他又做壞事了嗎？」

「希望沒有。」

「阿沛弟？他離開工地有一個多小時了。」帕伊的妻子對帕尼泊說道，「其實他工作表現得很好，我們的整面牆已被他粉刷一新。不過，他的脾氣實在讓人不敢領教，只要稍微說他一下，他馬上就臉紅脖子粗。如果你現在不好好管教他，以後會有你受的！」

帕尼泊問了好幾位村裡的婦女，沒有人知道他的去向。歐塞哈特的妻子還生氣地告訴帕尼泊，她的大兒子早上還跟阿沛弟吵了一架。

帕尼泊在村子裡四處尋找都沒有下落。萬一阿沛弟走出了真理村的屬地，是不是該通知警察？他決定先到南邊的垃圾場搜尋。那裡有各種燃燒後的廢棄物，堆成密實的一堆後，再經過太陽曝曬殺菌，接著填入一個洞裡，它的四面有砂漿砌成的圍牆。

帕尼泊簡直不敢相信自己的眼睛。

他看到就在垃圾堆的頂端，阿沛弟正拿著母親的髮針、威脅著要刺進歐塞哈特長子的手掌心。

「你給我出來！」帕尼泊大吼道。

阿沛弟全身僵在那兒一動也不動，另一個則趕快趁機逃走。

「那個傢伙侮辱我。」十七歲的阿沛弟辯解道。他的塊頭已和父親一樣大。

「你為什麼偷拿這些髮針？」

這個問題讓阿沛弟一時之間不知如何回答。

「為了好玩……」

「你只不過是一個變態的小偷，阿沛弟，你錯用了上帝賜給你的力量。」

阿沛弟全身發抖地從垃圾堆裡走出來。

「你……你不會打我吧？」

「先把髮針還給我！」

阿沛弟跪在地上。

「在這裡……可是你不要打我！否則媽媽不會原諒你，而且……」

他話還沒說完，一個巴掌已狠狠地摑了下來，力道大得令他撞向地面。

「這個村子自有它的法則，小子，你應該要遵守它，我最後一次警告你。你明天一早就給我開始工作，否則就立刻離開真理村。」

「我……我可以回家嗎？」

「今晚你睡在門口，而且不准吃飯。空腹更能讓你好好地自我反省。」

肯伊的痛風和關節炎問題已改善許多，現在卻深受背痛的折磨，因此他無法用晚上的一部份時間來寫他的《夢之鑰》；在牛妞的建議下，他終於找到一個較舒服的姿勢，可以讓他在寫字時忘卻疼痛：他坐在一個軟墊子上，一隻腳架著，然後在書房牆上掛著的一塊木板上寫字。他的字跡已越來越難辨認，不過頭腦仍然非常清醒，也不讓任何人代他記錄陵寢日誌。

「您得提防一下您的助理。」牛妞提醒道。

「伊姆尼是個能幹而認真的技術師。他把所有的盤點工作都做得正確無誤。」

「那最好，不過他始終在覬覦你的職位，心腸也不好。」

「他對妳做了什麼不好的事嗎？」

「他最好不要來犯我！不，我指的不是這個，而是為您著想……」

「妳放心，伊姆尼還不到接任我位子的時候。也許永遠也不會有這個時候。」

「他是不是有點尖酸刻薄？」

「如果真是這樣，我會讓他被派到一個偏僻的外省終其一生。如果他不懂得惜福，有一天終究會變成一個平庸的公務員。」

「您的早餐已經準備好了。」

煮得恰到好處的麥片、甜得像蜂蜜的無花果、香噴噴的蜜棗蛋糕……每天早上，肯伊的早餐總是如此可口，當然連午餐和晚餐也不例外。伊姆尼是個不懂得享受佳餚的人，這個嚴重的缺點令他得不到快樂。

獐頭鼠目的伊姆尼想要見肯伊。牛妞先讓他在外面等待，直到肯伊把早餐用完。

「索貝克來了一份報告！」

* * *

「為什麼這樣鬼吼鬼叫，伊姆尼？」

「因為它涉及到真理村的名譽！我們必須立刻處理這件事。」

「什麼事？」

「一頭母牛不見了。」

「干我們什麼事？」

「這頭牛是屬於百萬年大神廟的牛，下次在德爾巴哈利神廟舉行慶典時，牠原本要代表哈托爾女神的化身。」

「這的確是很麻煩的事，但我們又能怎麼樣？」

「母牛是因為一名工匠的錯才會跑掉，因此行會得為這件事負責！索貝克隊長的報告中清楚地提到有目擊證人，就算我們裝作不知道，也避不掉這個醜聞。」

「哪個工匠被指控有錯？」

「報告中沒有提到這一點。」

法老和掌璽大臣百依的陵墓工程正如火如荼進行中，發生這種事實在令人頭痛！

「把我的枴杖拿給我。」

第五堡壘的辦公室裡，索貝克坐在一張凳子上，神情顯得很苦惱。

「真有這麼嚴重？」肯伊問道。

「的確是很麻煩。也因此我才寫了那份報告，請您儘快將這件事情釐清。」

「你忘了寫上誰是始作俑者。」

「我一向很痛恨誹謗這種事。」

「可是你提到有目擊證人……」

「證人要買到處都有！尤其是如果有人蓄意要誣告真理村的一名工匠隊長，也就是帕尼泊阿當。」

12

「只要你留在真理村的屬地上，沒有人可以對你怎麼樣。」肯伊對帕尼泊說道，「我要準備一場訴訟，來證明那些都是無中生有的證據。」

「既然事情不是我做的，我當然不用為它負責，再說，若是我的行動受到限制，這不等於是減弱行會的力量嗎？」

「恐怕是，不過你的第一責任是完成西卜塔法老的陵寢。」

「把這頭母牛給找回來不就行了？」

「搞不好牠根本不存在！」

「索貝克可不這麼想，他針對這點做了一番仔細的調查。」

「你忽略了那九名歹徒的經驗了，帕尼泊，運氣不會永遠站在你這邊的。」

「我不願過著像囚犯般的生活，不過我倒願意聽聽智女的意見。」

「你陪我到神廟去一趟。」卡萊兒要求道。

所有的村民都知道帕尼泊又再一次受到人身攻擊，而他很高興大夥兒為他加油打氣。每個人都知道帕尼泊準備採取對抗，不過這回卻聰明地讓智女來引導他。

「當尼菲必須為行會做一個重大的決定時，他就會來這裡。」智女走進塔門時說道。塔門上刻有巨大的雕像，象徵著法老的卡氣，另外還有為瑪亞特及西峰女神獻祭的場面。雕像中的西峰女神以獅頭蛇身的面貌出現。

卡萊兒和帕尼泊先淨過身，然後穿上細亞麻袍和白色的涼鞋，然後才走進寧靜的神殿內。

「妳是神廟，而且妳無所不在，」智女在昏暗中禱告著，「妳讓南風變得溫和，且用涼蔭取代烈日，妳的兩道牆是東山與西峰，妳的拱頂是天空，是妳的光明滋潤了我們。」

神廟雖然是工匠們用石頭蓋成，再刻上神聖的畫面與象形文字，但神聖的奧秘出自於本身，並非人類能夠左右。行會用蓋廟的方式參與了宇宙中的和諧，讓神力發揚光大。

「這個事件比想像中的還要嚴重。」智女思索道，「如果這頭母牛跑掉了，表示哈托爾女神的保護也離我們遠去。若沒有祂的保護，我們的法力也將失效。」

「妳不認為這只是另一個陷阱嗎？有人暗殺了尼菲，現在也想把我除掉！」

「你目前的確身處險境，但這頭母牛是在警告我們。如果我們忽視了這個警訊，我們將會缺乏防衛的力量，這時任何最壞的情況都可能會發生。一定要把這頭母牛找出來，然後把牠帶回哈托爾神廟。」

「好……這件事交給我處理。」

* * *

肯伊拄著枴杖、目光直視著年輕的書記官。後者剛從書記學校出來，被分發到百萬年大神廟負責牲畜方面的行政管理。

書記官在一間通風良好的辦公室內接見肯伊。所有的卷宗都收拾得整整齊齊、椅子看起來也很舒適。

「真是莫大的榮幸……我沒有想到您會來訪。」

「您指控真理村的一名工匠犯了錯，卻又沒想到我的來訪！難不成您忘了我在村子裡就是代表著政府、指控它的村民就等於是指控我？」

「您……您也許想坐下來？」

「一點兒也不想，年輕人。我的雙腳帶我來到這裡，我還希望它們能帶我走更長的路。」

好幾個同事已經事先告訴過書記官：肯伊不是個好惹的老傢伙，但他原本希望肯伊也許因為年紀越老，嘴巴也不會再像以前那麼硬。

很明顯的，他們都錯了。

「您的證人呢？」

「這個字眼也許有點太過……」

「太過……這話是什麼意思？」

「證人這兩個字在法律上有非常具體的意義，我不希望……」

「您到底要不要把證人帶來給我看？」

「他們只不過是幾個不識字的農夫，表達能力也不是很好。法官可能會認為他們的證詞模糊，而且……」

「他們到底有沒有看到帕尼泊阿當偷那頭要獻給哈托爾的母牛？有或沒有？」

「不能這麼說，況且有一個牧牛郎身材也很高大，很容易讓人誤認是帕尼泊。」

陵寢書記的眼神變得非常犀利。

「您的意思是不是說……您的指控根本沒有什麼根據？」

「的確沒有很完整的根據，可是請相信我，我並沒有真正打算要告他。」

「但您還是小題大作了！您為的是什麼？」

書記官的眼睛盯著牆壁。

「對我，可以說是為了一種升遷的機會……您是一位資深的書記，應該很清楚要升遷並不容易。因此，我心想……」

「您是屬於那種野心勃勃的年輕人，為了想引人注目、討好上司，不惜用盡任何手段，根本不把瑪亞特的法則放在心上！」

「您聽我說，肯伊，這頭母牛確實是失蹤了，而……」

「很明顯是因為您的疏失才失蹤的！而您卻試圖用誣蔑的方法，讓別人為您揹黑鍋。」

「您和我應該……找出一個折衷的方法。再怎麼說，真理村總不是您的家人。」

「您好好聽著，年輕人，陵寢書記和其他的官員有所不同，您想都無法想像他和村民們所過的親人般的深厚感情生活。您最好自動辭職，而且儘快離開西岸。否則我會要您好看。」

書記官整個人一下子被擊垮，重重地跌坐在一張椅子上。

「那……我的母牛呢？」

「您自己去把牠找回來！」

肯伊出完氣後便走回村子。雖然步行令他感到有點疲倦，但一想到有這個好消息要通知大家，心情頓時變得很愉快。

卡萊兒一走出她的診所，肯伊望著她的感覺和他第一次見到她的感覺一樣，儘管經歷了喪夫之痛，她還是像春天裡溫和的太陽般明亮照人，只要看到她就會相信幸福的確是存在的。

「已經解決了，」他說道，「一個野心很大的小子故意找麻煩，想要把自己的錯故意轉嫁給我們。他甚至還要我參與這個卑鄙的手段呢！帕尼泊現在可以高枕無憂了。」

「他走了。」卡萊兒說道。

「走了……走去哪裡？」

「去找哈托爾女神的母牛。」

「現在已經不關我們的事了！」

「我認為還是有關，肯伊。百萬年大神廟的書記官只不過是個命運的使者；他以為可以牽連陷害我們，實際上卻是為我們傳達了女神的指示。」

「別忘記曾經有人企圖要殺掉帕尼泊，卡萊兒！現在讓他去做毫無把握的事，不是等於讓他去冒很大的險嗎？」

「若以哈托爾女祭司的眼光來看，這個任務有絕對的必要性。」

肯伊拄著他的枴杖。

「我開始有點懂了……妳們讓他去面臨許多的考驗，也許這些考驗會帶他走向最高峰，不是嗎？」

卡萊兒笑而不正面回答。

「這頭聖牛的確是身處險境。」

「如果帕尼泊沒有能力把牠帶回來，他自己也永遠不會回來了。」

「就讓女神去決定吧。」

「陵寢書記不算是一個輕鬆的職位，」肯伊心裡想道，「不過和真理村工匠隊長一職比起來還是愉快多了。」

＊　　＊　　＊

「我收到叛徒的一封信，」賽克塔舔舔她貪婪的嘴唇說道。「行會繼續挖掘西卜塔國王和百依的陵墓，也同時在西岸蓋西卜塔的神廟。不過沒有了帕尼泊……」

莫希跳了起來。

「妳在說笑？」

「帕尼泊離開了村子，沒有人知道他去哪裡。」

「我們不要高興得太早……」

「叛徒在信上說他不是正式出差。說不定他的情緒終於崩潰了。上次的攻擊事件讓他連命都差點丟掉，也許因此決定永遠離開這個老是帶給他麻煩的村子。」

「這種態度有點奇怪……我覺得這個小子不像是很容易就會放棄的人。」

「每個人都有他的弱點，親愛的。」賽克塔呢噥道。

13

帕尼泊經由一個牧人的指示，跟著母牛走過的路線來到紙莎草樹林邊，林內的樹至少有六公尺高。

一名漁夫坐在一張蓆椅上，大口大口地嚼著一塊烘餅。

「你有沒有看到一頭母牛經過？」帕尼泊向他問道。

「有啊！牠真是漂亮，有一雙溫柔的大眼睛和一身金毛。」

「你為什麼沒有把牠留下來？」

「第一，這不是我的工作；第二，這頭母牛和其他的牛不一樣……在這一帶，人們都說哈托爾女神在保護牠，所有人都不得去碰牠。我勸你最好不要進入樹林內。很多經驗老到的獵人進去了卻再也沒有出來過。」

帕尼泊撥開了前面的荊棘、矮樹叢，步入了一個處處充滿危險的世界。為了行會的未來，智女交給他一個極為重要的任務，他寧可死也不願意放棄。

水蛭、蚊子和其他巨大的蟲類不斷地攻擊他，一些鳥類還有其他小動物因為有人闖入而引起牠們不安的騷動，搖晃的樹枝發出陣陣的嘈雜聲。

假使有人在這兒設陷阱等他，這個人的處境也不會比他好到哪裡去。帕尼泊心中毫無畏懼，慢慢地，他與這個生死一線間、物競天則的昏暗地方逐漸融為一體。

正當他開始感到失望時，他看到了牠。

一頭線條完美、五官細緻、眼神無限柔和的母牛就在那裡，美得不可思議。

牠站在一塊草地中央，四周都是水。帕尼泊慢慢走近，牠並未逃跑；可是帕尼泊卻感覺得到牠的不安，某個近在眼前的危機阻擋了牠往樹林深處跑。

一個樹幹形狀的黑色影子在水上畫出一條線。那是一隻大鱷魚，再過幾秒鐘，只要牠一闔上嘴，就會吞噬母牛的後腿！

就在千鈞一髮的時刻，帕尼泊跳上了鱷魚的背。鱷魚猛然一跳，力道大得讓帕尼泊似乎斷了幾根肋骨，然而他就是不放手。

大鱷魚的力氣比帕尼泊大上十倍，但他很高興棋逢對手，能夠強迫自己超越體能極限。他發出一聲不知是勝利或失敗的大吼，用盡全身的力量將鱷魚的大嘴分開，力氣大得幾乎撕裂了大怪物的嘴。

* * *

母牛經過了淨身、眼睛被畫上黑色及綠色的眼影、頭上戴著插有兩根羽毛的金色光環、脖子上套了一條琺瑯質的牛鈴，接著便被帶進哈托爾神廟的中庭內。

女祭司們向守護女神的化身頂禮膜拜，並唱著愛之歌，歌中神秘的愛有連接宇宙的因子，使得人們能夠接收到星星的訊息。

原先已遠離真理村的哈托爾女神，現在已離開了沼澤回到祂的神廟裡，當祂向使徒們揭示了原始的和諧後，便又要回到德爾巴哈利的牛欄內。

智女為牠在額頭上擦一些香膏，牠對她笑了。

而胸前裹著繃帶的帕尼泊，嘴角也露出了笑容。

在左隊隊長海伊的要求下，真理村的所有工匠全投入了西卜塔百萬年神廟的完工工程。這座神廟規模不大，位於圖特摩斯三世的神廟旁。

「這個小國王西卜塔的運氣真好。」費奈德說道，「有這麼一個地方安眠，真是太美了！」

「希望他在另一個世界會比現在這個世界過得更好。」卡洛咕噥道，「聽人家說，他一直在生病，大概也活不了多久了。」

「是桃賽特堅持要把他的廟蓋在這裡，而且越快越好。」歐塞哈特也強調道，「這個皇后有一個高貴的靈魂。」

「想得美！」烏奈士反對道，「這只是她的一個策略罷了。這個年輕人體弱多病、無法治理國家，她會對他好，無非是想要搏得他那些支持者的好感。」

「我們別管政治了。」帕伊說道，「我呀，希望西卜塔法老能來村子看我們。」

「那是不可能的事，」奈克特研判道，「他在比拉美西斯從不出阿蒙神廟一步，唯一的樂趣就是閱讀古人的經文。」

「你們為何什麼都知道？」卡烏問道。

「從老婆那兒聽來的啊！」雷努貝答道，「她們和村子的守衛們閒聊，而守衛又跟郵差和助理工閒聊，所以我們和首府的居民一樣消息靈通。」

「我們喝口水後就回去工作吧！」圖弟建議道。

儘管神廟有些小地方要修改，實際上它已算竣工，長住在這裡的祭司們再隔一天就可以住進來了。

＊　＊　＊

叛徒和同事們一樣盡職地工作，不過眼睛卻是不斷地觀察工地內的每個人。他們在前一個晚上搬了一些青金石、綠松石、沒藥、香火、細亞麻、光玉髓、雞血石、方解石，以及其他神廟日常用到的必須品。陵寢書記在開倉庫時，是否也把光之石拿出來藏在帕尼泊扛的那只木箱內？木箱看起來很沉重，帕尼泊雖然負傷，還是堅持要把它扛在自己的肩上。

把光之石藏在西卜塔的神廟裡……多麼好的主意！叛徒原可能在村子裡一直遍尋不找。不過海伊要帕尼泊和右隊幫忙就是一個錯誤，他應該要自己完成這項工程的。這個錯誤引起了叛徒的注意。帕尼泊會來這個地方根本就是為了要把光之石藏在這裡。

確切的地點會是在哪裡？直到工程結束前，工匠們可以在廟裡自由行動與出入，於是叛徒趁這個機會到放置祭典用具的地下室尋找。他打開那些木箱，光之石並不在那裡，於是他又趕緊回到同事身邊。

「雕匠們已在廟內的石牆上刻好格線，」海伊指示道，「我們根據刻出來的每格石塊大小分別鋪上金片，並用金色頭栓予以固定。」

肯伊開始分發金片給工匠，叛徒也加入了貼金片的行列。他認為這其中一定有智女和兩位隊長的計謀在裡面：有一格石塊可能被挖凹一個洞，光之石到時候就藏在裡面，如此一來，它所散發的光芒便與金片的光混在一起。問題是哪一塊金片背後藏有光之石？

運氣來了：他瞄見帕尼泊和海伊朝神廟的後方走去，手上的金片比其他金片來得大與重。他們兩人小心謹慎、秘密地進行工作而不讓別人看見。

工作結束後，真理村的工匠們聚集在一棵相思樹下，幾名為神廟工作的農婦們給他們帶來了一些生脆的洋蔥和清涼的啤酒食用。

「這座西卜塔的小神廟真是美麗，」卡沙說道，「到時他的陵墓也會一樣漂亮，他應該感到滿足了。」

「我們真的很有福氣，」狄弟亞有感而發說道，「在建築的過程中，我們等於也參與了宇宙的奧妙，並且在這個世界上承繼上帝的創造事業。」

「當夕陽照在我們砌築的石頭上時，」伊普伊低聲接道，「我們每一點、每一滴的努力都變得非常有意義。」

太陽已落在西峰的背後，整個鄉間一片寧靜，工匠們也跟著沉默下來。

有些人離開隊伍、走到一旁沉思。叛徒則朝著神廟後方走過去。

他在牆邊坐下，大金片正好就在他的頭頂上方。他的所在位置不可能被人看見，可是他仍然等了好一會兒，以確定沒有被人跟蹤。

他拿出一把銅鑿，將金片打開。

沒有任何光芒從洞裡散發出來。

隊長放在洞裡的不是光之石，而是一尊代表正直的瑪亞特雕像。

14

四月末的天氣酷熱得令人無法忍受。陵寢書記已命令驢隊加倍送水，此外，工匠們在巷道兩旁的屋頂上擺一些大棕樹葉片，以增加一些清涼。

石匠卡洛前來敲帕尼泊家的大門。為他開門的是小小的賽雷娜。

「你要找我爸爸嗎？」

卡洛不友善的天性一下子消失無蹤。

「他在嗎？」

「他剛洗完澡，媽媽也是。你要進來嗎？」

「嗯……好啊！」

「那你要說一個神仙和魔鬼的故事給我聽。」

賽雷娜拉著卡洛的手，帶他到一張蓆椅上坐下。

「妳要知道，我不是很會講故事……」

「你一定會的，因為你在那些禁區工作，和我爸爸一樣。神仙魔鬼都藏在那裡的。」

「那裡是有，沒錯……」

帕尼泊刮了鬍子、一身清爽地出現在客廳，正好化解了他的困境。

「有急事嗎，卡洛？」

卡洛站起身。

「你今早出去過了嗎？」

「還沒有。」

「過了一夜，熱氣還是沒有消退。一早開始，天氣就很酷熱。」

「應該是吧，可是你為什麼和天氣過不去？」

「農夫們都不去田裡工作了，四處也不再有人走動，每個人都只想避開這種炎熱的天氣……而我們卻得犧牲健康、在國王谷地這個大火爐裡工作！同事們推派我當大家的發言人：請你同意讓全隊留在村子裡，直到這波熱浪過去。」

卡洛很肯定帕尼泊一定會有激烈的反應，他也準備要請法庭來為他們說話。

「好吧！卡洛。」

「什麼？好？……意思是說……」

「意思是說我答應你的要求。還有沒有別的事情？」

「喔，沒有了，真的沒有了……」

「你們留在村子裡的工作室裡準備那些陪葬品，由傑德和歐塞哈特監工。」

「當然好，當然好……可是你……」

「我？我要去完成我的工作。」

帕尼泊扛了一大堆色料和畫筆走出村子。大門口布蓬底下的守衛睜大眼睛、不可思議地望著他。

「你該不會是要去谷地吧？」

「正是，」帕尼泊答道，「還有工作在那裡等著我呢！」

「早上的太陽才昇起，趕驢人就已經對天氣的炎熱抱怨連連了，他們要到傍晚才會再來一趟。你在山谷裡會被熱死的！」

「你放心，大熱天對我而言是如魚得水。」

帕尼泊來到馬廄，驢子北風正在嚼著苜蓿。這頭驢子只聽他一個人的話。前一晚，帕尼泊為牠磨那硬得出奇的蹄子，牠習慣性地躺在地上哀哀叫，假裝痛得無法忍受。由於帕尼泊會賞牠許多好吃的柳樹皮，北風便任由他處置了。

北風的嘴和腹部呈白色，體積已變得龐大無比，肌肉更是結實得嚇人，而且少說有三百公斤。牠最喜歡帕尼泊輕輕地吻牠的鼻尖，然後愛撫牠的頭。

「你願不願意陪我到國王谷地？」

北風睜大了杏眼，耳朵也跟著豎了起來。

「我的東西很多，路途會很辛苦喔！」

北風走出馬廄，嗅了嗅灼熱的空氣，然後面朝谷地的方向站住不動。帕尼泊將兩個半滿的籃子裝在牠背上，當然也不忘記把水袋放進去。北風展開步伐走在前面帶路。

北風和小黑是帕尼泊兩個永遠忠實的朋友，當然還有巨鵝大壞蛋，牠脾氣雖壞，卻是一個非常盡責的守衛；此外還有能驅邪的大貓迷人。

右隊工匠並沒有錯，天氣實在熱得無法工作。最近三個月以來，工匠們提出的所有缺席理由，他一概都接受：病假、過度勞累、家中有事，或者其他的突發狀況。

身為右隊隊長，他之所以這麼做，無非是希望避免紛爭，讓工程順利完成。

在爬上山口的路上，帕尼泊有種沉重的孤寂感。從傑德到卡洛，他都喜歡他們，對於這些將一生貢獻給真理村的同事，他有一種發自內心的兄弟情誼。然而，他們一個都不在他身邊，也許這樣最好。他應該要負起自己的責任，而不是怨天尤人。

國王谷地的兩個努比亞警衛一看到帕尼泊和他的驢子姍姍而來，驚訝得睜大眼睛。帕尼泊的無窮精力已成了一種傳奇，這回又添加了新一章。

帕尼泊和北風走進谷地這個大火爐、經過拉美西斯大帝的陵寢、來到了工地。他立刻將北風背上的東西卸下，給牠喝水，然後在蔭涼處放一塊蓆子，好讓牠能夠躺下來休息。

帕尼泊先從百依的陵墓著手，陵墓內的氣溫沒有超過三十度，對他而言是一個涼快的場所。工匠們只完成了立柱大廳，其餘的部份皆只有在岩石內粗鑿成形。不過百依未來的木乃伊身仍舊可以在這裡獲得安息。

帕尼泊在第一個走廊內先完成了百依走在西卜塔身後的壁畫，接著又畫了一幅百依朝拜隼頭太陽神的場景。太陽神的光會引領法老走向永恆，百依雖然不是一位法老，但他也同樣看到了祂的光芒。

帕尼泊興起了一股創作的熱情，絲毫不感覺到疲累。他接著來到西卜塔的陵墓，點燃了十幾枝火把後，便開始工作。他用銀亮的白色和赭黃色製造出純金的效果，以表達國王靈魂的純淨與神秘的轉化。

帕尼泊所用的色塊和傑德的一樣有十九公分長，其成份不怕空氣、不溶於水、而且耐火；他在卡烏送他的調色盤上用亞麻油、罌粟油和開心果精油來調出他所需要的顏色。

他運用傑德所教的原則，同時從許多角度來作畫，並且避免受到透視假象的影響。有時他瀟灑揮毫、有時又彷彿靜止不動。他不但將隱藏的事物活生生地表達出來，同時更突顯了形體的和諧。

就這樣，他的筆下誕生了一個接一個的畫面，有瑪亞特女神、伊西斯和奈芙蒂斯跪坐著創造太陽、光明之神賜予法老生命、以及一個外形為阿努比斯的木乃伊。

畫中的西卜塔將永遠年輕，他平靜的臉龐從未如此明亮過，而他的靈魂在天母的懷裡，永遠不會變質。

由於色彩的運用靈活，所有的人物看起來都栩栩如生，所有的象形文字也似乎在說話；跛腳的西卜塔不管在此生的命運如何，至少他生命的盡頭在這裡和其他的法老一樣偉大。

帕尼泊在守護神伊西斯的長裙上畫下最後一道白色，然後才離開陵墓，這時夕陽已西下。

肯伊坐在一只矮凳上，兩手撐著枴杖，正在欣賞落日的餘輝。

「您……您在這裡做什麼？」

「和你一樣，做我的工作。你得告訴我一共用了多少燈蕊和顏料。」

「我沒有計算。」

「我早料到了！又是給我添麻煩……你至少知道自己在這座陵墓裡待了多少時間吧？」

「一點概念都沒有。」

「三天！如果我沒有來餵你的驢子、給牠水喝，這個可憐的畜牲大概早就死了。有時候，你的粗心大意實在不可原諒。」

「您冒著大熱天一路走到這裡……」

「我這種年紀的人倒是喜歡大熱天。再說，沒有我的監工，任何一名工匠都不得在國王谷地內工作。你不渴嗎？」

「有一點。」

肯伊把水壺遞給他。

「帶我去看你的畫。」

陵寢書記發現帕尼泊忘了熄掉火把。但當他看到帕尼泊筆下所創造出來的奧妙，他又怎能忍心責備他？

15

在一路狂奔的過程中，莫希的馬兒沒有將路邊玩耍的一個小女孩撞倒，簡直是個奇蹟。他滿腔怒火，策馬直奔向他的別墅。

莫希將精疲力竭的馬兒交給馬伕後，便直接走進屋裡。賽克塔正在大廳內接待底比斯的貴婦們。她們聊天的內容不外是批評西卜塔國王，對於塞特．奈克特則是讚不絕口。

莫希敷衍地說了一些客套話，接著便走進自己的房間裡。

「我們要走了，親愛的。」一位客人說道。

「不急嘛！」

「您夫婿看起來好像有心事。」

「軍營的維修工作沒有他想像中的簡單，因為他碰到一大堆的行政問題。」

貴婦們露出會心的一笑。

「為了慶祝國王的統治邁入新的一年，我們將在明晚舉辦一個宴會，」市長夫人說道，「當然啦，你們都在邀請之列。」

「榮幸之至。」賽克塔嬌聲嬌氣地說道。

等到這些裝模作樣的貴婦人一離開，賽克塔便迫不及待地衝進房間裡。莫希正在撕咬床單出氣。

「夠了！」賽克塔命令道，「這種行為不配當埃及未來的主人。」

「妳要我把氣出在妳身上不成？」

「如果這樣做能讓你恢復理性，儘管做吧！」

莫希踐踏著地上一片片的床單，最後頹然地倒在床上。

「謀殺了尼菲寡言根本一點屁用也沒有！他的死反而讓帕尼泊立於不敗之地，行會也通過了這個考驗。真理村宣佈西卜塔的百萬年神廟已完工，他和百依的陵墓也接近了完工的階段。工匠們簡直是獲得了全面勝利！而那個該死的叛徒到現在還沒找到光之石……」

「不要失去信心，」賽克塔邊說邊為他按摩肩膀：「我承認帕尼泊看起來像是勝利者，但少了行會的法力，他會變成什麼樣子？而提供這個法力的人是誰？當然是受到喪夫嚴重打擊的那個寡婦！」

「妳很清楚我們根本動不到智女一根汗毛！」

「那可不一定，親愛的。」

* * *

卡萊兒為費奈德治療了他的支氣管炎，和帕伊的腸胃病，接著就是一連串的緊急牙痛病患：一個有膿腫的現象，不得不做引流手術；一個有牙齦潰爛的問題，卡萊兒用含有牛乳、乾角豆樹製成的藥膏為他治療，同時病患必須連續九天咀嚼鮮棗。此外，她用小麥粉、蜂蜜、磨石粉混和而成的配方為一些病人填牙洞。卡萊兒同時也為一個少見的齲齒病患做治療。這些病人的症狀都不至於嚴重到要外界的專科醫生幫忙，智女除了自行處理，也要求所有村民注重口腔衛生，並建議他們用碳酸鈉消毒水漱口，用脫脂膏刷牙，常嚼略甜的紙莎草幼苗也是一個非常好的方法。

「有一封您的信。」雷努貝的妻子通知她。

卡萊兒覺得頭有點兒暈，於是便坐下來閉目養神一會兒。為諸多的病人治療讓她累壞了，而她也無法像過去一樣很快便恢復體力。過去她可以向尼菲述說一天的工作情形，同時分擔彼此的工作壓力，而現在她只能一人承受所有的壓力。

那些幸福的回憶令她的心縮成一團，她很遺憾不能拋下一切、隨尼菲而去，尼菲曾經為這個村子貢獻他的生命，如今她也必須留在這裡，直到用盡最後一絲力量。

看完了底比斯省御醫總長的來信，卡萊兒只覺得天似乎要塌下來了。

* * *

「您確定？」肯伊吃驚地問道。

「您可以看這封信：御醫總長拒絕派人送來藥膏和安息香！若沒有這些物品，我會無法處理一些疾病。」

「這是第一次發生這種事！他以為他是誰，憑什麼這樣做？」

「他明確地提到，這個決定是出於一些嚴重而無法抗拒的原因。但那會是什麼原因？」

「我立刻就到皇宮去解決這個問題。」陵寢書記決定道。

達克泰的身材五短而肥胖，有一對黑色小眼睛，而且常常露出不懷好意的眼光。每天早上，他都會梳理那一臉紅鬍子，並細心地擦上香水。父親是希臘數學家、母親是波斯化學家，而莫希則是他的秘密靠山。他在莫希的幫助下獲得底比斯中央實驗所所長一職，同時也當上了御醫總長。長久以來，他原本以為可以實現自己純科學的理想，但埃及的傳統卻阻礙了他計劃的實行。

他原有偉大的夢想，希望將埃及帶入一個科學進步的時代，同時擺脫一無是處的古老信仰包袱。然而他已徹底失望，在自己舒適的實驗室中逐漸地變得麻木不仁，至少，這個體面的職位可以為他帶來寬裕的生活。經過了這麼長的時間，他已不再相信光之石的存在，而莫希卻仍然念念不忘要將它據為己有。

莫希這個為了奪取政權而無所不用其極的征服者，是不是已滿足於當一個底比斯省的主人，而喪失了他原先的雄心壯志？

憤世嫉俗的達克泰喜歡在皇宮的大夫之間挑撥離間，此外，他也吃得越來越多，而且寧可滿足於廚師的手藝，也很少去坊間嫖妓尋歡。

賽克塔向他提議做一件不利於智女的事情，給真理村來個致命的一擊，他興奮地接受了。因為全埃及甚至全世界都應該視他為天才，而他卻被困在這個平庸無奇的職位吃公家飯，這是一個復仇的機會，他渴望能夠藉此出一口氣。

不出所料，陵寢書記親自前來找他當面說清楚。

兩人一看對方，立刻便引起了彼此的反感。

對肯伊而言，達克泰是個標準的野心份子，現在成了尸位素餐的高官，不但無能、而且還狂妄自大。

對達克泰而言，肯伊代表了書記們可惡的傳統，一心只知奉行那些老掉牙的原則。

「這封莫名其妙的信到底是什麼意思？」肯伊問道。

「您知不知道自己是跟誰在說話？」

「當然知道：一個徒有虛名、令人討厭的傢伙，而且還昏了頭去違反有關真理村的法令與規定。」

這一連串猛烈的攻擊令達克泰一時之間無言以對，但憤怒的情緒很快地使他採取反擊。

「這些荒唐的規定，我和您一樣清楚！」

「那麼您應該很清楚，根據規定，您不得中斷運送到真理村的醫療物資。」

達克泰露出陰險的笑容。

「有一種情形例外，那就是當我的職責令我不得不這麼做時。」

對手自信的態度讓肯伊開始擔心。

「把話說清楚。」

「您當我是個庸才，對不對？哈！您錯了，親愛的肯伊！身為皇宮的御醫總長，我必須不斷地監督屬下的工作，而且不能容忍他們有行為上的任何疏失，更別提是嚴重的錯誤了。」

「您只不過是個書呆子，連個最簡單的病都不會看！」

達克泰的臉色變得鐵青。

「我不准您用這種語氣和我說話！」

這回換肯伊露出了笑容。

「假使您還有一點自尊心，您就應該馬上辭職，但您太膽小、也太留戀您的特權。因此，我準備寫一份報告寄給國王，內容將提到您是如何地濫用職權，到時您就等著被撤職，所有盡職的大夫也都會很高興地等著接這個職位。」

「我若換作是你，絕不會去冒這個險。」達克泰威脅道。

「乾脆向您明說好了：我根本不把您放在眼裡。」

「您如果小看我的信就錯了，肯伊。假使您還夠聰明的話，就不應該繼續支持智女。」

「這倒有趣了……憑什麼？」

「卡萊兒，也就是尼菲寡言的遺孀，被行會授權負責為村子內的居民治病，是不是？」

陵寢書記點點頭。

「當她碰到重大的病症而無法處理時，是不是該請外界的專科大夫幫忙？」

「這是智女的義務，沒錯。」

達克泰的小眼睛流露出惡意的勝利眼光。

「那我可以告訴您，親愛的肯伊，卡萊兒並沒有盡到她的責任。她差點置一名病患於死地，因此將被判最重的刑。由於她的無能，我已禁止運送醫療物資給如此一個不懂得運用它的人。」

「您根本是滿口胡言！」

「我的任務重大，當然不能胡言亂語，」達克泰嘲諷道，「若沒有證據，我不會這麼做的。」

「什麼證據？」

「一名生病、又沒有受到妥善治療的工匠所提出的抱怨。」

16

肯伊忍著背痛的折磨、慢慢地坐到一張高背椅上。智女在他的右手邊，帕尼泊則在他的左手邊。

石匠卡沙面對著三個人，方正的臉上寫滿了無奈的表情。

「我們要知道所有的實情。」陵寢書記要求道。

「好，好。」卡沙答應道，「可是事情並非你們想像中的那樣。」

「你上個禮拜的確是到東岸去了？」

「對，沒錯……是為了去見一個客戶，他打算要買陪葬用的雕像。」

「而你在碼頭那家小酒店逗留了很久？」

「那天天氣很熱，而我又感到口渴。」

「你喝了很多酒，是不是？」

「當時我口非常渴。」

「你跟好幾個人說了很多你牙痛膿腫的問題。」

「很有可能。」卡沙承認道。

「可是你卻沒提到智女會幫你治好。」

「老實說，我不太記得自己說了些什麼。」

「根據御醫總長達克泰所得到的證詞是，你抱怨牙疼得很厲害，可是卻沒有人幫你治療。」

「我不記得……」

「那些證人以為你情況危急，所以向衛生當局通報了這件事。」

「我沒有做這樣的要求！」

「你確定？」帕尼泊問道。

「百分之百確定。」

「你去見哪一個客戶？」

「我尋著地址去找，沒有人在……好嘛，我承認自己確實是喝多了一點，但我很肯定沒有弄錯。」

「你犯了一個很嚴重的錯誤，」肯伊說道，「因為你沒有告訴智女膿腫的問題、就不應該擅自離開村子。」

「她當時正在照顧一個小女孩，而我又不想浪費時間。」

「今天，因為你，她被控失職，甚至可能無法再執業了。」

卡沙垂下了眼睛。

「我會在法官面前解釋這一切，到時就沒有誤會了。」

「達克泰以沒有資格執業為名，已經著手進行免職程序。」

卡沙握緊了雙拳。

「我會要他腦袋開花！」

「你絕對不能去做這種蠢事。」肯伊說道。

「我只剩下一個辦法，」卡萊兒忖道：「在御醫總長和皇宮的醫師團面前證明我的能力。」

＊　＊　＊

莫希將杯中的白酒一乾而盡。

「我知道你只喝白開水，親愛的達克泰，但你實在應該破例一次！這麼漂亮的勝利，難道不該慶祝一番嗎？」

「法院又還沒有將智女判刑。」

「她不是選擇了最糟的辦法嗎？她如果夠聰明的話，就應選擇在法官前面為自己辯護才對……自負的個性會讓她自毀前程。」

「我沒能收買所有的大夫，」達克泰坦承道，「有些對我懷有敵意，有些則極為正直。而且為了不讓人懷疑我的公正性，到時不是由我來選定病患讓智女治療，而是以抽籤決定由哪位大夫來選定病人。」

「能不能選一個情況嚴重的病人？」

「那是一定的！智女的名聲讓大部份的大夫感到不是滋味，但如果我坐視不管的話，她會有成功的可能。」

「你有什麼打算？」

「等我一得知病人的身份，我就在他的食物或飲料內下毒。就算智女再有能耐，也救不了這個人。到時她拿給同事看的會是一具屍體。」

莫希聽了開心不已。

「真有你一套，我的好朋友！」

「可是，我依然被困在這個職位上，我的聰明、才智都已漸漸消失！您為何放棄了您偉大的計劃？」

莫希突然收起了笑容，一下子站起身。

「你為什麼這樣說，達克泰？」

「真理村占了上風，整個國家已陷入一場危機，而您，您卻只滿足於管理底比斯！至於那些讓埃及喘不過氣來的古老傳統，也沒有人去對抗它們了。我的夢想已破裂，還能有什麼指望？」

「我什麼都沒放棄，達克泰，也沒有忘記你這個人。因為我的關係，你今天才有這麼一個重要的職位，而唯一昏睡不醒的人是你，不是別人！多年來，我展開了一場戰爭，也給對手一些沉重的打擊，而這個對手卻比一個精英部隊還要來得可怕，因為他擁有光之石。」

「純粹只是幻想，將軍！」

「我再提醒你一次，我看過它，而且知道它的力量！行會能夠生存到現在都是靠它，甚至還不敢運用它真正的力量。要奪取光之石必須將它周圍的所有防禦都給摧毀，第一個就是智女。因此你的表現很重要。」

五月的天氣熱得教人受不了。達克泰和那些醫生一大早就上路前往真理村。他們乘坐馬車，由莫希的部下負責駕駛，一路緊跟著送水的驢隊到村子。

索貝克隊長親自在第一堡壘迎接客人。儘管他對卡沙所說的話做了一番實際的調查，他依然存有懷疑：萬一石匠卡沙就是叛徒，那麼他不就騙過了所有人？

達克泰傲慢地對待索貝克。

「去叫智女出來。」

「你們獲准進入助理區，她就在那兒等各位。」

卡萊兒穿著一件紅色的短袖連身長裙，頸部戴著一條細細的金項鍊，她的風采令所有的大夫印象深刻，尤其是其中一位年長的腸胃科大夫，因此，他上前向她致意。

「我希望您能夠成功地通過這項考驗。」他誠懇地說道。

「廢話不用多說，」達克泰斷然說道，「您準備好要為病人檢查了嗎？」

「請把病人帶到陵寢書記的臨時辦公室裡。」

病人是名五十來歲的駝背男子，臉色灰暗、眼睛凹陷、氣若游絲。他任人帶進來，一句話都沒說。

「我要求必須有一名證人在場，以便看您如何進行。」達克泰強調道。

「請便，我不介意。」

一名外科大夫自告奮勇。他參與了卡萊兒看診的全部過程。卡萊兒仔細地聽各個器官的脈博、檢查皮膚和眼睛內部、同時對腹腔進行觸摸。因為有點耽心，她自病人的耳垂採取一些血液以及尿液做了化驗。

「您結束了嗎？」外科大夫問道。

卡萊兒使個眼色，讓大夫知道她不希望在病人面前多說。

病人察覺到有異，於是鼓起了勇氣說話。

「我在底比斯的時候，人家告訴我您會幫我治病……」

「沒錯，我會給您開一些藥方。」

「我覺得好累，希望能躺下來。」

卡萊兒請歐貝德將床借給病人，接著便來到裁判們面前。

「有沒有違反規定的事情要報告？」達克泰向外科大夫問道。

「沒有。一切的檢查過程都完全合乎程序。」

「您診斷的結果如何，智女？」

「病人有心臟方面的嚴重疾病，但我知道這種疾病，也能治好它。不幸的是，他還有其他更嚴重的問題。」

「請您解釋一下。」老大夫驚訝地問道。

「有一種毒藥在這個病人體內循環流動。」

「不可能的，」外科大夫抗議道，「我今天早上才為他檢查過，如果真有這種事，我應該會發現才對！」

「您不妨再檢查他一次，」卡萊兒堅持道，「您會獲得和我相同的結論。」

每位大夫都開始緊張起來，一時之間議論紛紛。

「這是一種聲東擊西的無恥手段。」達克泰說道。

智女始終保持冷靜，並開出她認為必要的藥方。

「我沒有什麼要加的。」心臟科大夫說道；「很明顯的，我們這位女同事的表現傑出，完全符合資格。」

「我自己認為還不夠格，」卡萊兒說道，「各位帶來的這個病人已快死去，而我卻沒有能力挽救他。」

「各位把她說的這些話記下來！」達克泰叫道，「真理村的智女在各位面前承認她沒有治療他的能力！因此別人對她的指控是完全有根據的，我提議立即將她免職。」

17

已被達克泰收買的醫生們一致贊成他的提議，但老大夫和心臟科大夫則全力反對。

智女自始至終都很平靜地等待爭論平息下來。

「您必須跟我們一起到皇宮。」達克泰命令道，「基於您在執業上有其危險性，為了村民的安全，我認為有必要就近監視您。」

「是您得跟我走，還有您的同事。」

達克泰開始發火。

「您最好採取合作的態度，別想威脅我們！否則，我會請莫希將軍的士兵來幫忙。」

「我完全沒有恐嚇之意，只是一心想把這個病人治好。」

「您剛剛還在大家面前說您沒有這個能力的！」

「沒錯，光憑我的技術是不行。但還有別的方法。」

老大夫想到了一個讓她擺脫困境的辦法。

「您的意思是說，一旦您診斷出結果，若發現您能力不及，便會交給其他的專家？」

「完全不是這個意思。」智女溫柔地說道。

「各位看到了吧！」達克泰大聲嚷嚷道，「她不僅堅持己見，甚至不把我們放在眼裡！」

「無論是專家或是我本人，面對這種情形都會無能為力，」卡萊兒繼續心平靜氣地說道，「因為毒藥已經造成了太大的損害。現在只剩最後一個辦法，而令人難過的是結果不一定有效。因此我才會要求各位跟我走。」

「沒有這個必要。」達克泰說道。

「絕對有這個必要，」肯伊敲著枴杖決定道，「假使御醫總長拒絕智女的提議，我會以見死不救的罪名控告他。」

達克泰知道這種罪名可以告成，卡萊兒反而會因此被判無罪。

「好吧……我們走，但動作要快！」

「請人拿擔架來抬病人，」智女下令道，「同時不斷地為他沾濕嘴唇和額頭。」

由於烈日當空，整個隊伍行進得非常緩慢。智女和陵寢書記走在最前面，帕尼泊和奈克特負責抬擔架，達克泰則擦著斗大的汗珠，不斷地要求喝水。他和莫希一樣極為痛恨鄉下，更別提去欣賞金色的小麥田了。

在一塊美麗的田園盡端有一座小神廟，裡面有一尊花崗石雕成的眼鏡蛇神像，頭上戴著一個太陽光環，神像的面前有一個小祭壇。

「讓我們向收穫女神祈禱，」卡萊兒請求道，「請祂保佑大豐收、讓穀倉填滿。願我們的貢品能令祂平靜，並賜予我們祂的治療力量。」

渾身是汗、氣喘噓噓的達克泰只是聳聳肩，不置可否。原來這就是最後的救命辦法，也就是結合了民間迷信的一尊眼鏡蛇雕像！

碧玉和娃貝特走近祭壇，將手上捧著的貢品一一傳遞給卡萊兒，讓她獻給女神。

「我奉上第一滴水、第一滴啤酒、第一滴葡萄酒、第一粒麥穗和第一塊麵包。同時請接受這個蒿苣和蓮花，並賜予我們妳的神力。」

供品一一放在祭壇上，所有人一同祈禱，只有達克泰除外，他受不了這種把戲。

「您到底有沒有能力治癒這個病人，能或是不能？」

智女轉過身來。

「您的信仰是什麼，達克泰？」

「我信仰的是科學，絕不是這種荒謬的信仰！」

「您說得有道理，我完全同意您的看法。」

達克泰吃了一驚。

「可是您……」

「我既不相信這位女神、也不相信這尊雕像，但我學到肉眼可見的世界不過是無形世界的極小部份。而無形世界的許多創造力量是很驚人的，其中之一即化身在這塊有生命的石頭裡，唯有它才能治癒這個病人。」

達克泰大笑出聲。

「前一刻我還以為您終於捨棄了這些謬論！我看監獄的生活會讓您的頭腦清醒一點。」

帕尼泊手上拿著木質包金的聖棒朝神像走過去。他用聖棒的頂端輕輕點一下神像的眼睛。所有在場的人反射性地倒退了一步。剎那間，他們覺得石頭女神的眼光冒出了火焰。

「把神像搬出去放在日光下。」智女對帕尼泊交待道。

帕尼泊動作謹慎地照做了。石像非常熱，彷彿有生命在它的血管內流動。

「有人對這位病人下了毒，」智女說道，「一般的藥方並不足以治癒他。即便是專家或是我本人都無法阻止這個致命的結果，因此我請求女神來治療他。」

卡萊兒慢慢地將水倒在神像背後柱子的經文上。經文上面的象形文字是很古老的一種咒語，專門對付毒蛇、毒蠍、毒昆蟲，以及其他有形、無形等會害人的東西。

浸潤過文字的神水被接到一個閃長岩製的石杯內，這是一個金字塔時代的杯子，平常只做這種特殊用途。

「請喝下去。」智女向呼吸已經很困難的病人說道。

帕尼泊幫助他直起身。病人慢慢地喝完了它，又再度躺下，他臉色灰白、眼睛半閉。

「沒有別的要給我們看了？」達克泰諷刺道。

「這是我最後的方法。」卡萊兒說道。

「把我們久留在這兒是沒有用的。我們將這個病人帶回皇宮，並且會試著減輕他的痛苦。您的無能已經得到證實，因此將受到嚴厲的懲處。」

帕尼泊站到智女和達克泰的中間。

「走開！」達克泰大叫道，「要恫嚇我是沒有用的。假使您繼續這樣，您也會被關進大牢裡！」

「你們看！」老大夫喊道。「快看，他正在站起來！」

病人的面色紅潤，彷彿體內有新的血液在流動，最後終於站了起來。他的身體仍然有點搖晃，因此靠在奈克特的肩上。

「我的心臟……在跳動！我原先感覺到自己似乎已沒有氣息，但我現在又重新呼吸了！」

心臟科大夫立刻為他聽診。卡萊兒也在為他的胃把脈。

醫生們的眼光全都集中到達克泰身上，他吹著自己的鬍子乾瞪眼、愣在原地。

「幸虧有各位專家在場做見證，」肯伊滿面春風地宣佈道，「我將寫一份詳細的報告呈給國王。相信底比斯皇宮不久之後會有一位夠資格的新御醫總長。」

達克泰急得直跺腳。

他在西岸中央政府的接待廳裡走來走去已經有一個小時，正不耐煩地等著莫希接見他。由於他事前沒有約時間，因此莫希的特助將他排在兩名高級軍官及一名穀倉書記之後。

當達克泰獲准進入莫希的辦公室時，他已是怒氣沖天，而莫希正在攤開一份文件。

「您得為我說情，莫希！」

「第一，你沒有資格命令我做任何事；第二，請你放低音量、冷靜下來。否則我就令人把你趕出去。」

「我剛收到有關我的撤職令！」

「我知道。假使你看得仔細一點，你會發現我也在上面簽了名，表示我完全同意陛下的決定。」

達克泰宛如受到晴天霹靂，重重地跌坐在一張椅子上。

「這麼說，你已經放棄我了？」

「你的失敗令人感到可悲，我已經沒有選擇了。我身為西岸總督，難道可以支持一個蓄意找真理村智女麻煩、而且無能的官員嗎？你當時只許成功、不許失敗的，達克泰。現在你已經什麼都不是了。」

「誰會相信那個荒謬的雕像居然有能力治病？我的確是在那個病人的食物中下了毒，照理說他應該在專家面前死去才對……真的是令人百思不得其解！」

「你太低估了法老們的古老知識，而它也復了仇。至少你現在還保有實驗所長一職。不過，如果新任的御醫總長要撤換你，我也不會反對。你我之間絕不能有任何的掛勾。」

達克泰哭喪著臉。

「您不能這樣對待我……我對您還有用處呀！」

「的確是有這個可能，但這是由我來決定。你走吧，我們這次的會面已談得太久了。」

當他沮喪地走出莫希的辦公室時，每個人都察覺到莫希的作為和以往一樣大公無私。

18

智女成功的消息一直傳到了比拉美西斯的朝廷裡，同時間朝廷內目前也充滿了有關西卜塔健康的謠言，並預言桃賽特皇后拿下政權是遲早的事。掌璽大臣百依花了好大的功夫才保持了朝廷的一致性，但又能維持多久？

百依意外地發現大臣塞特・奈克特正在他辦公室的候見室，陪同前來的是一名成熟穩重的男子，身形高大，眼光深邃而銳利。百依心想這下真正有麻煩了。

「我沒有事先要求晉見，」塞特・奈克特解釋道，「但我希望立刻見您一面。」

「我今天早上有很多的文件要處理，而且我……」

「我會在這裡等到您處理完畢。」

如果百依拒絕與這位勢力強大的大臣會談，對桃賽特的未來將有非常負面的影響。

「請進吧！」百依捋著他的小鬍子說道。

陪同塞特・奈克特前來的那名男子立在原地不動。此人有強烈的個人風格，令百依留下深刻的印象。

「我的長子會在外面等我，」塞特・奈克特解釋道，「我們必須私下談談。」

「您要不要來一碗加了香料的鮮奶？」

「您不用客氣了，百依。我來這裡是為了獲得一些詳細的消息，同時提供給您我手中的情報，因為埃及已面臨危險。西卜塔法老總是把自己關在阿蒙神廟裡，大家都沒有再見到他，甚至有人說他已進入彌留狀態。是不是真的？」

「不是。」

「您是說他的身體仍然很健康？」

百依能隱瞞事實到何種程度？塞特・奈克特是個聰明人，如果他想知道真相，最後一定會找出事實的。百依決定不向他說謊。

「也不是，他病得很重。現在他每天都接受治療和仔細的照顧，但活下去的希望並不大。」

塞特・奈克特兩手平貼在椅子的扶手上。

「您讓我很意外，掌璽大臣！我沒有想到您會這麼坦白。換句話說，真正的法老是桃賽特皇后了？」

「打從西卜塔加冕以來一直都是這樣，西卜塔對執政絲毫不感興趣。有了智者及經文的做伴，他可以在廟裡過幾年快樂的生活，這期間埃及依舊維持統一與和諧的局面。」

「這個策略很高明，百依，但它有一個極限！我不否認您在經濟方面管理得很成功，但您對於外來侵犯的威脅卻是眼不見為淨，桃賽特皇后也一樣。因此，等到西卜塔過世後，我將反對皇后登基為法老。她沒有能力去保衛上下埃及的，我們到時會承受敵國占領之苦，而這一次，我們的文明將會受到無情的摧毀。」

「您有可靠的消息來源嗎？」

「您既然對我說出事實，百依，我也決定對您坦白！您的外交部長是個無能的人，而您的情報人員都是一群飯桶，對於巴勒斯坦、敘利亞和利比亞人所提供的錯誤消息，他們一概照單全收。所以您以為敘利亞—巴勒斯坦和利比亞都已成了我們的盟友，同時考慮發展與我方的友誼關係……這是大錯特錯，百依！他們唯一的目的從來都沒有改變，那就是侵入我們的國家、大肆燒殺後再掠奪我們的財富。更嚴重的可能還在後面：目前亞洲的各個王國正在發生大幅度的變動，而當初拉美西斯所建立的平衡局面已面臨瓦解。一些不受控制的好戰部落企圖確立他們的地位，您那些無能的外交官根本不會預測到這些部落將入侵埃及！」

百依像是一隻鬥敗的公雞，幾乎要倒下來，但他又再度站了起來。

「您的分析都有事實根據嗎？」

「您太不了解我了，百依，我是個凡事講求實際的人。是我的長子在當地情報人員的幫助下做了一段長時間的調查，當然不包括那些容易被矇騙的外交人員。他不但生性謹慎，而且求證了所有的情報、明辨是非真假，最後得到了這個令人憂慮的結論，我今天之所以告訴您這些，不是為了謀權，而是為了捍衛埃及。在我做了這樣的說明後，不知您是否能了解目前局勢的嚴重性？」

「除了您和令郎，還有誰知道？」

「沒有其他人知道，只有您，掌璽大臣。」

「如果您放出這些消息，整個朝廷會因此而動盪不安。」

「我說過，我的唯一考量是為了保護埃及。也因此我到時候會阻止桃賽特成為法老。」

「這回是您犯了一個嚴重的錯誤。」

「儘管她很有勇氣，但女人總是沒有那種力量來保衛國土、帶領我們的軍隊打贏戰爭。」

「我想事情還沒發展到這個地步。就算您的預測正確，您也不認為馬上就會發生戰爭……」

「敵軍還沒準備要攻打我們，這點我承認。」

「既然如此，我打算向皇后提出一個建議：讓令郎出任外交部長，並且由您來擔任軍隊的最高總司令。」

「可是……我絲毫不想和桃賽特合作呀！」

「簽署御令的是西卜塔法老，將來您要對他和皇后兩人有所交待。既然您比我更了解軍事方面的問題，而我們為了埃及的福祉又必須共同合作，所以在任何情形下我都不會阻礙你們的工作。此外我們依每次的情勢需要，再聯合相關人員開會。」

百依微微抬起雙眼，彷彿能夠透視未來。

「您對我是否別有居心，掌璽大臣？」

「很奇怪，塞特・奈克特，我居然對您有信心，而且坦白說我過去從來沒有這種感覺。自從我身居要職以來，我唯一的雄心就是要讓桃賽特皇后登基成為埃及的法老。但是今天，您阻擋在前面，而您是一位不容忽視的對手。幸好您並非為了一己之私，而是為了您的熱忱與理想。如果您的分析正確，這將是您對埃及的一大貢獻。因此我應該把您視為盟友、對您付出誠信、並利用您的才能。此外，若您對桃賽特皇后盡忠效力，將來會發現她確實不愧當一位法老。我對您毫無隱瞞，塞特・奈克特；現在由您來決定該怎麼做。」

「您這個提議很令人出乎意料，我必須和我的長子先討論過，並好好考慮一下。」

「在你考慮的這段時間裡，我會先和皇后商談。」

「萬一我拒絕呢？」

「這對埃及將是一大損失。您會繼續您的奮鬥，而我也不會背叛桃賽特。我們勢必會有對決的一天，勝利的一方還是免不了元氣大傷。」

「謝謝您坦言相告，掌璽大臣。」

「為了人民與我們深愛的土地，願諸神保佑您我聯手合作。」

＊　＊　＊

百依在百忙之中抽空來到阿蒙神廟見西卜塔法老。他原先擔心見到的是一臉病容的年輕人，而自己又不知道該說何種安慰的話，然而西卜塔臉上展現著真摯的笑容，令人很難與他的病情聯想在一起。

「我為您帶來一些好消息，陛下。今年的收成很好，尼羅河的氾濫帶來了足夠的水量，而且每一省省長所派人送來的報告都說他們當地的經濟情況良好。整個埃及找不到任何饑餓的孩童，諸神也與我們同在。」

「我的陵寢完成了嗎？」

「壁畫部份已完工，現在只剩把木乃伊棺放進去。」

「我花了很多時間去研究陵寢的每一個走廊、每一個房間所象徵的意義，而且將太陽祝禱詞、星星來源經及門經看了一遍又一遍。古代的智者居然能如此清楚另一個世界，而現代的畫匠竟然能將靈魂的歸依描繪得如此生動。太不可思議了，百依！有時候，我急於想離開這個世界、擺脫人類軀殼的限制，到另一個世界去旅行。我的短暫生命僅有孤獨，但我一點兒也不遺憾，因為我有機會體認到這個神廟的平靜，並準備迎接另一個生命的開始。」

「陛下……」

「毋需多說什麼，我的朋友，我對自己的病情並不懷有任何幻想。請向桃賽特皇后致上我的敬意，她代我行使最高政權，將國事治理得有條不紊，我相信她將來一定是一位偉大的法老。」

「陛下，我……」

「對不起，百依，說這麼多話讓我透支了不少體力。今天再見到您真是高興。」

百依爬上皇宮的階梯，一路不斷地咳嗽，這次的咳嗽和前幾次一樣並不令他感到擔心。反正它自己會慢慢好的，他實在沒有時間去看大夫，就算是開了藥，他也常常忘了吃。

這天晚上，他得把南部省份的河渠水道規劃完成，同時確定葡萄酒的生產分配均勻。

* * *

桃賽特總是氣質非凡。望著她就可以知道她的確貴為法老之尊。

「你的氣色看起來不太好，百依。」

「沒什麼，只是最近有點累罷了，陛下。我向塞特·奈克特及其長子做了一項提議，所以必須與您討論一下。」

「不用了，百依。」

「您……您拒絕和他們合作？」

「我剛剛收到一封機密文件，他們接受你的提議。」

19

智女的成功彷彿為真理村帶來了一股吉祥的力量，整個村子因河水氾濫情形良好而沉浸在豐收的快樂中。由於工程進度超前，肯伊特別恩准工匠們多放幾天假。有些人留在家裡、有些人趁機探望長年不在身邊的家人，有些人則為了村外的客戶繼續製造一些床、木乃伊棺或雕像。

肯伊坐在一堵小石牆上，靜靜地凝視著他的陵墓，陽光灑滿了一片大地。

「園裡的植物長得真好。」帕尼泊說道。

「沒有尼菲寡言的那棵酪梨樹來得好……它實在不是一棵普通的樹。」

「每天，我都會想到首長。」

「他一直都與我們同在，同時保護著我們。」肯伊附和道：「當我們在祭祀先人時，他靈魂的光芒也在照耀著我們。」

「但殺他的兇手卻始終藏在黑暗中，」帕尼泊提醒道：「的確是，我每天都想到他。只要他繼續逍遙法外，我永遠都不會有安寧的一天。」

「我深有同感，而且等著有一天能自夢中獲得指示……但總是夢不到！有時我會想，兇手是否就是那名已死的助理。自從這個事件以後，似乎一切都很平靜。」

「索貝克仍然存疑。」

「警察本來就疑心病較重。不過事實就是事實：兇手如果不是死了，就是放棄了想毀掉我們的念頭。」

帕尼泊多麼希望自己相信肯伊是對的。

「郵差要求見你們一面。」帕伊的妻子通知他們。

帕尼泊扶肯伊一把，幫助他站起來。十月的陽光很溫和，在這個美麗的日子裡，肯伊依舊感覺到歲月不饒人。

「希望不是什麼壞消息……有謠言說西卜塔國王已生命垂危，為了繼位問題，桃賽特皇后和塞特‧奈克特兩人的支持者產生了嚴重的鬥爭，這些都是不好的事情……哎，過去拉美西斯大帝的美好時光已不復存在！那個年代沒有人擔心第二天會發生什麼事。我們要把握現在、好好享受這個夏末，帕尼泊……未來可能不會這麼平靜了。」

郵差烏普弟手上握著一根托特神的神杖，走起路來和過去一樣勤快。他從來沒有私自打開過任何一封信，這是他的職責，也尊重它的規定。基於名聲良好，他常常被託付一些機密性的任務。

烏普弟從袋子裡拿出一大卷紙莎草文件。

「這個好重！」

「從哪裡寄來的？」肯伊問道。

「底比斯的地政司。」

「你確定這是寄給我們的？」

「錯不了的。您在這個板子上簽個名，證明確實收到。」

肯伊在上面蓋了章，帕尼泊將文件拿到陵寢書記的辦公桌上。牛妞才剛剛將辦公室打掃乾淨。

「你是不是覺得這個桌上堆的文件還不夠多？」她抗議道。「我看要不了多久，肯伊就會去侵佔另一個房間了。」

帕尼泊沒答腔，只是撕掉泥封，把文件攤開。

兩人很快地把內容看了一遍，忍不住大吃一驚。

「他們居然敢否認我們村子既有的土地面積！」肯伊憤怒地抗議道。

＊　＊　＊

氾濫的河水已退去，農民們採收著蜜棗並開始播種，不過屬於真理村村民繼承而來的農田則例外，如肯伊和帕尼泊的田地。

北風背上駝著帕尼泊所需要的材料，準備用來糾正地政司書記官的錯誤。肯伊因情緒激動，早已忘了身上的病痛而踩著急促的步伐，連他的助理伊姆尼都幾乎跟不上他的腳步。

和往年一樣，田地的邊界因河水沖刷而產生移位。這原本是屬於正常的情形，但有些心術不正的人總想要趁機侵佔一點鄰居的田地。通常地政司的人會出面干預主持公道，並懲罰那些佔便宜的小人。

肯伊並不認識西底比斯管理分所的主管。這位主管三十來歲、身材瘦削，有個長而尖的下巴，剛剛經由莫希授權上任。

「您就是陵寢書記？」

肯伊打量了對方一眼，他的眼神令肯伊感到很不放心。

「正是。」

「我是地政司新上任的主管，同時也不打算讓任何人享有特權，包括真理村。」

「您的態度真教人敬佩！」

「此外，我只信任我的技師，其他人別想以為自己本領高過他們。」

「這點您就錯了！每個人都有可能犯錯，包括您本人。」

「您說話要小心一點，肯伊，我可以告您誹謗罪。」

「而我可以告您失職罪！您如何敢將屬於我們的田產減少了四分之一的面積，同時擅自主張、取消村子的一部份重要屬地？」

「因為我們專家調查的結果就是如此。」

圍在他身邊的專家們一致點頭附和。

「看來我們只好複核鑒定了。」肯伊決定道。

「可是……您又不夠資格！」

「這您就大錯特錯了，我親愛的同事。地籍只不過是建築技術的一種應用之一，陵寢書記絕對有能力用任何一種方法來測量真理村的土地。」

肯伊攤開一些紙莎草紙圖，帕尼泊照著上面所指示的尺寸在地上畫出藍圖。他很快地計算出藍圖上的土地總面積，地政司的主管對他的計算結果暫時無話可說。接著帕尼泊從北風的背上拿出一個測量工具，並把它組合起來。這個工具的支架頂端是兩根水平垂直交叉的木棍，四角各掛了一條鉛垂線。透過目視，只要有兩條鉛垂線呈重疊狀，往前延伸便可求得直線距離。

接著帕尼泊又從驢子背上卸下一條粗繩，長約一百肘（大約五十二點五公尺），上面綁有許多繩結作為標記。在眾目睽睽下，帕尼泊拿著長繩和工具將村子的土地做一次完整而實際的測量。每個人都不敢置信地睜大了眼，他們以為帕尼泊會因為疲倦而中途放棄，但他做到了。

「事實已呈現在眼前。」肯伊說道。

「我嚴重抗議！」地政司主管叫道。

「您可以用帕尼泊所使用的相同工具測量，最後還是會獲得一樣的結果。」

「我的技師原先做的測量就足夠了。」

肯伊用嚴厲的眼神望著他。

「剛開始我還以為這個荒謬事件是出於行政上的一個疏失……現在，我認為您根本就是一個貪官污吏。」

「您胡說八道！」

「您原本希望土地得來全不費功夫，因為您壓根兒沒想到我們有辦法戳穿您的把戲。」

「我所說的話都是有憑有據的！」

「那就把證據拿出來。」

地政司主管向其中一名部下使個眼色，這個部下便立刻拿出一塊地界石，上面寫滿了象形文。

「你們看那邊的相思樹叢，我們就是在那裡找到這塊地界石的。它所劃定屬於你們的土地界線正是我們計算的結果。由於它被埋得很深，而且被一些石塊卡住，因此河水的氾濫並沒有令它易位。我的書記們都可以為此作證。」

「第一，你們一開始就不應該去動它；第二，它根本就是假的。」

「這塊地界石的上面刻有真理村的字樣！」

「沒錯，但上面卻沒有工匠製造者的個人標誌。」

「他搞不好忘了刻，事情就是這麼簡單！在法庭上，光是這個證據就夠你們瞧了。」

「我們何不委託天上的土地測量者來裁定？」

智女溫柔的聲音令所有在場的人都轉過身來。

儘管地政司主管沒有見過智女，但他馬上猜到她就是智女，而且想要讓她留下好印象。

「您是指……托特神？」

「我指的是祂的化身朱鷺，」卡萊兒說明道，「牠跨一步就是一個手肘長，所以牠的公正性足以化解人類的爭執。您是否和我們一樣接受牠的斷定？」

「當然，那當然，但我們只能等到這種鳥飛到地面上，再說……」

「懇請托特使者為我們測量真理村的土地。」

一隻正在翱翔的白色大朱鷺立刻俯衝逼近地政司主管，以致後者嚇得連連倒退，撞到其中一名屬下，並呈大字狀躺在一地爛泥中。

朱鷺一步又一步地踩著，進行與帕尼泊同樣的測量工作，最後證明了帕尼泊所劃的界線完全正確。

20

「我實在難以想像，肯伊，」莫希強調道，「這個地政司的新主管怎麼會做出如此荒唐的事？他過去的工作態度一直都非常優秀，也沒犯過任何錯誤。我可以把他的個人檔案拿給您看，他的前任者退休後，我就是參考這份檔案才任用他的。」

「不需要了，」陵寢書記答道，「最重要的是未來一定要避免再發生這種事。」

「這一份是地籍圖的副本，上面蓋有國王的印章。您把它保留在村子裡，從此以後絕不會再有這種問題發生。您對於為您耕作的農民還感到滿意嗎？」

「沒有可以挑剔的地方。」

「那就好！這個想要找您麻煩的壞蛋已被下放到巴勒斯坦去了，他得在那裡好好待上幾年才能抵罪，而且未來也別想得到什麼重要的職位。埃及對其能力不足的官員一點兒也不客氣，這樣最好。我可以告訴您，西卜塔法老非常重視真理村，絕不容許任何事情對它不利。」

「有謠言說他的病情越來越嚴重。」

「我很擔心這不是謠言。不過桃賽特皇后是一位出色的執政者，她穩穩地為國家掌著舵。我相信她也很重視你們行會的任務。不知可否請您幫個忙，肯伊？」

陵寢書記立刻提高了警覺性。

「說說看。」

「我對於自家別墅內的家具已經有點厭倦了，所以想向行會訂幾張材質上好的椅子、床和珠寶盒。價錢不是問題。」

「您問得真是時候，將軍，我們現在比較有空，工匠們可以處理這種工作。」

「聽您這麼說，我真的很高興，肯伊！」

莫希一路將肯伊送到行政大樓門口，並始終保持著輕鬆而愉快的外表。實際上他因為早上收到的一封信而怒火中燒：國王剛任命塞特‧奈克特為全埃及軍隊的總司令，莫希必需儘快送給他一份有關底比斯部隊與軍備的完整報告。

這是一個外敵來犯的預兆，如果不是利比亞人，就是敘利亞人，或者是來自北方的部落，莫希倒是很高興有這種事情發生，他可以趁著混亂的局勢在上埃及為所欲為；不過，塞特‧奈克特這個人很讓他擔心。塞特‧奈克特不但有錢、廉潔、固執，而且很肯幹。他的影響力也夠大，才會讓他的長子被提名出任外交部長。

莫希在比拉美西斯遇見塞特‧奈克特之後，便知道很難、甚至不可能操縱這個人。現在只能盼望百依擁戴的桃賽特皇后給他出一些難題，而造成朝廷的亂象，如此一來，莫希便可漁翁得利。

他比從前任何時候都更需要光之石。這個該死的叛徒雖然做了一番調查，到目前為止還是找不到它的隱藏地點！

莫希和賽克塔嘗試過要陷害智女和帕尼泊，但這兩個人卻都能夠全身而退。然而，不是所有的行會成員都和他們有同樣的堅強性格。他們之中一定有較弱的一環，莫希必須找出這一環來對行會採取致命的一擊。

莫希想到這裡，心情開始好轉。他愉快地回到家裡，準備接見卡納克的一名祭司。這名祭司在一年之中有幾次固定的時間負責廟裡的補給工作。根據莫希對他所做的身家調查，這個人已經離了婚，有一大筆贍養費要付，也因此而負債累累。莫希打算給這個不幸的傢伙一些好處，讓他為他做點事情，理所當然的，莫希日後便成了他的大恩人。

卡沙正在為皇宮的一名書記夫人製造一個方解石瓶子；費奈德、烏奈士、帕伊和狄弟亞則為莫希製造一批高級家具；卡洛和奈克特為村子內的矮石牆進行補強的工作；歐塞哈特幫肯伊的陵墓雕一個象徵卡氣的石像。而圖弟目前的工作是完成一些珠寶箱的貼金工作，將來要送到西卜塔的陵寢內作為陪葬品。

生活看起來是如此的平靜，現階段的工作也很愉快，真理村洋溢著一片幸福。人們想要忘掉法老的病情，也不去想他死後的政局問題。只有帕尼泊和索貝克隊長維持警覺性。他們認為這種寧靜只不過是暫時性的假象，因為殺害尼菲寡言的兇手不可能就此罷休。

帕尼泊走進金銀匠圖弟的工作室，後者因為想念死去的孩子而陷入悲傷的情緒中。

「村外有一個工作，你可以去做。」

「我不想。」

「如果是卡納克呢？」

圖弟在進入行會之前曾經在阿蒙神城內當過金銀匠，負責神廟大門、雕像和神舟的貼金工作。

「如果是卡納克，那就不一樣了……是什麼樣的工作？」

「一個臨時的任務，而且要手巧：為瑪亞特神廟內的一扇大門完成貼金片的工作。」

「卡納克多的是出色的金銀匠。」

「他們都在別的地方忙，而廟裡的總管又很急。因為新一屆的法庭將在神殿內召開，所以希望能完成這扇門的貼金工作，以示對正直之神的敬意。誰會比真理村的金銀匠更能勝任這個工作？」

「我需要肯伊的同意。」

「我已經獲得他的首肯了。」

圖弟受到瑪亞特神廟總管的最高禮遇和食宿方面無微不至的照顧。他婉拒了總管提供給他的工具，只用自己製造的工具。對他而言，為這種小廟的一扇門扉貼上金片是一個易如反掌的工作，但他依然非常認真地投入工作。

不到一個星期的時間，圖弟就已完成了任務，而且開始想念起村子。的確，卡納克是一處偉大的聖地，這裡的每一磚、每一石都充滿了諸神的力量，但他還是懷念行會的氣氛，甚至包括壞脾氣的肯伊。

圖弟開始將他的工具收拾到袋子裡，這時總管在一旁對他的工作成果讚嘆不已。

「簡直是太美了……而且比預定的時間提早完工！現在終於知道為何真理村選擇了你……你知不知道卡納克的金銀工匠長一職很快就會有空缺？假使你提出申請，相信一定沒有人會反對的。」

「我對這個職位不感興趣。」

「可是，它會是你最終事業的最佳選擇呀！」

「我是個工匠，不是個野心家。」

「請恕我好奇，真理村是如何留住像你這麼有才華的金銀匠？」

「答案很簡單：因為它與眾不同。該感恩的人是我，我每天都感謝它願意接納我。」

「在你離開之前，請幫我一個忙：麻煩你檢查一下那些最古老的金片是否確實固定好。萬一沒有的話，請你通知工作室的人。我因為要處理一些物資運送的問題，所以得先離開。願諸神保佑你，圖弟。」

* * *

晨祀一結束，帕尼泊便來到碧玉家裡，她正在脖子上塗抹一種香膏。那是一種由蜂蜜、碳酸鈉、驢乳、胡蘆巴粒及方解石粉製成的香膏。

帕尼泊輕輕地將手放在她裸露的胸部上，並親吻她的香肩。碧玉極力壓抑住自己的慾望。

「我沒有想到你會來……」

「妳就是愛我這點，不是嗎？」

「萬一我剛好有重要的事情要辦呢？」

「這個香膏是做什麼用的？」

「預防皺紋的產生。」

「妳並不需要，碧玉，因為妳不會老。哈托爾女神命令光陰之神刻意遺忘妳。」

「你好像是在勾引我！」

「答對了……讓我來幫妳抹。」

帕尼泊拿過方解石製的香膏瓶，然後用小指沾一點乳膏、溫柔而均勻地抹在情人的肚臍上。

碧玉的防線很快便被瓦解。

她一絲不掛地躺在床上，帕尼泊繼續用香膏在她光滑如絲的皮膚上盡情地挑逗。

「瓶子空了。」帕尼泊惋惜道。

「那麼就用另一種乳液好了。」

面對她別有深意的邀請，帕尼泊如何能抗拒？於是他壓到她身上，兩人的胴體熱烈地交織在一起，無盡的高潮為他倆的結合劃下一次又一次的驚嘆號。

碧玉穿上衣服，並順手將一條有曼德拉草形墜飾的項鍊戴在脖子上，就在這時，外面響起了一陣急促的敲門聲。

「是誰？」

「雷努貝……是陵寢書記派我來的，快開門！」

碧玉把門打開一道縫。

「帕尼泊還在妳家嗎？」

「他正準備要離開。」

「叫他立刻到肯伊家……發生了一件很嚴重的事情。」

21

「打死我也不會相信！」帕尼泊憤怒地說道。「不是圖弟……絕對不會是圖弟！我們一同在沙漠中旅行過，所以我很了解他的為人。圖弟是個正直而嚴謹的人。自從他兒子死了以後，他只寄情於工作中。這個村子是他的故鄉、他的家。」

「這也是我的想法。」左隊隊長海伊說道。

「我也有同樣的看法。」智女附和道。

肯伊煩躁地將一張質地普通的紙莎草紙胡亂地捲成一團。

「我都同意你們的看法，但人家還是指控圖弟偷了卡納克瑪亞特神廟內的兩塊金片。因為他是以真理村的名義出差，所以整個行會的名譽都受到了質疑。」

「是誰指控他？」帕尼泊問道。

「負責監督廟裡維修工程的一名總管。」

「我要完全知道這個傢伙的來龍去脈！」

「索貝克隊長已經著手進行了，但他沒有權力進到卡納克去調查。我擔心他的調查工作很快就會中斷。」

「圖弟會不會就是那名殺了尼菲寡言的叛徒？」海伊困難地說出這個令人不舒服的假設。

「你怎麼會有這種想法？」肯伊意外地問道。

「因為他如果用這種方法故意讓自己被控，等於也是蓄意敗壞真理村的名譽，接著他很可能以承認罪行的方式來交換較輕的刑罰，甚至是做假的判決。」

「如果是這樣，連卡納克的最高層人員都有可能是共謀……你可曾想像過它牽扯的範圍有多大？」

「我希望自己的假設是錯的，肯伊。但那名叛徒不是已經證明他有能力在暗處動手腳害人嗎？」

「我得和卡納克的大祭司見一面。」肯伊宣佈道，「我們到時再決定下一步該怎麼走。」

「不管怎麼樣，」帕尼泊斷然說道，「我們先想辦法確定圖弟是無辜的。」

「誰負責去調查？」

「我，以右隊隊長之名。我可以向各位保證，如果他真的有嫌疑，我會要他承認的。」

＊　＊　＊

帕尼泊一度以為精神耗弱的圖弟會痛哭失聲。

「我是小偷？是誰這麼卑鄙、用這種方式來誹謗我？」

「是神廟的總管，你之前認識他嗎？」

「不認識，我是第一次見到他。」

「他沒有讓你覺得有可疑的地方？」

「可疑是沒有，只是覺得他有點高傲。他甚至還建議我去申請卡納克的金銀工匠長一職，不過我的答案令他很失望。」

「他指控你偷了兩塊古老的金片。」

「我依他的要求全部檢查了一遍，當我離開的時候一片也不少！」

「誰可以為你證明？」

圖弟的表情像一頭喪家之犬。

「很不幸，沒有人可以做證。」

「我必須仔細搜查你的房子。」

圖弟一隻手壓住自己的脖子，彷彿快要窒息而死。

「連你也認為我有嫌疑？」

「正好相反，不過我們得提供給法庭一些有力的呈堂證據。我會依法搜查，並證明什麼也沒有找到。」

圖弟靠在牆上縮成一團。

「搜吧！帕尼泊，儘量搜吧！」

* * *

陵寢書記在帕尼泊寫的報告上蓋了章，然後長長地舒了口氣。

「還好你什麼都沒搜到。」

「圖弟的情緒已經崩潰了，智女在為他治療。」

「你的推論是什麼？」

「他掉進了別人的圈套。」

「我們和他是一體的！行會已快要垮了，帕尼泊。」

「正義會還我們清白的。」

「不要太樂觀……只要我還沒有見到阿蒙神的大祭司，最壞的事情都有可能發生。我已經寫信告訴他，我們自己也在著手調查，現在就等他的回音。萬一他拒絕見面，我們就死定了。」

「我絕不會坐以待斃！」帕尼泊喊道，「我會親自去找那名總管，並要他吐實！」

「千萬不可輕舉妄動！」肯伊吩咐道。「願瑪亞特女神保佑我們。」

肯伊沒有多久便收到大祭司的回函，而且對它的內容甚為意外：這位大人物希望在百萬年大神廟的接待室內與陵寢書記見面。

兩人都選擇了樸素的穿著：復古式的纏腰布及普通麻料的上衣。大祭司和肯伊兩人關在一間辦公室裡，沒有人可以聽見他們的談話。

「我已經有好長一段時間沒有來西岸了，」大祭司說道，「不過我真不希望是在這種令人遺憾的情況下來到這裡。最近你身體如何，肯伊？」

「每況愈下，不過工作能讓我忘記所有的病痛。」

「我聽說你娶了一個年輕的女孩為妻，是她在侍候你……」

「她是個非常出色的家庭主婦，有時甚至還有點潔癖……我視她為自己的女兒，將來也由她來繼承我所有的財產。你呢？你的身子看來比我還要經得起歲月的考驗。」

「這只不過是個假象，朋友；如果國王批准的話，再過不久，我就要退休歸隱到聖湖邊的一棟小屋裡，好讓年輕的祭司來接替我的位子。」

「在卡納克，是西卜塔國王還是桃賽特皇后下詔書？」

「桃賽特決定，西卜塔簽御令。我不會擔心皇后這個人；自從上回她在這裡待過一段時間後，她對底比斯不會有敵意，這也要感謝真理村的使徒所做的努力。所有的祭司和我本人都很感激你們。」

「然而，今天真理村的一名使徒被控偷竊，更糟的是這件事發生在瑪亞特神廟裡，祂是我們的精神領袖，也因此整個行會都會被判定有罪！」

「的確是如此。」大祭司附和道。

「這名控告你們金銀匠的總管是什麼人？」

「是一名與市長走得很近的官員。他一年有兩、三次到卡納克工作，專門負責監督一些建築物的維修工程，我們對他一直都很滿意。圖弟離開神廟之後，他全部視察了一遍，結果發現有兩片十八朝代的細薄金片不翼而飛，於是立刻做了筆錄。唯一一個在聖殿內工作的人、唯一一個能夠竊取金片的人，就是真理村的金銀匠。」

「我們已經全面搜查過他的房子，結果什麼也沒找到。」

「這個理由還不夠充足。」大祭司研究道。

「真理村的法庭會審判圖弟。」

「竊案是發生在卡納克，肯伊，所以一定是由瑪亞特神廟內所屬的法庭來審理。」

「這會對我們村子非常不利，尤其是判決的結果是死刑的話。」

「在這種嚴重的情況下，的確會判重刑。不過也許有一個辦法……」

「你說說看。」

「讓卡納克的調查人員進入真理村搜查所有的房子。如果他們找不到金片，圖弟也許可因此而被判無罪。」

肯伊沉下了臉。

「不可能的！我們從未開過這種先例。一旦破例，將來無論是哪個官員都會用任何藉口要求進入村子。我不能因為一個人而不顧全大局。」

「你說得有道理，肯伊；換作是我，我也會這麼做。但這麼一來，你等於是放棄了圖弟，而且毀了行會的名譽。」

「請讓索貝克隊長對這名總管進行調查，並由他來盤問。」

「只要這名總管住在廟裡，任何警察都不能碰他，更何況這名警察沒有權利在我的管轄範圍內工作。再說，這麼做會引起陪審團的不滿。人家會認為真理村為了護短而聲東擊西。」

「這個陷阱簡直是天衣無縫。」肯伊喃喃自語道。

「看來只有對圖弟提出控訴，並把他逐出村外。」大祭司提議道。

「但他是無辜的呀！如此放棄我們的成員之一，是一種不可饒恕的懦弱行為。」

「真高興聽到你這麼說，肯伊。」

「這個總管已被一個惡魔收買，想要置我們於死地。」陵寢書記肯定地說道。

「誰會瘋狂到用這種方法來攻擊真理村？」大祭司驚訝地說道。

「我不知道，但總有一天會真相大白。」

「然而對圖弟而言，可能為時已晚，肯伊。」

「既然人類無法做出公正的審判，為何不求助於諸神？」

「你是想到阿孟霍特普一世的廟裡請祂降示……但祂也救不了圖弟的，因為事件是發生在卡納克。」

「我沒有忘記這點。你還記不記得我是解夢專家？」

「我開始有點懂了……你想要以夢境的方式找出真正的嫌犯！」

「完全正確。」

「這麼做是很危險的一件事，肯伊，而且也不能保證會有結果。」

「我這把年紀已經沒有什麼好怕的了。」

「由於你是這個領域的權威，因此法庭一定會拒絕由你來進行，以免失去公正性。法庭也不會讓智女去做，因為大家都知道她有預知的能力。假使你堅持要用這種方法，那就得去找一個不怕死的人來進行。」

22

「我求求你看在兩個孩子的份上，不要去冒這個險，帕尼泊！」

清香、美麗如藍蓮的娃貝特擁抱著她的丈夫。

「我是右隊隊長，所以應該要幫助圖弟脫離陷阱。」

「你不用對目前這種情況負責！萬一你在這個超自然的考驗中犧牲了生命，行會也將跟著沈淪下去。」

「如果我們不採取防衛，行會的名譽將毀於一旦，村子也生存不了多久。」

「我不要失去你，帕尼泊！」

帕尼泊將纖細而柔弱的妻子擁在懷裡。

「娃貝特，妳在哈托爾女祭司的階級中有一定的地位。妳也應該像我一樣把真理村擺在第一位。」

「問題是這個考驗太危險了！」

「為什麼妳認為我一定會失敗？」

「沒有人強迫你，」奈克特強調道，「如果你決定放棄，也沒有人會怪你。」

「他說得對。」帕伊贊同道。

「你們大家的看法都一致嗎？」帕尼泊問道，同時審視著所有聚集在他家門口的右隊工匠。

「我們都是這麼想。」卡烏肯定地答道。

「我沒有看到傑德。」

「喔，他呀！」卡洛大聲說道，「他還是老樣子，什麼都沒說，不過他一定同意我們的看法。」

「我還是想聽聽他的意見。」

「他在工作室裡忙著。」

多虧卡萊兒經過無數試驗的藥方，傑德的眼睛才得以獲救，不過他的體力已大不如前，因此他把重要的工作都交給他的弟子帕尼泊去做，而現在帕尼泊又成了他的上司。傑德在祖先的陵墓裡工作得很起勁，他將一些年久失修的壁畫再精心修飾一番，使顏色變得更鮮豔。對他而言，與祖先相處彷彿比和活人交往來得更有意思。

「啊，帕尼泊……聽人家說，你要去卡納克？」

「你沒有告訴我你的看法。」

「這重要嗎？你一旦做了決定，任何人也改變不了。」

「你並不贊成我的決定，對不對？」

「事實上，你又有什麼損失？要不，就是掉入阿蒙神祭司的陷阱裡，要不，就是在考驗的過程中發了瘋……你說有什麼不能試的……」

「說不定我會成功？」

「這就是帕尼泊的本性，純真而沒有污點！當前面沒有路時，你就自己走出一條路。直到目前為止，你也都沒有走錯方向。但如果你讓真理村失去它有史以來最出色的彩繪匠之一，我將不會原諒你。」

*　　*　　*

帕尼泊和智女在行會的一座廟裡祭拜了很長的一段時間，這座廟主要是供奉沉默女神，也就是西峰之神。在沉思默禱中，帕尼泊擁有了一種新的力量，同時他告誡自己，在迎接黑暗的挑戰之前決不輕易浪費它。

卡萊兒和帕尼泊走出廟裡時，太陽已開始落入西山的那一頭。

「待會兒就是霍特普時辰，」她說道，「意即西方之安，也是尼菲的秘名。我已向他禱告過，希望他守在你的靈魂左右，並且支持你。」

「如果妳勸我不要去冒這個險，我會聽妳的。」

「我永遠不會從失去尼菲的傷痛中恢復過來。假使你也跟著去了，我將不再有孩子，連生活在行會中的基本快樂也不復存在。但我不可能只為自己著想……圖弟若被判刑，真理村也無法倖免於難，只有你可以解救它。一旦你進入了夢之室，千萬不要讓自己的心靈呈現空白，你要一心去想圖弟、不斷地注視著他的臉龐、並要求得到事實的真相。光明與黑暗會在你內心激烈地交戰，但你只要去想圖弟就好。今夜一到，我會攀上西峰，並向西峰女神祈求祂賜給你力量。」

智女和帕尼泊互相擁抱了一下，接著便走向村子大門，所有的村民都聚集在那裡。

帕尼泊不說一句話，獨自一人走上百萬年大神廟的路。

「你叫什麼名字？」一名光頭祭司問道。

「帕尼泊，是真理村的使徒。」

「你是否清楚會有什麼樣的危險？」

「我來這裡不是為了抬損。」

「你冒的是生命危險，帕尼泊。」

「不，是行會的生死存亡。」

「淨身以後，你便越過這道門。到了另一頭，你只能義無反顧地前進、直到考驗結束。」

帕尼泊伸出雙手，掌心向上，讓祭司用聖湖的清水為他進行淨禮儀式。接著祭司洗淨他的雙腳，讓他在神廟入口穿上白色的涼鞋。這座神廟的名字是《拉美西斯聆聽所有的祈禱》，它建於卡納克的東方，廟前巨大的方尖碑迎接每天早晨的第一道曙光，四隻石雕狒狒伴隨著曙光發出歡呼聲，只有諸神才聽得見牠們的聲音。

帕尼泊隨著另一名光頭祭司來到立柱大廳，銀質的地板象徵著生命誕生的原始之水。

他在一道小門前面停下，門前站著卡納克的大祭司。

「我的朋友肯伊跟我說過許多有關你的事，帕尼泊。大家都認為你是一位好領袖，也是一位卓越的彩繪匠。你的義父尼菲寡言將以你為榮。然而，像你這麼一位人才，對真理村的行會而言非常珍貴，你為了這個考驗而冒著失去生命的危險，不是很令人遺憾嗎？」

「多說無益。」

「你的個性的確和別人描述的沒有兩樣……在進入夢之室前，我破例再給你一次考慮的機會。」

「我來這裡是為了要證明圖弟的清白。」

大祭司只好讓開。

「如果因為疲憊不堪，你可以讓身體睡著，但記得要保持神智的清醒，否則你會永遠出不來。願你能接觸到上帝，帕尼泊，同時要記得你夢裡所見的一切。」

帕尼泊進入一個剛用清水與碳酸鈉清洗過的小房間。房間的正中央有一條相思木舟，裡面點燃了一盞燈；它的單心燈蕊和工匠在陵墓內所使用的燈蕊相似，不會散發出污煙。

門被關上了。

帕尼泊採書記的盤腿坐姿，將注意力集中於火焰，心中只想著圖弟一人。

突然間，燈蕊開始扭曲、火苗不斷地跳躍，彷彿企圖擺脫帕尼泊的控制。於是帕尼泊更靠近它，並毫不畏懼地用雙手將它塑成一面火紅的鏡子。他在鏡中看到了圖弟的臉龐。

「告訴我，圖弟，把一切都告訴我……」

帕尼泊一度覺得自己的身體在燃燒，然而他一點也不在意，因為火圈中出現了一個景像。

圖弟走在瑪亞特神廟內，仔細地檢查牆上的每一塊金片。其中有一片特別吸引了他的注意力。

「不，圖弟，不……你沒有做這種事！」

確定金片的固定沒有問題後，圖弟便離開了那裡。他扛著自己的工具袋走出了神廟。

火苗舔舐著帕尼泊的額頭，帕尼泊仍然一動也不動，因為火圈中又出現了另一個人物：他就是那名總管，圖弟曾經向帕尼泊仔細描述過他的長像。

總管鬼鬼祟祟地確定四下無人後，便用一把細銅鑿拆下一面金片。接著他又動手拆下第二面，然後才離開原地。

一陣濃霧遮住了帕尼泊的眼睛，他開始感到昏昏欲睡。帕尼泊全身大汗，竭力不讓自己睡著。

「金片……在哪裡？」他斷斷續續地問道。

剎那間，火焰的中心出現了阿努比斯的豺狼臉。

「睡吧，帕尼泊，睡吧……你會找到所有問題的答案。」

「幫幫我，圖弟……和我一起奮鬥，我的兄弟！」

圖弟的臉龐取代了阿努比斯神的臉，接著出現一連串混亂的畫面：尼羅河、渡船、碼頭、一些坐著的女人、一大堆裝滿食物的籃子。

「市場！」帕尼泊喊道。

黑暗中，他試圖站起來去推開門。帕尼泊極力抵抗致命的昏睡感，神智也開始變得混混噩噩。

就在他眼睛閉上的那一刻，門終於開了。

23

總管下了班，準備照原先的計劃去市集。他打算將無法變賣的金片去交換一根銀條來還債，自己的生活也終於可以過得舒適一點。的確，他是犯了偷竊的行為，甚至讓一名工匠為他揹黑鍋，而且可能被判重刑，但是他一點兒也不後悔。人不自私，天誅地滅。

那兩面金片就在他的皮袋裡面，用紙莎草紙包著。

還有最後一道守衛站要通過。

「你的工作完成了？」守衛長問道。

「我過幾個月才會再來這裡工作。」

「這個偷竊事件真教人生氣……」

「幸好這種事很少發生。再說嫌犯也已經遭到逮捕。」

「請把袋子打開。」

總管的手心因為緊張而出汗，他照著吩咐做了。

「你帶走的是什麼東西？」

「和過去一樣，都是一些維修明細表，還有一些日後要處理的計劃表。當然啦，這些都是副本；今天早上我已經把正本交給上司了。」

「你還在市政府工作嗎？」

「是的。」

「好吧，下回見。」

* * *

賽克塔一身農婦的裝扮，混在一些水果小販和菜農之間。賽克塔和她們閒話家常，等著顧客上門討價還價。有好幾個客人是她底比斯一些朋友的女僕，而她們只是用輕蔑的眼光掃過賽克塔。她甚至還跟一名有錢的大地主夫人談了一會兒，這個女人小氣到連買菜都要自己來。

賽克塔學其他的小販與顧客討價，有時讓步、有時堅持，同時她也小心不要賣得太好，以免讓同行眼紅而不高興。

總管終於帶著緊張、不安的神情出現了。他在人群中困難地擠出一條路，想靠近賣蔬果的小販。

賽克塔已事先講好會將無花果放在三個鮮綠色的籃子裡。如此一來總管就不會認錯攤販。

突然間，賽克塔提高了警覺。

平常總有兩隻狒狒警察在監視著市集，如果碰到偷竊事件，狒狒會衝上去咬扒手的小腿。然而今天卻有四隻狒狒，此外還有好幾名帶著棍子的警察在場。

如果不是總管走露風聲，就是被人跟蹤了。無論如何，賽克塔也有落網的危險。

總管在那三個綠色的籃子前停下腳步。

「妳有沒有賣西瓜？」

「我只賣熟透的無花果。」她用預定的暗號回答。「嚐嚐這個。」

總管覺得口中的無花果好吃得沒話說。

「我用一整箱換你的紙莎草紙。」她低聲說道。「警察正在監視我們。」

「警察？怎麼會……」

「快點照我的話去做。」

總管巴不得儘快把這個沉重的負擔解除掉，因此立刻照著她的話去做。

「銀錠就藏在木箱底部，」賽克塔交待道，「你到隔壁小販那裡去買一些東西，再繼續逛一下市場。千萬要保持冷靜。」

總管口乾舌燥、兩手發抖地向旁邊的小販買葡萄。他轉過頭去看他的共犯是否仍在原地，然而就在這時，他的視線開始變得模糊不清、食道猛然噴出一股酸液、心臟加速跳動，最後連氣都喘不過來。

葡萄小販看見他不太對勁，於是站了起來。

「你不舒服嗎？」

「我……她把我……」

總管兩眼翻白，猛然倒在一堆洋蔥上。

「來人幫忙呀！」小販尖叫著。

幾名警察立刻趕了過來。索貝克隊長推開所有人。

「這個人已經斷氣了。」他檢查後說道。

市場上馬上掀起了一陣恐慌，不過幾隻狒狒張開尖牙利齒，令大家很快地又恢復了秩序。

「妳隔壁的小販到哪裡去了？」索貝克問道。

「賣無花果那個女的？我不知道……我以前從來沒有見過她，她和這個剛死掉的男人說完話後，就不見了。」

「他有沒有買水果？」

「在那個打翻的木箱裡面。」

索貝克檢查了木箱。裡面只有一些無花果。

「他拿什麼付帳？」

「好像是用一些紙莎草紙。」

索貝克只好碰碰運氣，在兇手坐過的位子上查看，結果在那裡找到了那些紙莎草紙，裡面包了兩面薄薄的金片，它們正是瑪亞特神廟內被竊的金片。那名偽裝的小販因為害怕狒狒攻擊，所以不敢將它們帶走。

* * *

「他怎麼樣了？」肯伊向娃貝特問道。

「以他昨晚的表現，我認為他精力充沛得很。」她含蓄地笑著回答。

「很好，很好……我可以見他嗎？」

娃貝特臉色一正。

「該不會又是什麼壞消息吧？」

「剛好相反！」

「好吧，請進。」

帕尼泊正在和小女兒賽雷娜玩耍。他為賽雷娜做了一個有活動關節的玩具娃娃，娃娃的身上漆了顏色，樣子就像哈托爾女祭司，而且手上握著一面獻祭的鏡子。在父親的注視下，賽雷娜小心翼翼地擺動著娃娃的手臂。

「好棒，乖女兒……妳看她也可以走路喔！」

賽雷娜興奮而專注地模仿娃娃的動作。

「我將來也會成為一個女祭司嗎？」

「妳也想要有一面這麼漂亮的鏡子嗎？」

「不只鏡子。」

「還有什麼？」

「我要知道山裡的秘密。只有哈托爾女祭司才能向女神問這個問題。我問過媽媽了，可是她不肯告訴我。」

「這很正常，賽雷娜。」

「你也不願意把秘密告訴我嗎？」

「我是一個工匠，不是女祭司。」

賽雷娜一時被這個回答給弄迷糊了，不過她很快又反應過來。

「你還是可以帶我到西峰呀！你這麼強壯，根本不怕任何的魔鬼。」

「有耐心一點。」

陵寢書記咳嗽了一聲。

「很抱歉打擾了你們，不過我剛剛得知卡納克的法庭已判定圖弟是完全清白的。大祭司請圖弟將瑪亞特神廟的裝飾工作繼續完成，同時會以香膏和服飾來答謝他。」

「他現在好嗎？」

「好多了。智女認為他再過幾天就可以開始工作。圖弟一知道自己的罪名被洗清後，又有了活下去的勇氣。那你感覺怎麼樣？」

「我可不希望再有這種經驗，」帕尼泊抱起小女兒坦言道，「當我被昏睡的感覺包圍住時，我以為我看到的市場一景也沒有用了。跟著就出現了一道光芒，於是我的四肢又一點一滴地恢復了知覺，從頭到尾，我不斷地想著圖弟……會不會是兄弟之情戰勝了死亡？」

肯伊又咳嗽了幾聲，以掩飾他內心的感動。

「那個總管負債累累，」他提道，「所以才會去偷那兩面金片，他原以為可以把它們拿到市場上去交換東西。令人遺憾的是警察的動作過於明顯，以致於他的共犯，也就是那個無花果小販留下了東西、成功地逃走了。」

「無花果小販？」帕尼泊意外地問道。

「沒錯，是一個村婦，沒有人能具體地說出她的相貌特徵。」

「這怎麼可能？」

「根據索貝克的說法，她只不過是一個中間人，主要的任務是把金片拿到手，大概是要熔解它們吧！」

「換句話說，的確有一幫人處心積慮地要置真理村於死地！而我們之中的一個人、一個與我們稱兄道弟的人，是這幫人的一份子！」

賽雷娜在父親的懷裡縮成一團。

「意思是說，黑暗會把光明給吃掉？」她憂慮地問道。

「不，意思是指我們要繼續為了生存而奮鬥，叛徒終有一天會被自己的背叛行為給吞噬的。」

24

桃賽特出席主持國家最高會議，塞特・奈克特和其長子也正式參與，會議只等掌璽大臣百依一人，就可以開始進行。

「他從來不遲到的，」治水總長低聲說道，「陛下會很不高興……」

桃賽特和經濟部長交換了一些意見，然後轉向大家。

「各位有沒有人知道掌璽大臣哪裡去了？」

沒有人答腔。

「請侍從長到百依的官邸去看一下，我們先進行會議。首先從治水總長的報告開始。」

侍從長走出會議室，直奔百依的辦公室。

空無一人。

他的房門關著。侍從長敲了敲門。

由於得不到回應，他大膽地去推門。房門並沒有上鎖。

「掌璽大臣……您在嗎？」

百依在他的床邊，倒臥在一灘血泊中。

百依睜開了眼睛，以為自己來到了天堂的花園。一陣蓮花與茉莉花香撲鼻而來，桃賽特皇后美麗的臉龐正向自己靠過來。

「百依……你可以說話嗎？」

「我……我沒有死嗎？」

「有好幾位大夫在照顧著你。到底發生了什麼事？」

「我記起來了！先是一連串的咳嗽，而且咳得比以前都來得更猛烈……接著就是血，一灘血，然後我就昏過去了……不過好像錯過了最高會議！」

百依試圖起身。

「你躺著，百依，這是我的命令。」

「好、好，陛下……會議討論到最後有沒有結果？」

「有做了一些很好的決定。」

「那最好……可是還有許多的事要做！您放心，我只不過是一時的疲勞。一到明天，我就會復元了。」

「你應該多休息一點。」

「這是否又是另一個命令，陛下？」

「那當然。」

「我很抱歉未能參加最高會議……下次不會再發生了。」

「我們已照你的意見做了一些決定。國庫總管很滿意。」

「陛下，我想要告訴您……」

百依的聲音低得幾乎聽不見。桃賽特握住他的手。

「陛下……請用心統治埃及。」

有好長一段時間，桃賽特一動也不動。

一名大夫走過來。

「陛下，掌璽大臣已過世了。」

「不，大夫，他終於獲得休息了。」

＊　＊　＊

西卜塔國王因為他的畸形足，走路越來越困難。他從阿蒙神廟所住的房間內走出來，準備去見皇后。

年輕的西卜塔在短短的時間蒼老了許多，桃賽特驚訝不已。儘管承受著肉體的痛苦，他的臉上仍然寫滿了真實的平靜。

「您希望見我一面，陛下？」西卜塔問道。

「我帶來了一些壞消息。」

「我很想在露天中庭走一走……我已經有好幾天沒有看見太陽了。幸虧有這根枴杖，我還可以走一點路。」

西卜塔的勇氣令人敬佩，他能夠忘了幾個月來的折磨，而走出神廟呼吸新鮮的空氣。

「天空是如此的美麗！國王們的靈魂就生活在那裡……喔，您剛剛提到有一些壞消息？」

「掌璽大臣百依已經過世了。」

西卜塔頓時彎下了腰，彷彿肚子上被人狠狠揍了一拳。

「百依，我的朋友也是我的恩人……他工作得太辛苦了。」

「他的木乃伊將永遠安息在國王谷地，與您的陵寢相隔不遠。」

「百依將開始他神奇的旅程！我相信他會在谷地內等著我。」

西卜塔在一張石凳上坐下來。

「我真是個平庸的國王！您和我談到埃及，而我卻只想到自己。」

「要取代百依是不可能的事。他不斷地努力，最後一手創造出自己特殊的職位，所有的政府官員都尊敬他。現在，只有您和我來單獨面對所有的朝臣了。」

「我完全沒有能力幫您的忙，桃賽特，您將會比您想像中還要孤獨。面對一些企圖奪權的野心份子，我能夠給予的，是我對您的全力支持。我會在您所擬的任何詔書上簽字，因為我知道您唯一的目的就是保衛我們的國家。」

桃賽特走進一個巨大的鳥籠內，許多五顏六色的珍奇異鳥在裡面生活，牠們都是埃及的探險家所送給皇宮的禮物。皇后親自將一些小盆子裝滿穀粒，並在小碗裡注入清水。一隻黑黃相間的雞冠鳥飛到她肩膀上，側著頭好奇地觀察她。

「你想要自由嗎？」她指著敞開的大門問道。

雞冠鳥隨即展翅而飛，過了一會兒又飛回到鳥籠裡面。

「我也一樣，沒有辦法遠離而去。」皇后望著迎面而來的塞特・奈克特、低聲地說道。塞特・奈克特踩著比平日更堅定的步伐走過來，臉上看起來很嚴肅。

「您是否願意私下見我一面，陛下？或者我應該先申請正式的謁見？」

「既然您一定不是為了小事而跑這一趟，乾脆現在就談吧。」

「這些鳥兒有點吵……我們何不到涼亭那兒？」

涼亭那裡既涼快又隱秘，所有的園丁都無法聽見他們的談話。

皇后和塞特・奈克特兩人在一張圓矮桌前面對面坐下，桌上放了一籃葡萄。

「百依的過世讓您等於是失去了一位能控制各黨派的左右手，陛下。」

「沒有人比我更清楚這點。」

「依我看，任何人都無法取代他。」

「您說得沒錯。」

「您打算參加他的葬禮嗎？」

「問題是葬禮到時會在底比斯舉行，而我不可能離開比拉美西斯。」

「很高興聽到您這麼說。」

「如果我要參加，您會阻止我離開首府嗎？」

「既然您決定留在這裡，陛下，這個問題便不存在了。以目前的局勢而言，您如果不這麼做，會是一個很嚴重的錯誤。每個人都知道西卜塔已經不行了，想必他已託付您代替他來掌管國家。假使法老只是人到國外，以您所處的地位當然是要代為治理國家，這很正常。您並非是埃及第一位攝政皇后，而今天您也讓國家獲得它所需要的穩定，前提是您不能離開首府。我的長子和我本人會堅持不懈地支持您。」

「很高興聽到您這麼說。」皇后露出一個淡淡的笑容說道。

「不過我還是要再一次地告訴您，我們的服從有一定的極限。等到西卜塔一過世，攝政皇后到時候就必須讓位。」

「讓給誰？」

「一位有經驗、而又能恢復法老權威的人。最近這些年來的法老太過懦弱，不是一位女性可以結束這種局面的。」

「為何您認為您有這個能力？」

「因為我有堅強的意志力。」

「就算得付出發生內戰的代價，您也堅持？」

「那就等於是上了我們敵人的當，而且埃及會走向滅亡。當時候來到，陛下，請您自動讓位，並由我來接手處理。」

村民們一聽說真理村的法庭要召開一次會議，大家立刻顯得有點不高興。這次又要面對什麼樣新的考驗?不可能是圖弟的事件，因為已經確定結案，可是也沒有人聽說有哪兩個工匠之間發生衝突。

一些謠言開始傳開，從帕伊的妻子違規拿了太多的麵包、到卡洛的妻子說了太多罵人的髒話，各種假設紛紛出爐，可是沒有一個較為可靠。

「絕對是和掌璽大臣百依的死有關。」烏奈士揣測道：「當局大概決定要減少我們的物資供應！」

「我呀，」奈克特鐵口直斷，「我認為是卡納克的工匠嫉妒我們，所以不讓我們接外面的訂單。」

「無論如何，」費奈德說道，「誰都不能欺負我們。」

出乎大家的意料之外，這一次的法庭會議不一會兒就結束了，肯伊拒絕透露任何消息，整個村子因而感到莫名奇妙。

「事情很嚴重嗎?」牛妞問道。

「我們為行會的未來做了一個重大的決定，」陵寢書記答道，「也希望這個決定沒有錯。」

25

真理村的使徒們將布匹、香膏、家具、紙莎草紙及木乃伊化的食物等陪葬品送進百依的陵寢內，左隊隊長以大祭司的身份為百依的木乃伊棺禱唸著復活咒語。之後他將所有的油燈熄滅，並走出陵墓與其他的工匠們會合。

這是一個很奇特的葬禮，一位非法老級的人物被榮賜葬在國王谷地，而在位的法老卻因無法旅行，以致未能親自出席葬禮。底比斯的官員們為了避免多事，也都不敢參加，只剩工匠們獨自處理百依的木乃伊。

帕尼泊鎖上陵墓的大門，並封上刻有真理村字樣的泥章。

「連桃賽特皇后也沒有來……」

「她不能離開首府，」海伊推測道。「現在失去了掌璽大臣的支持，你能想像她必須面臨什麼樣的動盪不安嗎？」

「如果她有能力執政，現在就是她用行動證明的時候。」

「根據肯伊獲得的消息，皇后的地位一天比一天不保。西卜塔是她最後的籌碼，一旦他去了，接掌政權的會是軍系人馬。」

「這些人根本不會把行會當成一回事！」

「怕就怕這樣。」海伊承認道。

工匠們慢慢地離開了國王谷地。他們經過山口，再一次地欣賞西峰的壯麗，烈日照在谷地四周的山丘上，而歷代的國王與皇后在它們的屏障之下得以安息於此。

帕尼泊正要進入村子的大門，就被陵寢書記用枴杖擋住了他的去路。

「很抱歉，你現在不能回家。」

「為什麼？」

「因為你的態度讓我們做了一個決定。」

「決定……決定什麼？」

「真理村的法庭已經任命你為行會的首長，以延續尼菲寡言的任務。」

帕尼泊一時之間驚訝地說不出話來。

「為了能夠勝任這個職務，並能夠通往最奧秘的境界，你必須再接受一次洗禮。」肯伊繼續說道，「就把你自己交給上帝吧。」

陵寢書記說完便背對著帕尼泊，不再多做解釋。

「跟我來。」海伊吩咐道，同時沿著百萬年大神廟的路往前走。

帕尼泊原以為儀式會在拉美西斯的百萬年大神廟內舉行，但海伊只是繼續往前走，直到一個碼頭邊。

「我們要到東岸嗎？」

「對，但不搭平時的渡船。」

兩人沿著河岸來到一處偏僻的地方，有一條船在等著他們。掌舵的人有點怪異，在他剃光頭髮的後腦上畫有兩隻眼睛，就好像他有能力看見背後的一切。

渡河的這段時間裡，大家始終保持沉默，直到卡納克的碼頭。碼頭上空無一人，整座聖城都沉浸在一片靜默中。

「此乃宇宙主宰張目之處，」海伊言道，「其心表達於此一聖殿。所有分散之物重組於此。」

海伊帶領帕尼泊沿著牆來到東廟前。

帕尼泊遲疑了一下。

「是不是得再經過一次夢之室？」

「你面臨一個考驗時會選擇退縮嗎？」

帕尼泊直視著正前方。

「你要凝望著原始之山丘，」海伊說道，「它生於原始之海洋。它所含有的光明精氣可以讓石頭擁有生命、讓建築者之手得以建築。太陽每日在此昇起，為黑暗中的流浪者照亮路途，讓他們的步伐更穩定。」

帕尼泊走向前，東廟的大門打開了。

「你的束縛已解脫，」一名祭司用低沉的聲音說道，「天庭之門為你而開，一切都給了你，萬物都屬於你。你以隼之軀進入，將化成鳳凰而出。願金星為你開啟道路，讓你得以凝視生命之主宰。」

帕尼泊跟在一名祭司後面，後者用一根長長的金色木杖有節奏地敲著地板。祭司經過拉美西斯的塑像前，然後向一座方尖碑膜拜。方尖碑頂上的小金字塔反射出太陽的光芒。

「你已來到拉神精氣之起點，拉神會以奇蹟來解救迎戰空無之人。你要吸收祂的光輝，然後進入聖地。」

帕尼泊這回進入的不是夢之室，而是另一個小房間，裡面有兩名祭司分別戴著朱鷺和隼的面具。他們為帕尼泊淨身後，便帶領他到圖特摩斯三世的聖殿內。

所有卡納克的大祭司都是在此地接受洗禮，世世代代的首長也是在這裡接受啟示，以使其靈魂與手合而為一、密不可分。

「為了了解創作的原則，」隼面祭司說道，「你必須走進光裡、見其所見。在太陽照耀於黑暗中的這一天，你有何祈求？」

「我遵行瑪亞特的法則，因此我向宇宙之主走來。請容我加入追隨您的行列，並讓我看到您的光明，無論是在天上或人間。」

帕尼泊走入一間寬敞的立柱大廳，柱子上有法老與諸神的彩繪畫，顏色美麗得令帕尼泊為之動容。

「天上有光芒、人間有力量，」阿蒙神的大祭司說道，並捧出一尊阿蒙神的金質雕像，高約一個手肘。「若你有能力，就試著完成你的前任者尼菲寡言已經開始的作品。」

大祭司離開了大廳，留下帕尼泊獨自一人面對神像。

帕尼泊手上沒有任何工具，而且他也認為雕像完美得無以更改。尼菲將每一個細部都處理得如此完美，令帕尼泊的內心澎湃不已。

於是他跪在神像前膜拜祂所蘊含的力量。

立柱上所繪的法老似乎鮮活了起來，貢品也變得越來越豐富，最後凝聚成一道光芒，滲入了神像的頭部。

神像剎那間轉變成一塊石頭的形狀，與真理村用來活化作品的光之石極為相似。

帕尼泊體會到任何一種材質都能以另一種形式來分解與組合，如果工匠們懂得運用光之石，相對地也能夠達到這些轉變。

那道光芒強烈到足以照亮整個神廟，帕尼泊理應閉上眼睛、遮住臉，以避開強光；然而他卻盡情地享受這股來自宇宙深處的精氣。

「把神像捧起來，」阿蒙神大祭司的聲音響起，「你的雙手也將擁有這道光芒。」

帕尼泊捧起雕像，感覺上既重又輕。

「受洗者是一塊原石，」大祭司說道，「當他進入這座廟裡時已自我昇華，如同山腹內蘊孕出來的礦石，從最深處上升而誕生於日光下，並與光之石融為一體。你已看到了秘密，帕尼泊，現在你應該要懂得運用它。你的前人在這座廟裡建立了光明之國；在真理村，祖先的存在能夠維持光之石的力量。而你身為首長，必須維護行會的團結。」

聖殿內充滿了一股落日餘輝的祥和。然而帕尼泊卻知道目前仍不是享受這種幸福的時候。

他走出神殿，一隻來自東方的巨大藍色鳳凰正往真理村的方向飛去。

26

帕尼泊新任行會首長的慶祝活動選在一個特別的日子裡舉行，也就是播種季節的第三個月第二十九天，這一天也是紀念真理村的創立者阿孟霍特普一世的重大節日。村民們手上捧著神像遊行，之後便展開規模龐大的宴席。大夥兒在席中盡情地享受著烤鵪鶉、燉鴿肉、腰子、牛排、各式鮮魚、乳酪、糖煮無花果、蜂蜜蛋糕和棗子酒。

工匠們負責肉類，婦女們則處理其他的菜餚；大家拿出了歷代法老贈予的珍貴餐具，如蛇紋石鍋、方解石餐盤和金質酒杯，肯伊也從自家的地窖中拿出珍藏的好酒共襄盛舉。

歐塞哈特高舉著羊頭神杖，它代表阿蒙神，心中有不滿的人都可以利用這個機會向它提出來，不過全場沒有人提出任何申訴。

「不遵循瑪亞特之道的人就沒有朋友，貪心的人也不會有一日的快樂。」陵寢書記提醒大家道，「我們有幸能夠活在一個諧和時期，並有帕尼泊擔任我們的首長，他將會繼續真理村的大業，同時保護我們不受外敵欺侮。讓我們全體一起慶祝這美好的一天！」

全體，的確是全體。以小黑為首的寵物如巨鵝大壞蛋、小綠猴、怪貓迷人等，全都享有和村民一樣的大餐。帕尼泊的驢子北風也破例獲准進入村子，與大夥兒共度這個快樂的時光。

北風豎起耳朵專注地聽著三位哈托爾女祭司所奏出的美妙音樂。一位吹奏著用蘆葦桿做成的雙簧管，另一位演奏單簧管，最後一位則彈奏著用相思樹幹雕成的豎琴。彈豎琴的女祭司不是別人，正是碧玉。她與生俱來的美加上穿著打扮，引來了某些女人嫉妒的眼光，然而她一點兒也不在意，只是閉著眼睛，任由手指在七根弦上流暢地滑動。

「你看起來不是很開心。」雷努貝向帕尼泊說道，他的肚子已經撐得快要炸開。

「只有傻子才會因責任加重而高興。」烏奈士搭了一句。

「說得好。」卡烏贊同道，他的長鼻子已經因為酒意而開始變紅。

「這個明天再說吧，」狄弟亞說道，「現在是咱們大吃大喝的時候。」

卡沙很想附和狄弟亞的話，但他已分不清周遭的人事物，而且也開始口齒不清。

肯伊因為牛妞不時地瞪著他，所以不敢造次，同時他發現哈托爾女祭司也只喝水。不管怎麼樣，智女第二天還是會有很多暴飲暴食的病人上門求助。

整個晚上，帕尼泊都顯得心不在焉，彷彿這場慶祝活動和他一點關係也沒有。

「你在想尼菲，對不對？」卡萊兒向他問道。

「今晚主持宴會的人應該是他，而不是我。我在卡納克看到了他的傑作，它完美得不需要做任何更改。」

「他也曾經歷過這種情景、說過同樣的話，當時他一心只想儘快回到工作室，和那些工具與材料獨處。」

「換句話說，真理村一旦託付你一個任務，就不可能放棄它……」

「你的義父的確是這樣想，話又說回來，每個人難道不是自由選擇自己的命運嗎？」

「我心中一直有一個願望：身屬這個行會、將生命之火彩繪出來、達到永恆的光明……但我從未想過要領導行會。」

「尼菲也是……在人生的旅途中，當你對權力不感興趣時才會得到它，也因為這樣才知道它的負擔。」

很少有節慶會像今晚如此快樂。原因是村子又有了一位新首長，所有的疑慮也跟著消失。

最後一甕酒已見底，火把也分配到大家手上，在繁星點點的夜空裡，整個真理村被照耀得通火明亮。

娃貝特拿起貝殼形的脂粉盒，為自己仔細地上了妝，然後穿上她那件最美麗的粉綠色長裙，這才準備就緒。一旁的賽雷娜早已等得不耐煩。

「可不可以走了，媽媽？」

娃貝特向屋子望了最後一眼，以確定沒有任何東西留下。

工匠們已經將家具搬到首長的新房子裡，它幾乎和陵寢書記的房子一樣大。娃貝特得指示每樣家具放置的地方，並交待僕人工作。村子裡的一些年輕男孩和女孩都希望能為她服務，最後她在其中選了五位，而且事先強調她的要求很高，第一個就是從好的衛生習慣做起。

「帕尼泊哪裡去了？」奈克特扛著一個裝衣物的木箱問道。

「他去廟裡進行工具交接儀式。」

「這個要特別小心！它是我最漂亮的一個箱子。」

此刻的娃貝特既忙碌、又興奮。當她第一次見到帕尼泊，她就感覺到他擁有一種領袖的特質，而且很高興由於他的勇氣與才華，而能有今天這樣的成就。娃貝特對他的愛同時還摻雜了一種深深的敬佩，她只希望自己配得上他。

「我把裁縫籃放在哪裡？」卡洛問道。

「跟我來。」

賽雷娜已將一個房間據為己有，並在裡面玩起她的娃娃。至於阿沛弟，他寧可和同伴們練習搏鬥，也懶得去幫忙。由於娃貝特怕他粗手粗腳弄壞東西，因此也就任由他去。

娃貝特對於碧玉的態度感到很滿意。在整個宴席的過程中，碧玉完全沒有找帕尼泊說話，而讓娃貝特扮演她正室的角色。娃貝特原本擔心丈夫的升級會引來碧玉的過份要求，可是後者完全謹守本份。

「好漂亮的房子！」帕伊喊道，「妳現在可高興了，娃貝特……妳的眼光真不錯，帕尼泊的確和別人不一樣。」

* * *

「這是首長的角尺。」智女說道，同時交給帕尼泊一把金質的工具，上面有許多不同的刻度。「它是一把聖尺，四方之神已將之神聖化，有東方的何露斯、西方的奧塞利斯、北方的卜塔及中天的阿蒙神。」

接著她將一把用於日常工作的烏木角尺交給帕尼泊，角尺上刻有奧塞利斯和阿努比斯神的祈禱文。

最後智女拿給帕尼泊另外三個最重要的工具，分別是邊長比例三：四：五的角規、水平器、以及心形的鉛垂。

「願建築者之神卜塔令這些工具發揮功效。有了它們，你可以重新組合聖目，將其分散的每一部分結合起來，如此你便可以看見事物的本質，無論是具體或抽象、外在或隱藏之事物。為了能夠達到這種境界，你的第一個任務便是開始準備自己的陵寢，它是你活在時間之外的地方。」

智女走近帕尼泊，在他的腰際圍上尼菲過去所穿的金罩衫。

「做任何事情都要有公平與正直的態度，帕尼泊，你要表裡如一、保持冷靜，無論幸與不幸都要堅強一致，你要有一顆警覺的心和明斷是非的腦袋。由於你已體驗過最偉大的奧秘，你現在可以自己執行創作力量的甦醒儀式，並在神廟的聖殿內舉行祭祀，每天早晨帶給萬物生命的光明便是在此復生。」

帕尼泊突然覺得自己肩上彷彿扛了幾十塊巨石，但這沉重的負擔並未令他直不起腰，他原只是個農夫之子，希冀有朝一日成為畫匠，如今終於如願以償。

在智女的引導下，帕尼泊走進真理村主廟的聖殿內，他和義父尼菲一樣，走過瑪亞特和哈托爾兩條道路，前者象徵宇宙的永恆法則，後者是大愛的創造力量。而他終於體會到兩者通往同樣的目標。

* * *

努比亞女僕在賽克塔的大腿上擦了過多的瘦身膏。

「妳這個小白痴！」她吼道，並且一耳光甩過去。「妳想灼傷我的皮膚不成？」

小女僕強忍住即將奪眶而出的淚水。她的美麗令女主人的一些朋友甚為嫉妒，在這裡的待遇不但少得可憐，而且還要忍受賽克塔的粗暴。儘管離鄉背景，她仍然非常珍惜這份工作，因為她決定遠離村婦的生活，好好體驗底比斯的繁華，就算女主人再難侍候，她也絕不打退堂鼓。

「請原諒我。」

賽克塔聳聳肩。

「把化妝用具拿過來。」

賽克塔很怕看到自己開始有白頭髮和皺紋，因此使用越來越多的保養品：綠色及黑色的眼影、紅色的口紅、臉部用的粉餅及乳霜、具有再生功能的染髮劑和髮油等等。她的浴室擺滿了珍貴的瓶瓶罐罐，另外還有一個價值不菲的透明香水瓶。

「把我的早餐送來。」她命令道。

小女僕給她準備了豐盛的早餐，貪嘴的賽克塔最愛鮮奶油，並將熱麵包塗上一層厚厚的奶油。這些食物很容易令她發胖，但她就是拒絕不了誘惑。

莫希身穿一件華麗的褶紋長袍，突然闖進賽克塔的房間。

「出去！」他向小女僕命令道，後者匆匆離開了房間。

「你已經準備好了嗎？親愛的？」賽克塔意外地問道。

「我集合了一些高級軍官，準備完成塞特‧奈克特要求的報告。」

「沒有什麼大問題吧？」

「這只不過是行政上的一個例行公事罷了。介於那個老臣與桃賽特皇后之間的鬥爭才算重要。」

「你賭誰會贏？」

「最好是兩敗俱傷。」

賽克塔環抱著丈夫的脖子。

「你不知道我在市場的情形有多刺激！那些白痴警察當時就近在咫尺，你能想像嗎？」

「妳這麼做實在是太危險了，小親親。」

「才不呢，親愛的！他們永遠抓不到我的。我的危機意識比一隻野獸還要來得靈敏。」

「可是現在警察已經發現有個女人與這個案子大有關聯。」

「他們什麼都不知道，只曉得幕後有一個集團組織。」

「妳有沒有來自叛徒的消息？」

「帕尼泊已經當上了真理村的首長。遲早有一天他會用到光之石的，也正因為如此，我們的盟友始終緊盯著他不放。此外他想到一個主意，可以擾亂帕尼泊的上任初期和行會的正常運作。」

「我也有一個主意，而且可以得到同樣的效果……絕對不能讓帕尼泊有喘息的機會！他不像尼菲寡言那麼冷靜、沉著，所以到時會像一塊石頭被鐵錘一敲、碎成片片。」

＊　＊　＊

為了討論工作上的一些問題，帕尼泊第一次召開村子的法庭，同時也針對某些工匠的質疑做答覆。

卡洛率先提出最重要的問題。

「有謠言說你想要增加大夥兒的工作量。」

「沒有這回事，」帕尼泊答道，「我們每天早上從八到十二點、從下午兩點到六點在工地工作，連續八天，接著休息兩天，節日及特殊假日還不算在內。這是村子的傳統，我無意去更改它。萬一有緊急的狀況，我會試著和海伊用最少的自願者一起應變，而自願者可以獲得豐厚的加班費。」

「說到待遇，」烏奈士提問道，「有人說你打算減少我們的工資？」

「也沒有這回事。發餉日仍然是每個月的二十八號：陵寢書記、左隊隊長和我本人是五袋小麥和兩袋大麥；其他每名工匠最少有四袋小麥和一袋大麥。」

「是一整袋、而不是半袋……你加我們的薪？」

「肯伊已獲得了行政當局的同意。」

「這代不代表其他的糧食配給會相對地減少？」雷努貝擔心地問道。

「一點兒也不會。每天大家可分配到麵包、新鮮蔬菜、鮮奶、啤酒、以及每人至少三百公克的魚。」

「還有每隔十天所分發的鹽、香皂、橄欖油和香膏？」

「那當然。」

「這麼說來，一切都沒有改變囉！」歐塞哈特叫道。

「既然是大家都滿意的制度，為何要改變它？」

「說實在的，」奈克特不好意思地承認道，「我們有點是在打賭，認為你可能會改變現狀……」

「我認為一成不變的例行公事是有點危險，不管是對雙手或是對心靈而言；不過我們祖先留下了許多好的習慣，可以說是我們財產的一部份，我希望大家共同來維護它們。」

這一篇平靜的宣言令所有工匠都甚感意外。

「我可是贏了打賭，」傑德帶點嘲諷地說道：「沒有人相信帕尼泊真的能夠繼任尼菲寡言。做首長的當然得說話算話，所以你們現在可以高枕無憂了。」

＊　＊　＊

塞特・奈克特專心閱讀著長子所寄來的最新報告。他的長子跑遍了敘利亞—巴勒斯坦一帶，以佈下完整的情報網，萬一有狀況發生，便可以立刻通知首府。

「桃賽特皇后要求和您說話。」總管進來通報。

「皇后人親自來到我家？」

總管點頭表示無誤。

塞特・奈克特驚訝地走出辦公室，並急急忙忙前去迎接桃賽特，後者坐在一個舒適的轎子內。

「陛下，我沒有想到……」

「您是否曾經保證過會服從我？」

「以目前的情勢而言，是的，同時我以……」

「您是否經常食言？」

塞特・奈克特覺得自己受到了侮辱。

「我從不食言，陛下！而且我可以找出好幾打證人來向您證實我的話。」

「既然如此，為何沒有向我提起有關敘利亞─巴勒斯坦的最新報告？」

「報告是我的長子所寫的，同時……」

「怎麼說他都是外交部長。法老和我必須知道他的工作情形，並且列為機密，如果有必要，連您本人也不能知道。」

塞特・奈克特不得不承認皇后的話有道理。

「可是西卜塔國王根本無法了解這份文件的重要性！」

「您錯了。我每天早上都到他床邊陪他一陣子，同時告知他一些重要的消息，讓他以局外人的角度給我一些中肯的意見。塞特・奈克特，我是個履行諾言的人。」

塞特・奈克特懊惱地向她行禮致意。

「我這就將外交部長的報告交給您，陛下。」

「既然您已經看過報告，」皇后淡淡地笑道，「您就直接把內容說給我聽吧！」

塞特・奈克特很感激皇后這種表示信任的態度，因此一五一十地向她說明。

「敘利亞─巴勒斯坦還算平靜，不過許多的小派系正在形成，他們抗議目前的埃及保護制度，實際上有這種制度才能確保這個地區的繁榮。還好這些只是一些不太嚴重的騷動，當地的警察有能力鎮壓下來。倒是亞洲的局勢令人感到憂心，許多的王國已面臨瓦解，一些好戰的諸侯正在奪取政權，戰爭一觸即發，沒有人知道最後會有什麼結果。總而言之，埃及是他們最想侵占的國家，所以任何結果對埃及都不會有好處。」

「您有何主張？」

「在敵軍進犯路線的東北一帶實行高度警戒措施、維持強大的駐軍並配給優渥的糧餉、鞏固我們第一防線的堡壘、建造新戰艦，並下令比拉美西斯的兵工廠生產更多的武器。」

「那麼利比亞的威脅呢？」

「我們不能輕視這個威脅。那些部落目前仍處於四分五裂的狀態，但只要有一個激進的好戰首長帶領入侵三角洲，威脅就會來臨。」

「我們是否有足夠的情報人員滲透其中？」

「麻煩的事就在這裡！這是一份非常危險的工作，很多自願者已送掉了自己的性命。根據我們獲得的零星消息，那些利比亞部落很快就會有強大的兵力。」

「您是否已將我方的兵力建立出完整的報告？」

「所有的將軍都很快地回報了詳細的兵力情形，我想我們有能力抵禦外來的侵犯。但您也很了解我的態度：先下手為強才是上策。」

「我不這麼認為，塞特・奈克特。底比斯的軍力呢？」

「莫希擁有為數眾多的軍隊，而且訓練有素。多虧有他，上埃及和遠南都在控制之中。」

「外交部長何時回比拉美西斯？」

「至少還要好幾個月的時間，陛下，因為他要親自去視察每個地方的情況。」

「從今天起，要他把所有的報告直接送給法老。」

塞特・奈克特再度向她鞠躬行禮。

27

這是索貝克隊長第一次向智女求診。他從來不知疾病為何物，但這一次他不得不硬著頭皮向智女請教，因為他已經連續失眠了好幾天。

「你的身體非常健康。」卡萊兒診斷完畢後說道。

「但我一直無法入睡。」索貝克坦承道。

「你的血液品質非常好，儘管張著眼睛也得以休息。再說，就算開藥給你也無法揮去日夜糾纏你的心事。」

「我負責村子的安全，卻有一個兇手依然逍遙法外！我很肯定，殺害我那名部下和尼菲的人是同一個兇手。而這個該下地獄的傢伙居然是右隊的一名工匠。」

「你何以如此肯定？」

「第六感，純粹是第六感……問題就出在我沒有任何具體的線索。」

「不要失去信心，索貝克。」

「您……您有沒有懷疑什麼特定的人？」

智女抬起頭望著天空。

「我只知道你的判斷沒錯，叛徒躲在一層濃濃的黑暗中，直到目前為止，我們無法看穿他的思想。但這種情形不會維持永久……」

「這麼多年來，他都沒有出過任何差錯，也沒有理由放鬆戒心而露出馬腳。」

「過度的自信也是一個缺點，索貝克；我們要尋找的人終有疏失的一天。」

「我們連那名農婦都找不到，問了幾十個人完全沒有下文。那些人的描述根本就不可靠，絲毫沒有一點頭緒……在鄉下也沒聽到什麼可以讓我們展開調查的線索。這個無花果小販就好像從來不曾存在過似的。」

「或許這就是最好的結論。」

索貝克猛然一驚。

「她會不會是……陰間來的魔鬼？」

「不是，不過她應該不是個農婦。」

「喬裝……您是指這個？」

「為了不讓人發現，有什麼方法比這個更好？如果她真的是一個住在某個村子裡的無花果小販，你早就已查到她的行蹤了。」

「喬裝……問題是我不能為了找出這個人、叫我的部下跟在每個婦女的後面啊！什麼人會這樣隱藏身份？一個市民、還是一個外國人？」

索貝克雖然很難想像，但還是很高興有了一點頭緒，哪怕是極微渺的線索。

一陣激烈的爭吵聲打斷了他的思緒。

「一些新鮮食物的供應有些問題，好像是……我現在可以走了嗎？」

「我已幫你診斷過了，」卡萊兒說道，「如果你希望服一些鎮定草藥，我可以開給你，問題是你會喝嗎？」

「非常謝謝您所做的一切……我已經好多了，現在我必須自己找回平靜！」

索貝克來到外面，發現村子的一些婦女正在和漁夫們吵架。尼亞滿臉亂七八糟的鬍子和滿嘴罵人的髒話，雖然體格魁梧，但面對高舉掃把、準備衝過來拚打的牛妞，他還是有後退的打算。

索貝克出面調解。

「你們這是幹什麼?發生了什麼事?」

「尼亞是個壞蛋!」牛妞大聲說道。

「我照平常一樣把魚送來，有什麼不對?」

「說到你的魚，你既沒有送來鯔魚、也沒有送來鯉魚!看看這個鱸魚，你居然有膽子把它拿來給我們!」

牛妞從一個柳籃內拿出一條眼睛灰白、臭味四溢的死魚。

「你把這種垃圾稱作是新鮮的魚?你何不乾脆承認想毒死我們!」

「人家叫我送什麼、我就送什麼……再說你們多的是魚干。」

牛妞打開另一個籃子，並且一腳把它踢翻，裡面的東西散了一地。

「這些也被處理得亂七八糟，根本就不能吃!你當我們是什麼?」

「我只不過是個助理工而已，我也得聽從命令呀!」

「誰的命令?」帕尼泊剛來到現場，並開口問道。

尼亞躲在幾個工人後面。

「不要碰我!」他哀求道，帕尼泊的怒氣他早已領教過了。

「只要你回答我的問題就沒事。」

「是行政當局下的命令。」

「把這些腐爛的食物帶回去，尼亞，而且限你今天就把新鮮的魚和最好的魚干送來給我們。下命令的人是我。你不要有任何拖延，否則我會去找你算帳!」

漁夫們帶著籃子離開了助理區。帕尼泊還來不及走進村子，帕伊的老婆已經怒氣沖沖地迎面而來。

「那些送來的穀子根本就不是往常的數量。」

「妳確定？」

「我的眼力很好，相信我！你可以親自去檢查。」

帕尼泊要卡烏帶著村子的標準量器去查驗。

「數量少了平常的十分之一，」他下結論道，「負責裝袋的人用了另一種量器。」

「我馬上就到行政當局的辦公室一趟，」帕尼泊決定道。「叫奈克特陪我一起去。」

奈克特雖然體力充沛，但他還是很難跟上帕尼泊的腳步。後者由於心情惡劣，因而外表看起來比上任前更為魁梧強悍。

「真為你感到遺憾，帕尼泊……這麼多麻煩事，你新官上任似乎不是很愉快。」

「麻煩事也是工作的一部份。」

「但這些實在是太過份了……好像有人故意要為難你、讓你感到氣餒。」

「你認為是誰？」

「我沒有特別想到什麼人……自從你當了首長之後，我們之間的競爭已經結束。而且我相信法庭任命你擔任首長是對的。」

「你不認為自己也擁有這個資格嗎？」

「我？絕對不行！我熱愛行會和我的職業，也在村子裡生活得很愉快，但我知道自己有幾斤幾兩重，也知道自己沒有領導的本事。我不但不羨慕你，反而很同情你！從現在起，所有大大小小的問題都成了你的問題。」

中央行政機關的守衛和平常一樣充滿了戒心。

「真理村的首長希望見莫希將軍一面。」帕尼泊極為冷靜地說道，「事情非常緊急。」

一名軍官一路跑到馬廄，莫希在那裡檢查新到的兩匹馬，準備用來拉他的戰車。

「完全不行，」他說道，「馬伕，把這兩匹馬拉去給新手騎兵，同時再給我找來真正的好馬。」

莫希昂首闊步、不急不徐地走向帕尼泊他們。

「沒有人事先通知我你們會來訪……」

「也沒有人事先通知我會送一堆爛魚和數量不正確的穀粒到村子。」帕尼泊反唇相譏道。

莫希愣了一下。

「您確定嗎，首長？我是不是該這麼稱呼您？」

「完全正確。既然問題是出自於您行政上的疏失，我要求立即獲得應有的賠償。」

「您要不要跟我到辦公室一趟？」

莫希查看了記事板上的資料。

「看這個……根據總管的最新記錄，該送的魚都已經由尼亞送過去了，穀袋也由百萬年大神廟那邊準時送達。」

「送來的是一堆臭魚和數量不足的穀子。」帕尼泊再一次強調道，「很明顯的，有人完全不合法地改變了送貨的標準。」

莫希冷笑了一下。

「我說帕尼泊……您有真正在管理真理村嗎？」

「您為何這麼說？」

「我的行政單位完全不用為您的問題負責，更何況您似乎對村子裡所發生的事情一無所知。」

帕尼泊覺得自己全身的血液賁張。

「您把話說清楚，莫希！」

「我的部門收到一個命令，上面還刻有真理村的章。這個命令是要漁夫把庫存送去給你們，而且要百萬年大神廟的穀倉主管更改穀袋內的容量。我們當然是照著命令去做。」

「您把這份文件拿給我看。」

「樂意之至。」

木板上的記載千真萬確。

在真理村的刻章旁還有另一個刻章。是一名工匠取代首長下達這個命令的圖章。

28

「這麼說來，是他……他就是叛徒、也是兇手！」

「別太早下定論。」帕尼泊勸道。

「這的確是他個人的圖章，你看，就在這塊木板上！」

「目前我們只能指控他濫用職權。」

「你難道還不明白？他想破壞你的信譽，取代你的位置。我們得立刻召開法庭。」

「先盤問過這名工匠再說。」智女提議道。

「這個證據還不夠嗎？」

「我去把他找來。」帕尼泊決定道。

卡萊兒態度平靜，肯伊則是坐立難安。

當帕尼泊與這名有嫌疑的工匠回到原地時，陵寢書記立刻站了起來，並且緊緊盯著他。

「歐塞哈特，現在你打算怎麼為自己辯護？」

雕匠組長歐塞哈特似乎大吃一驚。

「為我自己辯護……我被控犯了什麼罪？」

「獅頭與獅身是不是你個人的圖章樣式？」

肯伊帶著冷冷的憤怒，將木板拿給歐塞哈特看。

「沒錯，是我的圖章。」

歐塞哈特很快地將內容看了一遍。

「我從來沒有寫過這個東西！這份文件是從哪裡來的？」

「你還裝作不知道！」

「我當然是不知道！」歐塞哈特生氣地說道，「我絕不容許別人懷疑我的話！」

「是莫希將軍拿給我的。」帕尼泊說道。

「我從來不去行政當局的辦公室。這是陵寢書記和工匠隊長的角色，不是嗎？」

「莫希是經由郵件的方式收到這塊木板的。」

歐塞哈特愣了一下，立刻又回過了神。

「有人模仿我的圖章。」

「你能證明嗎？」肯伊嚴厲地問道。

「第一，我以真理村使徒之名發誓，如果有必要，我可以在瑪亞特和法庭面前發誓木板上的東西不是我寫的。第二，假使我要刻上自己的圖章，也一定是刻在石頭上，因為我從來不刻在木板上。」

肯伊撇了撇嘴。

「這樣就夠了。」帕尼泊說道。

「有人試圖要毀壞你我兩人的名譽。」歐塞哈特思量道。

歐塞哈特一走出門外，陵寢書記立刻表達出他的不高興。

「我們有必要告訴索貝克這件事，好讓他就近監視歐塞哈特的一舉一動。」

帕尼泊若有所思地同意了。

這天早晨，肯伊比牛妞先醒過來，而牛妞預備將整個房子煙燻一遍。包括肯伊的辦公室，由於爭不過她，肯伊只好連頭都沒洗便離開了家，來到自己的陵墓前靜坐沉思，這時初昇的太陽正照耀著他的陵寢。

這座陵墓挖築於梯形山岩的一個角落，裡面有一個祠堂，而且祠堂的盡頭有一座壁龕，內部是陵寢書記面向奧塞利斯、哈托爾、伊西斯等三神的畫面。這個無上的殊榮令他暫時忘卻自己尚未完成的作品《夢之鑰》。

依照村子的建築傳統，行會重要人物的陵墓頂端會有一座小金字塔，老肯伊凝望著它，想到自己最好的作品要算是陵寢日誌。每天他都會將真理村內發生的大大小小事情忠實地記錄在裡面。

「這麼早就起床了，肯伊？」

帕尼泊宏亮的聲音令老肯伊嚇了一大跳。

「人年紀越大，睡得就越少……而且這個村子曾經帶給我如此多的幸福，我想要好好享受在村子裡所剩的每個早晨。」

「您要不要我把您的陵寢裝飾得更漂亮？」

「對我而言，它早已為我準備好一切；你倒是應該為自己的陵寢做打算。一位首長的陵墓必須配得上他的頭銜。」

「這是個好主意，帕尼泊。親自跑到那裡對我可能太累了一點……就讓伊姆尼代我去好了。」

「好吧……不過我得派一隊工匠到國王谷地，把皇室陵墓的周圍清一清。」

帕尼泊露出了笑容。

「讓這個小書記做點運動，對他絕對有好處。他一天到晚埋在文件堆裡，恐怕會提早變成一具木乃伊。」

伊姆尼生來就是一副獐頭鼠目的樣子，而且是個堅定不移的獨身主義者，因為他覺得女人比賽克馬特女神所散佈的疾病還要來得可怕。他的住家位於村子的西邊，與左隊隊長為鄰。其實以他目前的地位而言，他可以用極少的薪資請個人為他做幾個小時的打掃工作，可是他寧可自己動手收拾房子，也不願花上半毛錢。

好幾個月以來，伊姆尼一直有胃酸過多的毛病，他很清楚原因在哪裡：肯伊似乎是個老不死，而帕尼泊又當上了行會的首長。這種情況對他而言再糟不過，就算他每天把毛筆洗上十五次、墨盤刮得快要報銷，也無法讓自己變成陵寢書記，並讓帕尼泊聽從他的話。

為何肯伊不指定他為陵寢書記的繼任者，然後去過退休的生活？他把工作處理得如此完美、帳目完全沒有出錯，而且連別人小小的作弊都不放過。有了他，行會的管理才會如此無懈可擊。再說，他很懂得暗中去觀察別人，也因此偷學了工匠們不少的技術；有一天，他不但可以當上陵寢書記，同時也有足夠的資格成為兩隊工匠的上司。為此，他得合法地除去老是與他作對的帕尼泊。

有人正在用力地敲他家大門，伊姆尼立刻丟下毛筆。

「上路了！」奈克特命令道。

伊姆尼開了門。

「上路去哪裡？」

「去國王谷地，有任務要進行。」

「可是陵寢書記要……」

「肯伊太累了，所以由你代替。我們大家已經準備好了，也不想花太多的時間等你。」

伊姆尼立刻收拾了必備用具，並一路用跑的跟在一小隊人馬後面，前往國王谷地。

* * *

「確定……不是心臟？」帕伊憂慮地問道。

「百分之百確定，」智女回答道。「你的脈搏可以聽得很清楚，精氣在血管裡也循環得很順利。」

「可是我的心臟還是跳動得很快！」

「我承認這是一個必須注意的症狀，但病因不是很嚴重。只不過是因為過度緊張。」

「那麼……會不會再發生？」

「這完全要看你自己，帕伊。我猜你是因為發了一頓很大的脾氣，而你的怒火還沒完全平息。」

帕伊低頭望著自己的腳趾頭。

「的確是……」

「怎麼會如此控制不了自己的脾氣？」

「都是因為我老婆……她抱怨村子裡的生活令人無法忍受，尤其是索貝克和他的部下對我們採取的監視行動。」

「她想離開嗎？」

「或多或少有一點……我跟她講道理，結果越講越大聲，最後在衣物箱上捶了好幾拳。」

「如果你太太真的想要離開真理村，她可以這麼做，」卡萊兒說道，「即使你發脾氣也無法改變她的心意。」

「我知道，」帕伊承認道，「不過這次吵架的原因根本就是小題大作……實際上，她是不高興我和其他畫匠多喝了幾杯，而沒有去處理我們家房子的維修工作。我答應過她要幫她弄一個新廚房，這件事已經拖了一年多，問題是有那麼多的節慶和宴會要籌備！」

智女微笑了一下。

「一個有家室的工匠，是不是應該先維持家中的和諧氣氛？」

「如果我盡力去做，我的心臟問題會不會有所改善？」

「那當然。」

＊　＊　＊

伊姆尼雖然在體力上吃了一點苦頭，可是卻很得意自己取代陵寢書記，獨自負起監督工匠的責任。將皇室陵墓的周圍整平、把堆滿山谷的碎石運出國王谷地是個很吃力的工作；不過由卡沙、費奈德、卡洛、奈克特和狄弟亞等五人組成的小隊有的是精力。其他的右隊工匠則忙於建造帕尼泊的陵墓。前五個人很想儘快完成他們的工作，以便加入其他人的行列。

「這個小傢伙實在是令人討厭到極點。最好有一塊大石頭掉下來壓到他的腳，他才不會來煩我們。」

「不要理他就好了。」

「他連我去尿尿都要記錄在他的板子上！肯伊不是個好相處的人，但他至少有個分寸。」

「伊姆尼並沒有什麼惡意，」卡洛說道。「不過他可別企圖來干涉我們的工作方式。」

「他很痛恨我們的首長。」狄弟亞有感而發。

「你認為他有本事去害他？」奈克特問道。

狄弟亞點點頭。

「別胡說八道了。」費奈德說道，「這個小鬍子根本不敢動帕尼泊一根汗毛。伊姆尼想要的，無非是陵寢書記的位子。我可以跟你打賭，老肯伊一定會耍花招不讓他順利升遷。」

「你以為肯伊會打這種下流的主意嗎？」卡沙順了一下自己的黑髮說道。

伊姆尼走近他們。

「你們打算什麼時候結束？」他用討好的腔調問道。

「假使你來幫忙，我們可以提早結束工作。」狄弟亞答道。

「這不是我的工作！」伊姆尼抗議道。

「該結束的時候就會結束。」奈克特冷淡地回了一句。

「天氣還算涼快，你們應該可以加快速度。」

奈克特威脅性地走向伊姆尼。

「你可以監工，但用不著多話……我說得夠清楚嗎？」

伊姆尼向後退了一步，工匠們轉身背對他，繼續將石灰岩碎塊裝進籃子裡。他們用這些石塊去加強堤防，以避免可能發生的土石流破壞一些陵墓的大門。

工匠們最後完成了梅仁達雕像四周的清理工作，費奈德在那裡發現好幾個漂亮的石灰岩塊，只要加以切削，就可以重新使用。

「要不要給我們首長來一個驚喜？」他向同伴們提議道。

大夥兒一致贊成。

「這些石塊很重，要搬運不容易。」卡沙察看道。

「我們又不是軟腳蝦。」奈克特斷然說道。

他們搬著沉重的石塊走出谷地，沒有人發現伊姆尼臉上詭異的笑容。

29

帕尼泊和妻子專心地聽著小賽雷娜所描述的夢境，夢中的她化成一隻朱鷺，展翅飛向西峰。卡洛臨時打斷了賽雷娜的故事。

「你得來一趟。」他向帕尼泊說道，「聽助理工匠說，你有一頭牛生病了，而且那些鶴鶉馬上就會開始攻擊你的田地。如果不做預防，你的收成會全部遭到破壞。」

這塊地的收成對村子的一些家庭不無小補，因此帕尼泊沒有忽視這個問題，立刻親自來到了肯伊家。後者因為手肘疼痛，所以正在口述陵寢日誌的內容，讓伊姆尼代為寫下來。

「我必須帶至少兩名右隊隊員到村外一趟。」帕尼泊向肯伊解釋了情況。

老肯伊露出不高興的表情。

「你很清楚不得命令真理村的工匠去做這種工作。」

「這不是工作，而是幫個忙把網子裝上去，以保護麥田，同時可以抓到更多的鶴鶉，大家日後可以烤來吃。」

帕尼泊只知道肯伊咕咕噥噥地答應了他的要求，而未察覺到伊姆尼臉上得意的表情。

＊　＊　＊

「我們能夠怎麼做？」為帕尼泊做事的五名農夫之一說道。「我們能儘快通知您就已經不錯了！」

帕尼泊帶著奈克特和狄弟亞來到田裡，一句話也沒有回答，便馬上查看那隻呼吸困難的牛。

「把牠帶到助理區，」他向奈克特吩咐道，「請智女為牠治療。然後你馬上回來這裡。」

底比斯當局接獲通知說有一大群鶺鴒已開始進攻農田，數量多得使天空變得黑鴉鴉的一片。因此帕尼泊、狄弟亞和農夫們張開密密的網子，並將它固定在入土很深的樁腳上。他們穿著粗厚的紙莎草鞋，以保護腳部。

「牠們來了！」一名農夫大叫道。

一大片由鳥兒形成的烏雲湧過來，而且伴隨著翅膀不斷拍動的嗡嗡聲。大夥兒揮動著布條嚇阻鳥群，使得一大部份的鳥兒因驚慌而落入網裡，牠們的腳卡在網眼中，完全沒有掙脫的機會。

「看來有一頓大餐在等著我們！」狄弟亞開心地說道，奈克特也在這時趕回來。

「智女會把你的牛治癒的。」他向帕尼泊說道。

* * *

暖暖的風吹過碧玉赤裸的胴體，她躺在陽台上，享受著早晨的陽光。儘管他像隻貓靜悄悄地爬上階梯，她還是發現了他的到來。

「你過來，帕尼泊。」

「我原先以為你和其他女祭司在哈托爾的祈禱室裡準備祭典。」

「可是你人卻來到這裡。」

「妳在等我，不是嗎？」

碧玉只是微笑著不回答。和往常一般，帕尼泊無法抗拒她對他產生的誘惑力而一步步地走近她。歲月不但沒有在她身上留下痕跡，相反地，時間在她的臉上增加了一種更年輕的野性美，而且這種魅力還混和了特有的溫柔。

帕尼泊想靠到她身上，卻被她一把推開。

「你已成了行會的首長，帕尼泊阿當，你打算有什麼作為、準備帶給行會何種命運？」

兩個人四目交接了很長一段時間。帕尼泊面前的人不再是戀愛中的女人，而是來自另一個世界的使者，雖然美得教人窒息，但只要他不回答，她就不會還給他自由。

「這個行會不屬於我，碧玉。我選擇了它，它也選擇了我，唯有我和行會之間的愛能讓我帶領它。行會的命運早已注定，它唯一的意義是在建立作品的同時也創造了人類。沒錯，我會為它留下我個人的風格，因為我要的是一個熱情而積極的真理村，一個能不斷表達諸神言語的真理村。我當然會失敗，但我永遠不會放棄。當我死了以後，下一位新的首長也會試著去做到它。」

碧玉溫柔地握著帕尼泊的手。

「我從陽台上可以看到你的陵墓，在那裡你的力量會永遠追隨著你。既然權力並沒有腐化你，我要你和我做愛。」

* * *

由於右隊工匠不斷地埋頭苦幹，帕尼泊的陵墓工程以極為驚人的速度進行著。雕匠組長歐塞哈特要兄弟們盡最大的努力來完成陵墓的井室、墓室、生人可以進入的祠堂、象徵生命周而復始的水池、以及靈魂於黃昏時休憩的花園。

帕尼泊在秋高氣爽的某一天裡前來工地視察，四周安靜而沒有人煙。

陵墓的入口有四根高大的立柱；進去之後是一個寬廣的庭院，庭院連接的是一間祠堂，上方有一個尖尖的小金字塔，金字塔的四面各有一個石碑，象徵著太陽周而復始的每一個階段。大門的左邊有個祭祀祖先的供桌，右邊則有一個淨身水池。裡面的走廊通向一間有浮雕裝飾的大廳，浮雕的主題是帕尼泊的卡氣與諸神結合。畫面中的帕尼泊化成隼與鳳凰，天堂的守衛正在問他口令，通過之後便可乘坐神舟在天堂的水域上航行。

帕尼泊透過盡頭的牆縫看到一座自己的雕像，雕像中的他微微望向天空，彷彿能見到另一個世界。

帕尼泊變成了另一個他，一個真實而又有點不同的他，歲月與不完美都已不復存在。這時他想到尼菲寡言也曾經歷過類似的挑戰。尼菲正值壯年就離開了這個世界，但也為他的繼承者開出了一條路。

他發現所有的右隊成員全都坐在陵墓盡頭的一間小祭室內。牆上有許多令人讚嘆的壁畫，主要的人物有伊西斯、奧塞利斯及卜塔神等。

傑德第一個帶頭站起來，其他人也跟著照做。他們在帕尼泊的四周圍成一個圓圈。

「願你能永遠吸取生命之氣。」歐塞哈特代表雕匠發言道。

「我們全體畫匠送給你一幅蓮花圖，每天早晨的太陽便是從這裡躍然而出。」烏奈士說道。

「祝你永遠乘坐行會之船航行於永恆。」奈克特代表石匠們向他祝福。

象徵生命精氣的帆船、蓮花、神舟……它們全都栩栩如生地表現在壁畫上，同時融合了帕尼泊的靈魂本質。

他站在圓圈裡，強烈地感覺到兄弟情誼所散發出來的光芒比盛夏的陽光更為熾熱。

然而，帕尼泊怎能忘記向他伸出手的兄弟之中有一個人是叛徒？

叛徒始終認為光之石遲早會出現在帕尼泊的陵墓裡。但直到工程結束，仍然沒有看見他夢寐以求的寶物。

狄弟亞獻給帕尼泊一具用相思木雕成的美麗木棺。

「有了這等材質製成的神舟，你可以毫無問題地穿越永恆。」他說道。

「不急，」帕伊說道；「肯伊從他的酒窖裡拿出了兩壺紅酒，年份是塞特裔二世統治的第一年，它們等不及讓我們去品嚐呢！」

大夥立刻附和帕伊的決定，而帕伊是第一個喝到這個好酒的人。

「真是濃郁甘甜，」他品論道，同時臉頰已經開始紅了起來。「這個酒的確配得上今天的特殊日子。」

「這一塊有金色流蘇的布料，是我原本計劃作為塞特窩陪葬品的一部份，」金銀匠圖弟說道，「可是我未能及時完成它。現在希望這塊布將來覆蓋在帕尼泊木乃伊棺的頭部。」

工匠們熱情地共同舉杯祝福帕尼泊身體健康。

「你的陵墓壁畫將是我最後的作品。」傑德向帕尼泊說道。

「你為什麼如此悲觀？」

「因為我承受著一個你所不知道的痛苦：身體的疲憊。從今以後，我只為你未來的作品畫草圖，我們的畫匠會盡職為你服務的。大家都知道西卜塔國王已快逝世了，一個嚴重的危機即將來臨，而只有你能面對它。」

「你不是會說這種恭維話的人！」

「我年紀越大、心就越軟。」

卡洛已開始醉得一塌糊塗，他用力地拍了一下帕尼泊的肩膀。傑德生氣地瞪了他一眼。

「你高興幹什麼蠢事都可以，」傑德說道，「但絕不能對首長無禮。」

卡洛踩著蹣跚的步伐離開了。

書記助理伊姆尼正好瞧見這一幕，心裡越來越肯定能夠令帕尼泊免職，他蒐集到的資料正逐漸增厚中。

30

塞特・奈克特極有耐心且非常謹慎地進行他的計劃。他暗中個別約談桃賽特的幾個部長，並說服他們相信皇后沒有治理國家和指揮大軍的能力。有些人全然同意，有些人態度保留，另外兩人則完全反對。塞特・奈克特並不因此而氣餒，他依然繼續接觸這些人，直到獲得他們的支持為止，至少也要讓反對者持中立的立場。

他得到了想要的結果：等到下次召開國家會議時，塞特・奈克特將提出對皇后的彈劾方案，第一步是採取溫和的罷免。

塞特・奈克特對桃賽特並沒有任何的深仇大恨；相反的，他越來越欣賞她的智慧與能力。可是他深信一旦桃賽特面臨外敵的侵犯，她沒有保護埃及的本事，而外交部長認為敵人來犯是無可避免的一件事。所有的大臣中，只有塞特・奈克特很清楚國家所面臨的危機，他得事先採取一些必要的措施。

他的秘書前來通報有人來訪，這個人是阿蒙神大神廟的司庫，他正好想見他。

塞特・奈克特花了很長一段時間，才說服這個人向他透露有關西卜塔法老的健康情形。年輕的西卜塔國王到現在還活著，令大家感到頗為意外。他和死神搏鬥的精力一到了晚上便逐漸消失，但第二天在聖殿內主持完晨祀後，似乎又恢復了過來。白天的其他時間裡，他總是臥在床上，而且吃得很少，不過他仍繼續閱讀古代帝國智者所寫的作品，當然還有皇宮送來的簡報。他全然信任桃賽特皇后，對她的來訪也十分高興。

司庫向塞特・奈克特行了一鞠躬。

「有一個非常重要的消息：西卜塔法老今早沒有離開過他的房間。阿蒙神大祭司代替他主持晨祀，國王的私人御醫認為他可能撐不了多久。」

「這只是假設嗎？」

「國王的缺席已足以證明他的情況惡化。」

塞特・奈克特將司庫打發走了。再過不到一個小時就要舉行國家最高會議，他剛得到的這個消息更加強了他的立場。

＊　＊　＊

所有的部長懷著訝異的心情魚貫地走進皇宮的召見廳內，法老的親近侍衛隊在一旁機警地看守著。

「我們為何不是在會議廳集合？」塞特・奈克特不高興地問道。

「這是攝政皇后的命令。」一名衛兵答道。

塞特・奈克特在門口遲疑了一會兒。桃賽特會不會決定要把反對者一併除去？不，不可能的。只有暴君才會這麼做，而皇后一向遵循瑪亞特的法則，她絕不敢用這種暴力和罪行來取得統治權。

於是塞特・奈克特也跟著進入了大廳。好幾位部長用徵詢的眼光望著他，而他鎮定的態度令他們安下了心。

桃賽特穿著綠色的長袍出現在大門口，所有人立刻起身迎接。她頭上的皇冠及金質耳環更襯托出其高貴的氣質。

桃賽特一坐上樸素的金色木質王位，便已贏回了幾位大臣的心。

「我召集各位到這裡，主要是想知道我交給各位的工作進度如何。假使有人怠忽職守，將會遭到撤換。為埃及貢獻一己之力是一個神聖的使命，無法體會這層意義的人不值得受到寬恕。」

「我們都很明白，陛下，」塞特・奈克特說道，「而且我們當中沒有人不負責任。在檢視國家情況之前，我們是否可以知道法老的情況如何？」

「西卜塔國王在昨天夜裡因為身體不適而幾乎與世長辭。因此今天早上無法主持晨祀。他剛剛才恢復意識，其靈魂也已回到肉體之中。我已向他提及這次的臨時會議，他也在等候結果。我們首先聽取農業部長的報告。」

農業部長攤開一張紙莎草紙，並逐一將每個省份的麥糧採收數量與去年紀錄做比較。

桃賽特的評語相當清晰而有力。她指出報告中的一些缺點、要求複查某些數據，同時針對幾個省份的管理提出改善方案。至於在其他行政方面，皇后表現得一樣英明與能幹。

最後只剩外交政策的議題。

「由於外交部長不克前來，塞特・奈克特是否可以提出目前我們所面臨的威脅？」

塞特・奈克特站起身。

「根據我們來自亞洲的最新情報，我國將會面臨巨大的動亂，某些盟國也會因而叛變，同時一些新的強大敵人將會進犯我們。埃及的富庶比過去任何一刻更令他們覬覦，這些侵略者勢必會經由敘利亞—巴勒斯坦走廊湧入埃及。如果有人認為我過度悲觀，無異是犯了一個嚴重的錯誤；我所說的都是事實，因為這些威脅絕非無中生有。」

「您的忠告已受到重視，塞特・奈克特，我們的防禦措拖也不斷在加強中。」

「埃及庶民將為此而感激您，陛下，但眼前是否該更進一步學習過去偉大的法老，先發動一場預防戰？」

「向誰宣戰？規模是大是小？目前的情勢過於不穩定，我們不能打一場沒有把握的仗。您和令郎在建立情報網方面做得非常好，我們也因此能夠獲得必要的情報。以現階段的情勢來分析，我們應該先著重於防衛。」

塞特・奈克特原本希望會有幾位部長出面支持他，但桃賽特的權威和她所提出的理由說服了在場的每個人。

塞特・奈克特不得已，也只有鞠躬退下。

同事們一一離開了大廳，塞特・奈克特走向皇后。

「恭喜您，陛下。我和其他人一樣非常佩服您。大家對您治理國家的能力都沒有話說。」

「既然如此，為何您唆使眾臣來反對我？」

原來那些立場不明確的大臣已透露了口風！塞特・奈克特雖然覺得很難堪，但還是鼓起勇氣面對她。

「還是同樣的理由，陛下。埃及遲早會與那些決定入侵的民族發生衝突，您屆時會沒有能力領導我們的大軍。再說，您也拒絕採取唯一可行的策略。」

「我們的看法不一致，您有您的主張，但這些我都不介意，可是您應該要服從我，您對我密謀的這種行為，等於是在削弱埃及的力量。請不要再發生同樣的事情，塞特・奈克特。」

儘管他不想承認自己震懾於皇后的威嚴，但他很明白這是她最後一次提出警告。

他行禮致意後便姍姍離去。

桃賽特剛打完一場艱苦的戰役，頓時覺得身心疲累，然而她卻沒有休息的機會，因為她還來不及回到房間，她的機要秘書已要求謁見。

「陛下，我有一個不好的消息！」

「有關西卜塔國王？」

「不，不是，是一封來自底比斯的信。」

「底比斯省發生了動亂？」

「不是的，您可以放心，不過發生了一件醜聞……底比斯大法官收到一份文件，內容對真理村的首長帕尼泊非常不利。」

「嚴重到……什麼程度？」

「他被指控無惡不作。如果這些都是事實，而這件事又涉及到國王谷地的一部份，到時得逮捕帕尼泊並審判他。可想而知，他可能會被判很重的刑，恐怕行會會因此而反抗，並且停止工作。這個事件造成的亂象會從底比斯地區蔓延到全國。真理村的重要性……」

「我當然知道，」皇后生氣地接道，「是誰寫這份報告控訴帕尼泊？」

「一個匿名者。」

「既然如此，就不用理會它！」

「最好能不理會，陛下，可是這份文件已轉過好幾手，最後才到大法官的手裡，我擔心這件事守不住秘密。假若我們不採取任何行動，謠言一定跟著滿天飛，司法的公正性將受到質疑，而您的名譽也會連帶受損。」

西卜塔接近死亡的邊緣、塞特‧奈克特準備強登王位、真理村搖搖欲墜……桃賽特覺得危機四伏，有那麼一刻，她真想丟下這些沉重的包袱。然而她不是那種臨陣脫逃的人。

「這個大法官對我忠誠嗎？」

「他是一位謙遜的人，過去一直在穀倉管理部，後來經由莫希將軍的推薦，並且經過掌璽大臣百依的同意，才擔任目前這個職位。」

「要他立刻對帕尼泊展開秘密調查，並儘快將調查結果告訴我。」

* * *

「是你的肝臟運作不良。」智女診斷道。

「您肯定？」雷努貝驚訝地問道。「可是我的飲食非常正常啊！」

「所以你的肝不是問題的重心。我不認為我的藥方可以治好你。」

雷努貝頓時變得愁雲慘霧。

「我是不是該去東岸找一位專門的大夫看看？」

「唯一能夠治癒你的人，是你自己。」

「我不懂……」

「你難道不知道肝是瑪亞特的所在位置？你的問題並非來自身體上的疾病，而是缺乏一個真理。你是不是被一個謊言所啃噬著，雷努貝？」

雷努貝為之黯然。

「不，當然不是……不過也不完全沒道理。這實在是很難啟齒……」

「你是不是隱瞞了什麼嚴重的事情？」卡萊兒溫和地問道。

「一個回憶，只是一個困擾了我好幾個禮拜的回憶！這實在教人太難受了……我如果說出這個同事的名字，等於是告密的行為！」

智女不動聲色。

「就讓你的心來告訴你怎麼做吧，雷努貝。」

雷努貝深吸了一口氣。

「早在尼菲擔任首長之前，我們大夥兒曾經討論過哪個人有領導行會的能力。尼菲幾乎獲得全體一致的贊成，不過有幾個人例外，烏奈士當時猶豫不決、卡烏私下告訴我心裡的話、而傑德則認為自己有資格領導行會。您可以想像多可怕！卡烏一定心懷怨恨，我不敢想像他會採取什麼樣的報復……」

神廟裡的立柱大廳內有一種深沉的寧靜。

「為何把我叫來這裡？」畫匠卡烏面對卡萊兒和帕尼泊問道。

「因為瑪亞特主宰這個地方，」智女回答道，「任何謊言都不能說出口，否則說謊者的靈魂會被判二度死刑。你是否曾經希望當上首長的人是你卡烏，而不是尼菲？」

卡烏花了很長的一段時間來思考。

「的確，我曾經有過這種慾望……當時只有傑德讓我覺得他有領導行會的能力，可是他拒絕扛起這個重任。至於尼菲，我原先認為他缺乏足夠的經驗，可是我錯了……而且錯得離譜。」

「你痛恨尼菲的程度是否到了要……」

「我從來沒有痛恨過尼菲。我從低估他到嫉妒他，乃至欣賞他……我們大部份的人也是一樣。不過我不會隱藏自己的看法。如果這樣會給我惹來禍害，算我活該，我寧可對得起自己。」

「這是獻給瑪亞特的一條金鍊子，」智女說道，「你的手是否潔淨得足以在祂的聖殿裡接觸這條項鍊？」

卡烏一刻也不猶豫。

「你們看著我的手！」他氣憤地說道，「它們是真理村使徒的一雙手，而且它們願意接受你們託付的一切任務。」

卡烏完成了儀式。

卡萊兒和帕尼泊雖然鬆了一口氣，但心中卻仍然感到不安。為何雷努貝沒有及早說出這件事？

31

索貝克隊長漠然地望著助理工匠們幹活兒，同時不斷地抓著他左眼下方的疤痕。幾年以來，這是他第一次晚起床，而且心不在焉地聽取部下的報告。他們昨晚一整夜的巡邏結果一切正常。

一切正常……經過了一連串的謀殺事件後，兇手還是逍遙法外，這叫什麼正常！

帕尼泊走進索貝克位於第五堡壘的小辦公室裡，後者正低著頭沉思。

「你不舒服嗎？」

「我在想自己到底還有沒有一點用處，」索貝克坦言道。「我居然沒有能力找出兇手，真是成事不足、敗事有餘。你乾脆把我換掉算了，再不然我就自動請辭。」

「我們不要留在這個小房間，到外面的山丘上走走好了。你需要一點新鮮的空氣和陽光。」

索貝克滿腹牢騷地答應了。

他們倆的身材幾乎一樣高大，可是索貝克看起來既頹喪、又蒼老。帕尼泊強迫他以穩健的速度爬上山坡，使得他精神為之一振。

「我真的非常喜歡這個地方，」索貝克低語道。「烈日燒灼著此處的沙漠，反而給了它另一種生命，與谷地的感覺截然不同。這裡沒有虛玄弄假，只有面對殘忍的現實，既不能怕毒蛇、也不能怕毒蠍。然而那名兇手卻成功地利用黑暗來遮掩光明，而我卻無法辨認！」

「你有沒有觀察歐塞哈特的進出情形？」

「當然有，其他人也是，不過沒有獲得什麼結果。」

索貝克坐在一塊灼熱的大石頭上。

「我甚至在想，是不是一個魔鬼出於好玩、隨意化身成某個人，然後找一些對象下手，並且把我們騙得團團轉……何不請智女用她的法力和另外一個警察來處理這個案子?我已經是失敗了。」

帕尼泊抓起一把沙子，又讓它們從指縫中溜走。

「你的任務是要確保村子和居民的安全。我認為你已經做到了。」

「同時間卻又讓這個兇手在暗處嘲笑我們?」

「行會本身養虎為患，它必須自己除去牠，你只能從旁協助。」

「你錯估我了，帕尼泊。」

「這不會是我的第一個錯誤，也不是最後一個。你要重新提升部下的士氣，索貝克，同時說服你自己，我們還沒打輸這場仗。」

* * *

帕尼泊坐在尼菲過去的首長位子上，並閉起眼睛祈求義父尼菲幫助他領導行會。

行會的議室堂內有右隊的所有成員及左隊隊長海伊，左隊的隊員則在皇后谷地進行陵墓的維修工作。

淨身儀式完成後，帕尼泊激動地呼喚著祖先，祈禱他們保佑行會，每個人都感覺到首長一職已開始影響著帕尼泊。另一方面，他們也因帕尼泊若有所思的表情而有點忐忑不安。

「目前，」首長宣佈道，「我們在國王谷地內沒有進行任何工程。西卜塔國王的身體越來越虛弱，臨終的日期隨時可能來臨，然而幾個月過去了，實際上陵寢書記沒有得到任何具體的消息。因此為了維持行會的名譽，並證明它在各種不同領域上所擁有的專業技術，我決定接受外界的幾個訂單。」

「你該不會是要延長工時吧?」卡洛憂心地問道。

「我們會遵守原有的規定，如果各位配合我的要求，將會有一筆額外的收入。」

「誰付這些薪餉？」烏奈士略為懷疑地徵詢道。

「客戶會付，若大家完全遵守交貨期，薪餉就會完全照付。」

「我們真的有必要把外界看得這麼重要嗎？」卡烏反對道。「村子裡有許多祠堂都需要維修整理一番，有些陵墓也是。」

「如果海伊同意的話，我打算把這個任務交給左隊。」

海伊點點頭表示同意。

「如果我說得沒錯，你是要考驗我們。」傑德帶著嘲弄的微笑說道。

「什麼考驗？」帕伊擔心地問道。

「首長怕我們懷有驕傲的態度、耽溺於一成不變的生活而懶惰成性。」傑德解釋道。

「我們廢話少說，」卡沙插嘴道；「外界的訂單到底是指什麼工作？」

「是一連串的考驗。」帕尼泊說道。

他的話一出口，緊跟著而來的是一陣令人窒息的沉默。

「你是不是在開玩笑？」烏奈士問道。

「很明顯的，中央政府正面臨著一些重大的問題，我們無從得知事情的原委。萬一政府垮了，真理村的生存也會受到威脅。不管面對什麼樣的動亂，我的首要任務就是保護真理村。我們村子收到這麼多訂單並非出於偶然，外界要知道我們除了建造陵寢之外，是不是還有一點用處。因此這些人是在向我們挑戰，我們也非迎戰不可。」

「萬一我們做不到呢？」卡烏煩惱地問道。

「我們沒有理由去懷疑自己的本事，」歐塞哈特接口道。「再說，我們擁有光之石，每當發生嚴重的問題時，它都知道如何解決，並且為我們照亮路途。」

「換句話說，」圖弟下結論道，「我們大家都是自願者，因為只有以團隊的方式才能成功。」

沒有人反對這個說法。

「那好，」費奈德說道，「我們該做什麼？」

「首先要完成一批底比斯某些神廟的還願牌，」首長答道，「我們得用質地很細的小石灰岩塊來雕刻。到時這些還願牌會被嵌在神殿的牆上。此外我們要先想好雕刻的主題。」

「有一個主題是非用不可，」伊普伊說道，「那就是在瑪亞特女神羽翼保護下的建築之神卜塔。」

「我們可以找更簡單一點的。」雷努貝不同意道。

「我倒覺得這個主意很棒，」帕尼泊說道；「它可以將真理村的理想忠實地表達出來。」

「當然啦，」卡洛說道，「我們的差事一定不僅於此。」

「當然，」首長笑著承認道，「我們也得為卡納克製作一些雕像和石碑，同時還要抄錄那本《出世入光之書》，並盡可能加上有關靈魂轉變過程的插畫。」

「有那幾章要抄錄？」卡烏問道。

「這個由我們來選擇。不過更難的還在後面……」

大夥兒的眼光全集中在首長身上。

「底比斯的行政部門要求我們生產一些純藍色的釉陶器皿，準備用來裝飾底比斯皇宮。」

卡沙不以為然地哼了一聲。

「我們有這個能力生產嗎？」

「我想是有，」圖弟答道，「不過必須參考村子的釉陶大師等前輩的檔案。」

「為我啟蒙洗禮的師傅就是一位釉陶專家，」海伊提道，「我沒有忘記他所傳授的一切；但如果器皿的數量很多的話，我會需要一些別人的幫忙。」

「數量的確很多，」帕尼泊確認道，「明天我們就整理出一個專門生產釉陶的工作室。」

「我們是否有足夠的的沙子？而這些沙子必須含有很高的石英成份。」海伊問道。

「絕對不夠，」圖弟答道，「不過我知道哪裡可以找到。」

「這還不是所有的工作項目。」帕尼泊繼續說道。

「可是你給我們的工作已經多得教人喘不過氣了！」卡沙抗議道。

「底比斯大法官本人向我們下了一個很趕的訂單。」

「那個老頭子？」費奈德驚訝地問道。「他只會應付一些例行公事、一心等待退休，而且從來都沒有踏進過村子一步。」

「大法官需要兩具木質的木乃伊棺。」

「卡納克的細木匠可以幫他做啊！」狄弟亞說道。

「可是他卻向我們訂做。你是細木匠，所以就由你來負責了。」

「事情既然已經定案，大家最好不要再囉唆，我們先好好喝一杯，然後開始工作。」

狄弟亞的提議獲得全體一致的贊同。帕尼泊要求大家手牽手，一同凝聚團隊的精神。行會議室堂的大門已再度被關上，帕尼泊獨自一人留在星空下。

「不要離我遠去，尼菲。我在傾聽你的聲音、我活的是你的生命、我的手是你的手的延伸，我就是你的延續。」

32

肯伊翻閱了第十八朝代的釉陶檔案，其作者曾經製造出無數的代表作。然而他們照著做出來的結果卻令人相當失望。

第一批出爐的器皿看起來雖然很漂亮，可是和帕尼泊從保險室拿出來的珍藏品一比，它們立刻變得黯然失色！

「這些含石英的沙子是否磨得夠細？」他問道。

「我們磨了不只一次，」海伊答道，「我根據學到的技術，在熔劑內加了氫氧化鈉和植物灰。接著我把它加熱，並上了釉色。可是和先人的作品一比較，它們的顏色立刻顯得太淡。」

「你將溫度加到多少？」

「不會低於九百度。我們試過好幾種溫度，最後的這一次效果比較好。」

「我們缺了一種成份……我去把智女找來。」

卡萊兒參與了整個生產過程，並作出一樣的結論。

「的確少了一個很重要的成份。我和首長留在這裡，各位先離開一下。」

他們關上工作室的門，並鎖上門栓。帕尼泊打開一個大袋子，裡面裝了至少有半袋的沙子，沙子底下藏了光之石。

「沒有人看到你從哪裡拿出來吧？」

「我是半夜去拿的，小黑和大壞蛋陪著我一起去！如果真的有人跟蹤我，牠們肯定會發現的。」

「無論哪個釉陶匠都可以做出和我們一樣的顏色，可是我們祖先做成的顏色就完全不一樣了。因此，原因一定是來是光之石。在生產的每一個步驟中，光之石會輻射到那些原料。」

帕尼泊親自將沙子磨碎，密實地壓成一團後，再加上氫氧化鈉和植物灰。他把它塑成一個簡單的形狀，並將整個外表塗上一層顏料膏，然後開始加熱。

溫度漸漸地升高，光之石所散發出來的光芒也越來越強烈，卡萊兒和帕尼泊兩人嘆為觀止。他們看到一種非常純潔的藍逐漸顯現出來，整個器皿就好像是穿上了一件極為珍貴的外衣。

製造過程一結束，整個光芒也已弱下來，光之石幾乎顯得不再有活力。

新製的器皿旁有一個寬邊盤子，他們在盤子裡發現有一些藍色的沉澱物。

「是鈷藍，」智女研究道，「文件中曾經提到過，不過我原先以為只是一種傳說。是鈷藍創造出這種獨一無二的顏色。」

* * *

叛徒很肯定，如果智女和首長兩人關在工作室，一定是為了不讓別人看到他們使用光之石！既然光之石在裡面，帕尼泊遲早會把它帶出來，所以他得在這個時候偷偷跟蹤帕尼泊，以得知它的隱藏地點。

叛徒和其他右隊工匠們看到智女出現在工作室門口。後者向他們展示手中的寬頸瓶。

一時之間，大家摒住了氣息。瓶子上的藍是如此的強烈、又如此的溫柔，而且散發出一種超自然的光澤。

「你們成功了！」圖弟興奮地大聲說道。

「我們有足夠的顏料來製造大量的瓶子和一些護身符，」帕尼泊說道，「這個系列將足以媲美我們祖先的作品。」

「今天的成功值得讓大夥兒好好享受一頓大餐，」帕伊說道：「我來幫大家烤肉串，並弄一些鱸魚排。」

「你們大家去準備吧！」帕尼泊同意道，「我去收拾工作室，順便把爐火熄掉。」

叛徒必須幫同事的忙，幸好他們選在離工作室不遠的地方擺設宴席的桌椅，叛徒因此得以不斷監視著工作室的大門。

帕尼泊一用完餐，立刻又把自己關在工作室裡。

叛徒沒有像同事一樣直接回家，而是偷偷躲在一間空屋內，並從屋頂的陽台上繼續觀察工作室。

等待的時間似乎永無止盡，不過這是一個好現象。假使帕尼泊堅持等到黑夜來臨，那就表示他想確定所有的村民都入睡以後，才將光之石放回原位。

一片烏雲遮住了細細的月牙，工作室的大門終於開了。

帕尼泊肩上扛了一個袋子，並四下張望著。

一個裝了沙石的袋子……原來首長是用這個花招將光之石帶來帶去！若沒有光之石，他根本就不可能達到祖先所做出來的藍色。光之石能夠照耀各種原料，使它們的本質臻於完美。

當初他把尼菲殺掉的同時，也扼殺了自己的感情。他血管裡流的是冰冷的血液，因而有能力抑制住內心的衝動。叛徒不急不徐地走下階梯，並且利用屋子的一個角落和大水甕作掩護，以進行他的跟監行動。

帕尼泊因為身上所扛的重量，腳步走得並不快。他朝著神廟的方向慢慢地往前行。

神廟……一個再好不過的隱藏地點！白天有人在這裡祭祀、清理祭典的用具……到了晚上，神龕門後的神明在此發揮祂的神力。沒有一個村民會想到有人敢侵犯這個聖地。

帕尼泊越過塔門、穿過露天中庭，進入了神殿。

叛徒蹲在一座石碑後面，靜靜等待著帕尼泊出來。帕尼泊肯定是設置了一個可移動的大石塊，只要轉動它，便可以找到光之石的隱藏地點。突然間，他察覺到一個異常的情形，因而提高了警覺：大壞蛋和小黑都不在附近。這意味著帕尼泊把牠們留在家裡，實際上今夜的行動只不過是想對他設下圈套。

因此，當帕尼泊身無一物地走出神廟時，叛徒貼著牆壁往回家的路上走。他才剛關上家中的大門，便聽到大壞蛋和小黑的叫聲。

帕尼泊對於自己獵物再度脫逃，一定會感到很失望，又一次……不過叛徒的內心卻是狂喜不已：光之石的確是藏在瑪亞特及哈托爾的神廟內。

由於肯伊的手肘疼痛，他終於答應讓牛妞為他在頭髮上擦油，事實上他並不喜歡自己得依賴別人。幸虧卡萊兒為他做了一些按摩，他至少可以自己動手寫陵寢日誌，而不需要伊姆尼的幫忙。最近這幾天以來，伊姆尼對肯伊極盡奉承之能事，彷彿希望能夠得到某種回報。

伊姆尼對於行會的精神沒有一點認同，他的態度就像一般的小書記一樣，一心只想到升遷，根本無法體會他在真理村的生活有何種特別的意義。

肯伊知道伊姆尼唯一的野心就是要成為陵寢書記、讓兩隊工匠都聽從他的話。這種人心機十分深沈，絕對不能低估他。

「我要到廟裡一趟。」肯伊向牛妞說道。

「這麼做不太好！您應該要留在家裡休息才對。」

「我今天早上感覺好多了。」

「我正在弄午餐……不要太晚回來。」

牛妞正在準備的是香草烤鴿，所以他不可能晚回來。村子裡的人向來認為牛妞的廚藝無人能及，而她仍不斷地在食譜上求變化，使得肯伊經常胃口大開。

陵寢書記走在村子的大街上。村民們向他打招呼，他只是咕咕噥噥地略作回應。首長正在自家門口鋪上一塊新的石板。

「叛徒有沒有上當？」肯伊問道。

「很不幸沒有。」

「真是不可思議！這就好像有人事先告訴他我們的計劃。」

「希望這只是因為他嗅覺靈敏。當時巨鵜和小黑不在場，可能引起了他的疑心。」

「他有一天是不是真的會被抓到？」

「我們的策略還不至於這麼糟。」

「但他目前仍然自由自在、逍遙法外啊！」

「一個人被自己的貪慾所束縛，還能談得上自由嗎？他日夜夢想著光之石，一心只想得到它。我們還是繼續進行我們的計劃。」

「我真希望今晚就能將他關進牢籠裡。」

「您不是一天到晚教我要有耐心嗎？肯伊？」

33

狄弟亞用斧頭將兩塊洋桐槭劈成方形後，再將它們鋸成木板。他用一把長柄橫口斧將木板刨平，然後用弓鑽在上面鑽榫洞。

帕尼泊走進狄弟亞的工作室，這時大法官所訂的兩具木乃伊棺已呈現出漂亮的雛形。

「有沒有什麼困難？」首長問道。

「完全沒有。如果你同意，我打算做一個微凸形的滑式棺蓋。整個組合都用木準，同時我會用雪松木墊來密合棺蓋與棺材。」

「非常好。」帕尼泊說道，「到時候我會在棺蓋上畫出代表大法官的奧塞利斯肖像，兩旁有伊西斯和奈芙蒂斯，腳邊則躺著阿努比斯。」

「這個大法官的運氣真不賴！他的高官生活平庸至極，我不禁懷疑他是否配得上這麼好的一個禮物。」

「放心，他會付很高的價格。」

「通常一個漂亮的木乃伊棺，能夠換到一件襯衫、一袋小麥、一個木門、四件蓆子、一張床和三罐油……你可以想像這兩具木乃伊棺應該換到什麼！」

「我們會換得更多、更好的東西，更何況這兩件作品已經是你的顛峰造極之作。」

「不要這麼說，會帶來惡運！」

「對不起，狄弟亞，我只是覺得這兩具木乃伊棺真的是傑作。」

「一定還有一些小地方要改進，你和我一樣清楚……」

「你曾不曾懷疑過哪個人可能是叛徒？」

「我根本無法想像這個人的存在。」狄弟亞坦言道。

* * *

伊姆尼交給陵寢書記一封信。

「這是來自大法官辦公室的一封信，是急件。」

肯伊打破泥章拆閱。

「他要首長明天早上去見他……這個老而不中用的傢伙以為自己是什麼人？」

「若他代表法老發言，他的要求是合法的。」伊姆尼用討好的聲調說道。

「是不錯，」肯伊承認道，「可是我可以請求法老出面干涉來抵制他。」

「陛下住在比拉美西斯……通知他要花費一點時間，而在這段時間裡，大法官可以強行令首長去見他。」

「我會命令索貝克趕走他派來的人！」

「最好是儘量避免這種沒有好處的對立。」伊姆尼巧言令色地勸道。

「去把帕尼泊找來。」

聽到這個消息之後，首長的情緒依然很鎮定。

「大法官也許急著想看到他訂的兩具木棺，」他假設道。「我會跟他解釋棺木還沒有完成，而一味地趕工會影響到它們的品質。我會帶給他一個準備送到皇宮的釉陶瓶，讓他放心一下。」

「我很想陪你一起去。」肯伊說道。

「您沒有必要這麼勞累。」

「你聽這個老傢伙講話就好，帕尼泊，千萬不要暴跳如雷！記得，一句話都不要多說。如果他在繁瑣的行政問題上找你麻煩，就讓我去解決。」

「您放心，我會乖得像一尊雕像的。」

＊　＊　＊

莫希騎著快馬一路奔馳到他的豪宅前。幸而看門人及時跳向檉柳叢，才沒有被馬踩死。另一名女僕嚇壞了，手上的兩只牛奶瓶掉在地上應聲而破，碎了一地。

莫希連瞧都不瞧他們一眼，逕自跳下快馬、大步走向水室。賽克塔在那裡讓美髮師為她除毛。

「我有一個非常好的消息要告訴妳。」他喜孜孜地宣佈道。

「我快好了，親愛的。你先給自己來一杯清涼的葡萄酒，我馬上就來。」

總管很清楚主人的習性，因此為他送上一瓶來自綠洲的特級葡萄酒，以及一盤辣椒鱸魚排。

莫希狼吞虎嚥地吃完它們，並灌下了一整瓶酒，這時賽克塔披著一件薄紗出現，全身豐滿的曲線畢露無遺。

「我是不是你親愛的小心肝寶貝呀？」

「過來這裡！」

莫希粗暴地搓揉著她渾圓的臀部，並強壓她坐在自己的大腿上。

「我們很快就可以擺脫帕尼泊阿當了。」他宣佈道。

「你決定要除去他？」

「是底比斯的大法官負責處理這件事，而且是用最合法的方式！這個經由我當年提名的老蠢材收到一份文件，內容全是對真理村首長所提出的嚴重指控。」

「是叛徒的傑作嗎？」

「如果是他的話，那他的確幹得好。那些罪名是以書記的文體所寫成的，而且指控的項目明確而詳細。帕尼泊這次進了大法官的辦公室，就別想自由地走出來了。」

「他給你看過文件了？」

「這個蠢材對我沒有任何隱瞞！這回他總算派得上一點用場。我甚至不需要鼓動他，因為這個案子再簡單不過。他只需要照著法律去執行，真理村就會失去它的頭頭。繼尼菲之後是帕尼泊……而肯伊又老得無法對抗行會即將面臨的狂風暴雨。假使叛徒沒有當上行會的首領，我就將它解散。不管怎麼樣，光之石都是屬於我們的！有了它，也就等於擁有了最高政權。」

賽克塔看起來並不是很興奮。

「帕尼泊一定會有備而來。」

「他根本什麼都不知道！他大概以為大法官是為了木棺的訂單而召見他。」

「一旦帕尼泊察覺到這是一個陷阱，他就不會前來。」

「在這種情形下，大法官會用武力的方式來執行。說到武力，那就一定是我的軍隊。」

「行會會採取防衛的措施。」

「它不是我們的對手。」

賽克塔從莫希的大腿上站起來，煩躁地在屋內走來走去。

「這種直接衝突並不利於你……別人會怪你使用暴力，你行事謹慎且有分寸的名譽將會一敗塗地！一定要避免這件事。」

「事情還沒到這個地步，我的小寶貝。帕尼泊沒有理由起疑心，他會自投羅網的。」

由於底比斯的大法官是莫希當年的推薦，因此也受到莫希的控制。他和底比斯市長的態度一樣：完全被動、絕對服從莫希的命令、在日常的行政上一碰到任何小問題便立刻向莫希請教。

大法官上任以來始終採取這種路線，因此他在位於尼羅河邊上的官邸一直過著溫暖舒適而輕鬆無比的生活。

底比斯是一個很安全的城市，犯罪事件幾乎不存在，莫希在保護治安上，讓大多數的百姓都感到非常滿意，在行政管理上，也向來保持他廉潔奉公的名譽。因此大法官長久以來未曾召開最高法庭來審判任何罪行嚴重的犯人。

當老法官收到那封控告真理村首長的匿名文件時，他一時之間感到驚慌失措。可想而知，他的第一個反應便是將文件拿給莫希過目。

莫希建議他先向中央政權通知這件事，然後直接依法行事。

老法官暗自希望首長不理會他的召見，因為別人向他形容帕尼泊是個如狼似虎的野蠻人物。如果帕尼泊違抗命令，到時就會由莫希將軍以武力介入，而他便可以撇清所有的責任。

「今早有沒有訪客？」他向瘦弱而蒼白的書記問道。

「沒有什麼重要的人，您的助理們會負責接待他們的。」

「沒有什麼緊急事件要處理嗎？」

「底比斯平靜得不能再平靜了。多虧有警察㹨㹨，市集上連小扒手都找不到……」

一名傳令員走進來。

「真理村的首長帕尼泊阿當前來求見大法官。」

34

一想到要見這麼一個脾氣粗暴、隻身可以打敗九名對手的人，老法官不禁困難地嚥了一口口水。

「一切都準備好了嗎？」

「您放心，」他的秘書保證道，「您的安全絕對沒有問題。」

「好，好吧……把他帶進來。」

帕尼泊一出現在眼前，大法官突然覺得自己又弱又老。他蜷縮在自己的座位上，並小心翼翼地避免接觸到帕尼泊炯炯有神的眼光。

「您所訂的木乃伊棺尚未完全做好，」帕尼泊向他說道，「不過我現在就可以向您保證它們的品質無懈可擊，其他的訂單也已經快要完成。您請看，這是我們所做的一個樣品。」

帕尼泊手上捧著藍色的釉陶瓶，就好像在捧著一個神聖的祭品。他向大法官走上前一步。

「不要靠近！」

帕尼泊愣了一下，站在原地不動。

「您已依法被扣押，」大法官用顫抖的聲音說道，同時間有十幾名士兵湧進辦公室，並用長矛指著帕尼泊。

「這簡直是個荒唐的誤會！」

「您是一個危險罪犯，我手上的證據確鑿。假使您有任何的反抗行為，士兵們會格殺勿論。」

用武器比著帕尼泊的士兵都不是弱不禁風的傢伙，而且他們先發制人而佔了上風。帕尼泊被他們團團圍住，連動都無法動一下。

「我至少可以知道自己被控何罪吧？」

「您要不了多久就可以知道了！把這名罪犯帶到大牢裡。」

一名士兵給他戴上木手銬，另一名將他的腳套上繩索，其他人則用矛尖抵住他的脖子、胸膛和腰部。

莫希抓起一把弓、緊緊地扣了弦、瞄準一隻在他豪宅上空盤旋的隼。沒有任何一個獵人會去獵殺這種鳥，因為牠是何露斯的化身、是皇室的守護神，可是莫希絲毫不理會這種傳統的迷信。

一聲尖叫令莫希分了心而太早鬆了弓弦。那隻隼已發現了致命的危險，在最後一刻即時閃開了箭，並振翅向太陽飛去。

莫希一轉身，看見賽克塔修理過的那名努比亞小女僕站在那裡。她立刻嗚咽地跪在地上。

「請原諒我，主人，我當時害怕鳥兒受到傷害！」

莫希反手便掌了她一個耳光。年輕的小女僕重重地摔到覆滿沙子的小徑上。

「妳這個小白痴，害我沒有射中！妳馬上給我滾開，不要再來煩我，否則……」

美麗的小女僕忘卻疼痛，立刻爬起來遠遠逃開。莫希很想強暴她，不過他得防著賽克塔。如果他有出軌的行為，她不但會有辦法知道，而且絕對不原諒他。他的勝利就在眼前，現在不是幹這種蠢事的時候。等到有一天賽克塔變得過於臃腫、也不再有能力幫助他時，他會見風轉舵的。

「還是沒有消息？」莫希向總管問道。

「都是一些平常的信件，沒有來自大法官辦公室的信。」

一匹馬兒遠遠奔馳而來。

莫希一路跑到宅院的入口處。的確是大法官派人送來一封急件。

信件的內文開頭令他興奮不已：帕尼泊已被逮捕，並且已經關到大牢裡。然而接下來的內容卻令他提心吊膽：一位貴賓剛剛抵達底比斯。莫希對這個意外的插曲卻想不出原因。

＊　＊　＊

夕陽已西下，帕尼泊始終還沒回來。

「您不餓嗎？」牛妞問道。肯伊面對可口的烤鯔魚配小扁豆，連碰都沒碰。

「一定發生了什麼不尋常的事。」

「大法官大概是把首長留下來一起用晚餐。」

「帕尼泊會讓我們知道才對。」

牛妞擔心的程度不下於陵寢書記。當肯伊站起來拿枴杖時，她並沒有留住他，只是在他出門前為他加了一件披風。

「晚上有點涼，不要讓自己感冒了。」

肯伊直接來到第五堡壘。

「索貝克有沒有在這裡？」他向一名站崗的努比亞警衛問道。

「不在，他駕著公務馬車到碼頭去了。」

原來索貝克也坐立難安，以致於親自到碼頭去打聽風聲。

「給我拿一張凳子來，我在這裡等他。」

「我沒有什麼舒適的椅子……」

「沒關係。」

帕尼泊看來是中了埋伏。是誰設下的陷阱？大法官這個老蠢材不可能大膽到敢去碰真理村的首長！所以說，命令應該是來自於底比斯的真正主人，也就是莫希將軍。然而，他身為西岸總督，是行會的保護者，沒有理由會對村子下毒手。

莫希之上，只剩行會的最高主人，那就是埃及的法老。很明顯地，可憐的西卜塔自然與這件事無關，只有桃賽特皇后能做出這麼一個決定。

肯伊打了個寒顫。

假使他的揣測沒錯，攝政皇后為了一個他不知情的原因，決心要毀掉行會。首先是讓大法官除掉行會的首領，接著……

「索貝克回來了！」警衛告知他。

索貝克猛然剎住他的座車，但仍不忘愛撫一下他的馬兒，然後才直接走向陵寢書記。

「帕尼泊被監禁在大牢裡。」他說道。

「為了什麼理由？」

「有人指控他多項罪名，不過我不清楚事由。」

「可是……是誰提出控訴？」

「我也不知道。大法官收到一份很詳細的報告，內容足以證明帕尼泊有罪。」

「當然又是叛徒……我要去見大法官。」

肯伊一身的老骨頭非常無法忍受舟車之苦，但他早已忘了肉體上的折磨，一心只想到首長的安危。他必須設法說服大法官，讓他了解有人給帕尼泊冠上莫須有的罪名，並請大法官立即無罪釋放帕尼泊。

索貝克叫醒一名船工，後者心不甘、情不願地答應渡河。天已經全黑了，他雖然不想開船，可是索貝克蠻橫的語氣讓他打消了抬槓的念頭。

大法官的官邸就位於卡納克皇宮的旁邊，陵寢書記得用三寸不爛之舌才說服安全警衛去叫醒他。

出乎意料地，大法官答應在前廳接見肯伊。他怕這件醜聞會引發肯伊的壞脾氣，因此寧願現在就面對一場無可避免的爭論。

「我們的首長是不是被關在這裡？」

「是的。」

「罪名是什麼？」

「我沒有必要告訴您。」

「當然有必要！我身為陵寢書記，有權利知道所有有關行會的正式文件。」

「這是一個特殊案例……」

「可不是嗎？」

肯伊的憤怒令大法官為之一震，可是他已無後路可走。

「特殊的情況要採取特殊的措施。」他用顫抖的聲音解釋道。

「您是大法官，而正因為您身為大法官，所以得遵守瑪亞特的法令。」

「您聽我說，肯伊……」

「您將這份控訴的文件交給我，並且立刻釋放真理村首長。」

「這是不可能的事。」

「我這就寫信去給陛下，告訴他您這種態度，並要求將您免職。」

「這是您的權利，肯伊。」

「您最好照我的要求去辦！」

「不可能的，我已經告訴過您了。」

「既然您敬酒不喝，那就等著喝罰酒吧！」

其實帕尼泊大可以將小囚室的門撞破、與守衛拼命，並試圖闖出皇宮。但這是違法的行為，與他的身份不符。此外，他也想知道自己為何被捕，以及何人對他提出那些控訴，為何這個人如此的處心積慮要毀掉行會。

因此，他躺在一張簡陋的小床上，靜靜地度過這個夜晚，同時為出席法庭做好心理準備。一旦到了法庭，他便可暢所欲言。反觀肯伊這邊，他正費盡心力，想辦法讓帕尼泊無罪釋放。埃及是一個尊重瑪亞特法則的國家，大法官本人更應以身作則。

帕尼泊突然被驚醒：兩隻矛尖抵著他的腰際。

「跟我們走。」一名守衛命令道。

帕尼泊被帶到一個有兩根立柱的小房間，看起來不像是一個法庭。

大法官坐在一張椅子上，他腿上擱著一張攤開的紙莎草紙，始終不敢正面望著帕尼泊。

「帕尼泊阿當，現在是您坦承罪行的時候了。」

35

「這是屬於私人談話，還是正式的庭訊？」帕尼泊問道。

「我想怎麼樣審問、就怎麼樣審問。」老法官答道，「我命令您針對所有的指控做答辯。」

「誰是指控者？」

「您不需要知道。」

「依據法律，您有必要告訴我他的名字。如果您拒絕說出來，這個程序便不會生效。」

大法官顯得很為難。

「實際上，這是一封……匿名文件。」

「所以它不具任何法律上的效應。」

「那些對您指控的事件屬於重大情節，我可以忽略這個匿名的小問題。」

「您的說辭令人無法接受。如果您不告訴我這個人的名字，我就馬上離開這個房間。」

「這份文件真的是一個匿名者寄來的，我完全沒有辦法知道這個人是誰。您至少會想知道自己被指控什麼罪名吧？」

「既然我不做虧心事，姑且聽之，有何不可？」

大法官清了清喉嚨。

「我們先從較輕的罪名開始，其實這已經是一個不可原諒的罪名：您要行會的一名工匠來為您的牛治病，而且叫兩名工匠在您個人所屬的農田裡工作，這個是不被容許的行為。」

「根本不是這麼一回事。的確是有兩名工匠來幫我忙，不過他們完全是出於自願，也沒有任何報酬。您只需要問他們，就可以知道事實的真相，此外，那五名為我耕田的農夫也可以證明我所說的話。」

「喔……不過還有更敏感的罪名。您被控勾引村子裡幾位已婚的婦女，而且在一些家庭裡製造糾紛。」

帕尼泊大笑不已。

「是哪幾位婦女說出這種話？」

「文件上沒有指明……您否認有這種事？」

「我內人可以證明我的清白，也可以向您解釋我為了村子的和諧，從來不做這種挑撥離間的事。」

「好吧，好吧……接下來還有：您擁有一把大鎬，而只有您一人可以使用它，這與規定有所不符。」

「陵寢書記可以向您說明，那把鎬是我的私人財產，這是公認的事實，而且那把鎬上面有一個非常特殊的記號，絕不會與其他的鎬混淆不清。也因此這個工具在用完以後，不應放回行會的保險室裡。」

「這種特殊的情形應該要事先註明才對！」

「陵寢日誌上記載得一清二楚，肯伊隨時可以拿給您看。」

「很好，很好……不過您確實從村子的一個陵墓內偷了一張床！」

「如果真有這種事情，」帕尼泊反駁道，「我早就被行會的法庭判刑了。抬頭三尺有神明，我們祖先的陵墓內從未發生任何偷竊事件。同事們在陵寢書記的同意下，正式送給我一張床，而這個贈禮也明確地記載在陵寢日誌內。」

「現在來討論最嚴重的指控事項，這個罪名該被判死刑。」

帕尼泊睜大了眼睛。

「您是說真的？」

「罪名是：在國王谷地內侵犯了法老的陵寢！」

這回，帕尼泊終於沉不住氣了。

「您瘋了不成？」

「請您放尊重一點！」大法官喉嚨乾澀地說道：「我的責任是要弄清事實的真相，而……」

「那就請您把話說清楚！」

老法官連忙把頭埋在文件裡，始終不敢正視帕尼泊。

「您在塞特畜法老的陵墓內偷了一塊珍貴的布，而且還大肆慶祝一番，甚至醉得站在塞特畜二世的木乃伊棺上面。」

「是真的。」

大法官稍微抬起了頭。

「您……您承認有這件事？」

「我承認我當時是醉了。至於其他部份則是告發者所編的一連串謊言！您說的那塊布根本不是來自於塞特畜二世的陵墓，我和同事們也沒有在他的棺木旁喝酒。這些我都有證人可以一一推翻那卑鄙下流的謊言。」

「你有證人，真的嗎？」

「他們可以在真理村法庭上立誓作證，如果您要求，他們也會在您面前這麼做。那塊布及木乃伊棺隨時都可以讓您查證。」

「好，好……不過還有一件很嚴重的事。」

「您請說。」

大法官看見帕尼泊恢復了冷靜，才感到比較放心。

「有一些大石塊原本屬於梅仁達法老陵墓的一部份，結果被抬回村子裡，用來建造您個人陵寢的四根立柱。」

「對。」帕尼泊坦承道。

「所以，您身為真理村的首長，居然去破壞一位國王的陵墓，而這座陵墓還是您親手建造的！」

「不對。」

「可是……您剛剛才坦承了罪行啊！」

「這不是什麼罪行，因為那些大石塊是回收材料。我當時派一小隊人員去清理國王谷地，並將堆積在工地上的大量碎石片運走。同事們便把一些可用的石塊帶回村子，準備用於建造我的陵墓，同時決定送我這個美麗的禮物。」

「這些同事願意為您作證嗎？」

「絕對沒問題。」

老法官捲起了文件。

「您已澄清了所有罪名，首長。」

「沒有別的了？」

「您覺得這些還不夠？」

「如果我沒有弄錯的話，您已決定不起訴了？」

「我相信您的所有解釋……不過有一位最高法官或許會有不同的意見。」

桃賽特皇后出現在他們面前。

大法官和首長立刻站起來向皇后致敬。

「我都聽到了，」她說道，「我的結論和大法官的結論一致。首長已詳述了整個事實、澄清了所有罪名。這份匿名文件純屬惡意的誹謗。」

帕尼泊望著桃賽特皇后。她的美麗不下於碧玉，氣質一樣的高貴、五官一樣的細緻、目光一樣的清晰，然而皇后卻多了一分孤寂與悲傷。

桃賽特很訝異於帕尼泊整個人散發出來的力量。有那麼一刻，她想到帕尼泊是當一個偉大法老的人材，他的剛強足以統治一個國家。

「你被指控的那些罪名原本可能引發一場嚴重的危機，甚至連我的政權都會受到波及。」皇后說道。

「我是清白的，陛下，真理村和您的名譽也沒有被玷污。」

「我寧可親自前來確定這件事，因為有關你的謠言四處流竄，而我又不能肯定底比斯的大法官是否公正。總之，他明天就會被撤換掉，這個老臣連黑白是非都分不清，我不希望再發生這種事。」

「請恕我冒昧，陛下，您為何不先聽過證人的說辭？他們可以澄清所有的疑點。」

皇后露出一個燦爛的笑容。

「因為我信任你，帕尼泊。信任別人這種感覺你不曾有過嗎？」

「身為一名行會或國家的領導人，是否應該不要輕信任何人？」

「的確，曾經有好幾位英明的法老都有過這種叮嚀……然而我只不過是一個攝政皇后，同時我願意冒這個險信任你。掌權教我看透人心，我很肯定你不是個會說謊的人。」

帕尼泊感動得不知如何回答。

「有人想要毀掉你，首長，你必須找出這個人。」

「我已經知道是誰，陛下。我想請求陛下讓此人依行會的法律受審。」

「我得提醒你，只有大法官的法庭可以判死刑。」

「您放心，這名誹謗者會活著走出我們的法庭……不過，這要看『活著』的定義，他未來的命運也許比活著更慘。」

「你就依瑪亞特的法則來行事吧，首長。」

「我們是否有這個榮幸見到您蒞臨真理村，陛下？」

「我必須立刻趕回比拉美西斯。西卜塔國王的身體已經越來越不行了……你們儘快準備好一切葬禮事宜。」

「我會處理的，陛下。」

36

帕尼泊以真理村首長的名義，在瑪亞特及哈托爾神廟前主持法庭。在場的陪審團成員有智女、陵寢書記、左隊隊長、傑德及兩名哈托爾女祭司。所有村民皆出席了這場臨時召開的法庭。

帕尼泊回到村子後，始終沒有發表過正式的談話，大家都無法知道他被捕的真正原因。因此，當帕尼泊開始說話時，全場立刻安靜下來。

「有一位村民捏造了一些莫須有的罪名來控告我，這個人寄給了大法官一封文件，卻連簽名的勇氣都沒有。我像個歹徒一樣被關在大牢裡，幸虧桃賽特皇后出面干預，我才有機會為自己辯護，並證明了自己的清白。這個誹謗者企圖以卑鄙的手段成為村子的領導人，我現在要做的是找出這個人，這個始終仇視我、只有靠野心生存的人。」

群眾裡發出了不滿的嗡嗡聲。

「這個敗類最好自己馬上出來自首！」奈克特大聲說道。

人群中讓開了一條路，但卻沒有一個人站出來。

費奈德詢問首長。

「你真的知道這個罪人是誰嗎？」

「這個人指控的內容已洩露了自己的身份。只有他會說出這種話，並以憎恨及狹窄的心胸來扭曲事實的真相。」

工匠們你看我、我看你，沒有人相信有哪個同事會做出這種無恥的行為。

帕尼泊轉向躲在狄弟亞背後的伊姆尼。

「你至少有承認的勇氣吧！」他向伊姆尼說道。

伊姆尼依舊一副獐頭鼠目的樣子，他企圖往後退，卻被卡洛和卡沙用身體擋住。

「我不懂你在說什麼，」伊姆尼細聲細氣、吞吞吐吐地說道，「我只是做好自己份內的事，而且我……」

「你過來。」首長命令道。

伊姆尼照著做了。面對帕尼泊、智女和陵寢書記，他先是裝出一副謙虛的態度。

「我也許是犯了一些錯誤，但我沒有害人的意思……只是事情正好那麼不湊巧，使得帕尼泊被懷疑犯了他沒有犯的錯。」

「是不是你把文件寄給大法官的？」帕尼泊問道。

「我當時覺得有些事情必須讓大法官知道。」

「而你卻沒有先經過我這一關？」肯伊怒吼道。

「我……我不想打擾您。」

「你在開誰的玩笑，伊姆尼？你辜負了我對你的信任，又誹謗了首長，現在你已成了整個村子的共同敵人！」

伊姆尼的態度整個轉變，內心的憎恨如洪水爆發。

「你們根本無視於我的才能和權利，」他恨恨地說道，「長久以來，我早就該擔任陵寢書記一職，我比你們任何一個人都來得有才幹！你們為何不承認？」

帕尼泊眼睛直視著伊姆尼。

「是不是你殺了尼菲寡言？」

「不，不……當然不是……我發誓自己是清白的！」

帕尼泊可以感覺伊姆尼過於怕他，以致於不敢騙他。

「我們把這個鼠輩好好痛打一頓！」卡洛發難道。

「大家冷靜一下，」首長命令道，「不要讓不當的行為損害了法庭的尊嚴。」

肯伊整個人垮在那裡，他向來不欣賞這個助理的個性，但他怎能想像嫉妒與憎恨之心已完全啃噬了伊姆尼的靈魂？

「伊姆尼的背叛行為是一個不可爭辯的事實，」海伊說道，「行會的所有成員也完全同意這點。」

「因此懲罰是免不了的：他將永遠被逐出村外。」帕尼泊下了結論。

陪審團一致通過。

伊姆尼臉色變得一片慘白。

「你們……你們沒有權利這麼做！」

「你永遠不得再踏進真理村一步，」帕尼泊宣佈道，「連助理區裡都不能進入。同時我們會向大法官告你誹謗罪。永別了，伊姆尼。」

卡沙和卡洛一把抓起伊姆尼的上衣領口，將他往大街上拖去，其他所有工匠也一路跟在後頭。

伊姆尼很害怕自己會遭到痛毆，然而卡沙兩人只是把他拖到村子大門口，雷努貝開了大門。

右隊與左隊工匠各站一排。

「滾吧，你這個畜牲！」歐塞哈特命令道。

伊姆尼躊躇不前。

「你們不知道自己的損失！我伊姆尼……」

費奈德抓起一塊石頭，朝小書記的屁股丟過去，後者發出尖銳的叫聲。

「快滾，否則就把你砸成肉醬！」

在一陣叫罵聲中，伊姆尼連滾帶爬地離開了真理村。

* * *

莫希和賽克塔在自家豪宅內為桃賽特皇后選任的新法官舉辦了一場空前的盛宴。新任大法官是卡納克的一名祭司，名氣不是很響亮。

這名大法官不甚欣賞那些裸舞的女人，連桌上的好酒都引不起他的興趣。在宴會結束之前，他早已提前離去。

賽克塔在宴席上對賓客們擺出迷人的笑容，並不斷地與他們交換知心話。她試圖傳達下列的訊息給所有在場的人：莫希夫婦倆琴瑟和鳴，做人大方，命運已給了他們想要的一切，現在唯一的心願就是盡心為國家服務，而底比斯的繁榮經濟體制正足以證明莫希的管理才能。

桃賽特搭船返回比拉美西斯前，莫希與她簡短地交談過。言談中他大力贊成撤換掉老法官，而且自己早已打算提出這種建議。他也慶幸帕尼泊能夠快速得到平反，儘管後者的個性有時過於粗暴，但仍不失為一個出色的首長。當然，莫希最後還不忘向皇后保證自己的忠誠不渝。

莫希在和幾位高官的談話中，確定了自己的名聲與權勢絲毫沒有受到改變。

賓客一走，賽克塔馬上便叫努比亞女僕為她按摩腳部。

「我們還有一位客人要訪談。」莫希對她說道。

「今晚來的笨蛋已經夠多了，親愛的。」

「這一個應該會讓妳比較感興趣。」

「你在吊我胃口……他是誰？」

莫希把獐頭鼠目、虛偽至極的小書記叫進來。

「這位是伊姆尼，是前陵寢書記助理。」

賽克塔馬上裝出一副很同情的樣子。

「您一定受了不少的冤屈？」

「是的，而且我不知道該如何為自己辯護。」

「您要不要把這些令人難過的事情說給我們聽？」莫希建議道，「我是真理村的保護者，必須盡可能蒐集所有的情報，才能避免這種錯誤發生。」

伊姆尼很樂意一吐為快。於是莫希和賽克塔仔細地聽他訴苦。

「所以您認為自己大材小用，」莫希結論道，「事實上您覺得自己有能力來領導行會。」

「您已完全了解我的意思，將軍！」

「您這個情況很特殊，甚至是非常的特殊……帕尼泊已被判無罪、您所提出的指控被視為毫無根據、新任的大法官又無意重新審理這個案子。不過……」

伊姆尼的眼光露出了一絲希望。

「不過……」莫希繼續說道，「我是個講求公道的人，也被您的誠懇所感動。目前，您的職業生涯已完全受到打擊，而我也不能與真理村的法庭作對。不過，假使您把您所知道的真理村全告訴我，我可以更了解事情的來龍去脈，或許也可以幫助你。」

伊姆尼用食指捋著他的小鬍子。

「這真的是很機密，代價要很高的……」

「的確，所有的東西都有一個價錢，不過您只能賣給我。因為如果您話太多，大法官會以叛國罪將您逮捕。我們的面談當然得保密。為了交換您的友誼，我會將您安置在中埃及的一棟農莊別墅裡，您到時負責管理這個農莊，等到時機成熟再說。」

伊姆尼開始滔滔不絕地把他所知道的一切說出來。他很高興能夠找到這麼一位有權有勢的盟友，使他有機會能擁有一個夢想的未來：把帕尼泊排擠在外，讓自己成為行會的老闆。他所需要的只是耐心，而他有的是耐心。

對於他所說的一切，賽克塔覺得了無新意，不過她倒是很喜歡小書記的仇恨心態，將來會是莫希手中的一個有趣傀儡。而她最高興的是行會的人簡直天真得可以，他們以為把伊姆尼逐出了村外，行會也終於擺脫了村子裡的專事破壞的叛徒。

只是，除了伊姆尼這個叛徒之外，還有一個真正的叛徒。

37

牛妞將濕襯衫擺在兩塊密合的齒形夾板中將它壓得筆挺，以便肯伊在典禮的場合穿上它。

伊姆尼的行為對肯伊而言是一個很大的打擊，幸虧卡萊兒給他開了一些鎮靜劑，他才得以入睡，胃口也比較好。

他和智女及左右工匠隊長開完會回來，臉色看起來有點陰鬱。

「又有麻煩了？」

「不，不完全是……妳對伊姆尼有什麼想法？」

「我已經跟您說過許多次了：一個獐頭鼠目之人，勢必會做鼠輩之事。一個甜言蜜語之人，勢必善於奉承；而一個善於奉承之人，勢必滿口謊言。不過您總是什麼都聽不進去！」

「我有聽進妳的話，牛妞，可是我無法相信他會壞到這種程度……」

「您現在還是無法相信，因為您根本就無法想像嫉妒與野心加起來會產生什麼樣的怪物。」

「我們已經開會決定要提名一位新的書記助理。」

「那再好不過了！您這把年紀，的確需要一個助理。」

「我提出了一位人選，結果獲得一致的贊同。」

「太好了。到時在他的正式任職典禮上，您可以穿上一件漂亮的褶紋衫。」

「我之前本來想問過妳的意見。」

「既然已經投票決定了，說這個有什麼用？」

「這也還得經過他的同意……應該說是她的同意。」

「這個人選是女的？」

「就是妳，牛妞。妳不只是一個家庭主婦和好廚子，而且妳會讀也會寫。每個人都知道妳既嚴格又勤勞，會議中大家都和我一樣，認為沒有人比妳來得更適合這個職位。」

牛妞檢視著手上的襯衫。

「我可以做得更好，不過得要有一塊更細的布料。好了，幹活兒吧！您要不要現在就把陵寢日誌的內容唸給我寫？」

＊　＊　＊

她是左隊雕匠的女兒，年紀只有十五歲，是個褐髮小美女。她哭著跑來找娃貝特。

「發生了什麼事？」娃貝特問道。

「我想……我想跟您說，可是我不敢……而且……」

「先進來再說。」

帕尼泊與娃貝特的家舒適而美麗，只要壁畫稍微有點褪色，帕尼泊立刻勤快地添上更鮮艷的色彩。牆上畫有葡萄藤、蓮花葉、在紙莎草叢間玩耍的鳥兒……簡直就像一個小皇宮。娃貝特為自己的家感到很驕傲。

她讓這個年輕女孩坐在黃橙色的枕墊上。

「妳剛剛是不是想跟我說什麼話？」

「是……不是的……讓我走，我求求您！」

「妳冷靜一下，乖女孩，不管妳有什麼難以啟齒的話，我都做好心理準備了。」

女孩抬起了一雙淚眼。

「真的嗎？」

「真的。」

「您可不可以給我一點水?」

女孩大口地喝著,彷彿剛穿越了一座沙漠。

「您……您不會怪我嗎?」

「我向妳保證不會。」

女孩夾緊了雙腿。

「昨天傍晚,我和其他幾個女孩去挑逗那些男孩……我們像平常一樣裸著胸跳舞,可是並沒有就此打住……由於大家喝了一點烈啤酒,而且當時天氣很熱,我們也把裙子給脫掉了。」

「我猜想,那些男孩是不是也脫了他們的腰布?」

「跳到最後,是的……不過大家只是彼此笑鬧互看,之後每個人就回自己家了。不過我,我沒有……」

「為什麼?」

「因為您的兒子,阿沛弟。」

「他強暴了妳?」

女孩突然放聲大哭。

「不完全算是……當他靠近我時,他沒有穿上腰布,我也沒有……我原先以為他只是要愛撫我,而他又是那麼帥、那麼強壯……我應該要大叫、掙扎、並求救的。」

「結果妳沒有這樣做?」

「沒有。」女孩羞恥地承認道。

「所以你們就做了愛,而妳已不再是處女。」

女孩心煩意亂地點點頭。

「妳愛阿沛弟嗎？」

「我不知道……我想是。不過我什麼都不敢向我父母親說！」

「妳之後有沒有再看到我兒子？」

「沒有，喔，沒有！」

＊　＊　＊

阿沛弟朝左隊木匠的兒子一拳打過去，對方的下巴被擊中，應聲倒在地上。

「我贏了！」十九歲、年輕力壯的阿沛弟叫道，在赤拳搏鬥方面他尚未嚐到敗績。

「生活只不過是一場搏鬥。」帕尼泊嚴肅的聲音突然響起。

阿沛弟被父親嚇了一跳，也不敢正面望著他。

「你已經是一個很好的石膏工了，阿沛弟。現在是你開始蓋自己的房子、娶你勾引過也喜歡的女人的時候了。」

「可是……我沒有喜歡哪個女孩子呀！」

「當然有，你應該記得那個美麗的褐髮女孩，而且也讓她嚐到了你的男子氣概。」

「那只是玩玩而已，根本不是認真的。」

「對她而言可不是玩玩，對你而言也不再是一個遊戲。要不，你就把陵寢書記配給你的一棟小房子整理整理，將來小倆口住在那裡，要不，你就離開村子。」

＊　＊　＊

卡萊兒每天拂曉前就已起床，她先到廟裡進行晨祀，接下來的一整天便是為病人看診。而到了晚上看完診後，卡萊兒總是形單影隻。她很高興能夠治好傑德的視力，其他的村民也沒有病重到需要轉送底比斯治療的情形。

最後一個病人離開了診所，她又得重新面對沒有尼菲的事實。卡萊兒知道這種空虛永遠無法被填補，儘管她深愛著行會，但她仍強烈希望能儘早與尼菲在另一個世界會合，與他分離的生活實在殘忍地教人無法承受。

夜幕籠罩了大地，卡萊兒也被一股強烈的倦怠情緒包圍著。她不想進食，也知道睡眠不會令她更好過。

因此她決定登上西峰，希望西峰的沉默女神對她張開雙臂，並為她打開另一個世界的門。

帕尼泊和娃貝特的女兒坐在卡萊兒家門口。七歲的賽雷娜手中握著三個小布袋，裡面分別裝了葡萄籽、大麥和蜜棗。

「妳在這裡做什麼，賽雷娜？」

「我自己準備了一些要送給西峰女神的祭品。妳記不記得答應過我，妳要帶我去那裡？我已經準備好了。」

小女孩的眼神閃耀著一種金色的光芒。就在這一刻，卡萊兒知道命運已選擇了真理村未來的智女，從今以後，她有必要花較多的時間來培養她。

「妳等我一下。」

卡萊兒再出現時，身上的衣服已經換成一件白色及粉紅相間的百褶袍，並配上一條很寬的項鍊和金手鐲，假髮上箍著一個帶有蓮花的金環。

「妳真的好美，卡萊兒！」

「這是為了對女神表示敬意。我相信她會很高興妳為她帶了一些祭品。」

智女和賽雷娜在夕陽的最後一道餘輝中慢慢爬上西峰。賽雷娜緊緊牽著卡萊兒的手，眼光緊盯著神聖的西峰。

「妳可以向住在山頂的沉默女神祈禱，」智女向賽雷娜建議道。「有時候，她會以嚇人的外形出現，但她的內心充滿了創造的火焰。等到有一天我回到西天時，願她永遠指引妳、為妳開啟視野。」

她們來到了山頂，母眼鏡蛇從洞穴中爬了出來。

賽雷娜將卡萊兒的手抓得更緊。

「妳跟在我背後，並學我每一個舉動。」

聖蛇和智女曼妙有節奏地跳著祭舞。賽雷娜的祭品令母蛇緩和了下來，並回到牠沉默的王國內。

卡萊兒和賽雷娜肩併肩坐下，靜靜地品嚐著夜色的清涼。

「我們將一起度過這一整夜，賽雷娜。有一天，妳會觸碰這隻大蛇，牠是女神的化身，也會將祂的精氣傳給妳。」

賽雷娜一整夜都毫無睡意。就在太陽升起前，卡萊兒讓她喝下山頂上大石頭所滲出的露水，也是來自星星的聖水。之後，兩人便朝村子的方向走下山。

而帕尼泊站在小山徑的另一端。賽雷娜跑向父親，後者一把抱起她，不一會兒她便睡著了。

智女和首長的眼光相遇，兩人毋需多說任何一句話。

這是卡萊兒第一次看到帕尼泊掉眼淚。

38

所有外界的訂單都已如期完成，貨品也已被送走。卡納克神廟、甚至連已被撤職的老法官都非常滿意他們所收到的東西。工匠們辛苦忙碌了這段時間，也感到頗有成就。接著村子便平靜了下來。五月底的烈日熱得教人窒息，每個人的生活步調都慢了下來。

卡萊兒在酪梨樹下沉思良久。這棵種在尼菲陵墓前的酪梨樹已長得非常高大，透過它，卡萊兒可以感覺到尼菲安息的靈魂與她同在，她對他的愛也將永遠屹立不搖。

工匠們聚集在一塊兒玩骰子。骰子一共有五顆，分別用不同形狀的石頭做成。奈克特正準備開始擲骰子，就在這時，帕尼泊的大貓跳到他的面前伸出爪子，背上的毛全豎了起來。

「怎麼回事兒，迷人？」

大貓嘶鳴了一聲做為回答。

「牠可能想要通知我們發生緊急情況。」費奈德猜道。

工匠們放下骰子，跟著大貓往前走。

大貓將他們一直帶到村子大門前，然後用身體憤怒地撞著門。

「這個畜牲八成是瘋了，」帕伊猜測道：「我去把帕尼泊找來。你們千萬不要靠近牠，牠的爪子會把你們抓得很慘。」

突然間，有人激烈地拍打大門。

「是守衛。」帕伊說道。

「這隻貓一點兒也不瘋！」卡沙說道，「快去通知首長。」

不到一會兒的工夫，所有村民都聚集在大門口。

「借過。」帕尼泊命令道。

守衛身旁站著信差烏普弟。

「我有兩個消息要帶給您，」他向首長說道，「第一個是口述，第二個是信函。首先，我負責向各位宣佈，西卜塔法老的靈魂已升向天空，進入天堂與光明結合為一。現在，我把信函交給您。」

烏普弟一邊說道、一邊將一份紙莎草紙文件交給帕尼泊，上面有攝政皇后的封印。

帕尼泊一看完內容，立刻便找智女、陵寢書記及左隊隊長召開四人緊急會議。

「為了紀念西卜塔，」首長說道，「皇后下令要擴建西卜塔的陵墓。」

「我們最多只能將它加長而已。」海伊提議道。

「我認為西卜塔的陵墓工程已經很完美，而不需再加工，尤其是它的尺寸和裝飾都有其諧和性。」

「這是攝政皇后的命令，」肯伊提醒道，「你不能置之不理。」

「西卜塔已經死了，他的木乃伊製作需要七十天，之後便要葬在這個陵寢內。這麼短的期限內要再挖築、雕刻和繪畫，怎麼能夠做得好？」

「真理村的使徒有能力把工程做得又快又好，你就是最好的例子。」左隊隊長說道。

「你擔心的不是行會的技術能力，」智女肯定地說道，「為何你反對這個決定？」

「因為我們會惹禍上身。去更動這個陵墓絕對是一個錯誤。」

「你會知道如何採取必要的措施。」肯伊放心說道。

「您是不是該寫信給皇后，向她解釋我們並不同意？」

「我看這不是一個好主意……比拉美西斯一定開始了爭權奪位的戰爭，我不相信桃賽特願意看到真理村與她唱反調。她的個性眾所皆知，所以我才會認為她不會改變主意。」

「您還是寫信給她，讓她知道我覺得擴建西卜塔的陵墓並不妥當。」

肯伊開始感到憂心。

「如果皇后依然堅持，你至少會答應重新開工吧？」

「我有其它選擇嗎？」

西卜塔的死訊一經正式公佈，桃賽特皇后立即召開國家最高會議，讓與會者知道木乃伊製作的儀式已經開始，同時她已下令真理村將西卜塔的陵寢做得更完美。

塞特．奈克特很驚訝於這個決定，因為它可能會延誤了葬禮的日期；然而皇后始終堅持己見，理由是西卜塔國王在世的短短日子裡一向尊崇瑪亞特法則，因此值得向他致上最後的敬意。

＊　＊　＊

塞特．奈克特回到家裡，怒火一直無法平息。

「令郎剛剛抵達。」總管通知他。

塞特．奈克特的長子看起來憂心重重。

「現在謠言滿天飛，父親！西卜塔國王真的已仙逝了嗎？」

「是真的，他已離開了我們。你有沒有給我帶來什麼消息？」

「都不是好的，不過也不至於太糟。雖然我們已極力做好外交，我仍然不認為很成功。敵人將繁榮的埃及視為一塊肥肉，並且急欲瓜分它。」

「桃賽特拒絕承認這個事實。」

「誰將繼承西卜塔？」

「攝政皇后可以登基當國王……不過這會是國家的一大災難！」

「您是不是已經準備與她開戰？」

塞特・奈克特遲了許久才作答。

「這是一個很嚴重的決定，我遲遲不敢下這個決定……我非常厭惡內戰，因為它只會帶來苦難與毀滅。但如果皇后執迷不悟，我們又怎能去避免它？我顧慮的不是自己的未來，而是埃及的未來。唯一能統合桃賽特的反對者、並避免軍隊分裂的人就是我。」

「攝政皇后的掌權是合法的，父親。」

「直到西卜塔下葬之前，的確是合法的。可是等到陵墓的大門一關上，就必須指任一位新法老。」

父子兩人彼此打量了好一會兒。

「你是支持我、還是反對我，兒子？」

「我支持您，父親。」

＊　＊　＊

西卜塔的駕崩令桃賽特哀傷不已。她出席了木乃伊化的宗教儀式，整個儀式由阿蒙神廟的專門祭司負責。面對著頭戴阿努比斯面具的祭司，她肯定了西卜塔國王是一位正直之人、沒有犯過嚴重的罪孽，所以在奧塞利斯的法庭內也應有相同的審判結果。

在開部長會議的過程中，皇后感覺得到眾人的責備眼光，彷彿她必須為西卜塔法老的死負責。因此只做了一個簡短的談話，擇日再進行其他人的報告。會議結束後，首相應皇后的要求獨自留下來。

「對於我下令加強美化西卜塔陵墓的決定，你有何想法？」

「大家都認為您對西卜塔法老很尊敬，希望他死後備極哀榮。」

「現在，我要你說出心裡的話。」

「這個……應該說某些人覺得這種作法有點太過，原因是西卜塔國王在位期間並沒有做出任何偉大的貢獻，因此他們認為您是在拖延葬禮的日期，以爭取時間。」

「這些人說得沒有錯。」桃賽特承認道。

「外交部長剛抵達比拉美西斯，陛下。他一到就立刻趕往他父親家裡。塞特・奈克特近來一直不斷地接見一些大臣。」

「塞特・奈克特已越來越明目張膽了……他是不是也召見了你？」

首相的表情有點為難，卻又不敢說謊。

「他只是邀請我共進晚餐，陛下。」

「你拒絕他！」

「陛下……現在不適合製造更多的緊張情勢。再說，這個私人會談也許可以成為有利於您的調解性會議。我會試著去說服塞特・奈克特，要他三思而後行。」

「你對我有什麼建議，首相？」

「您只要為埃及的幸福著想就好，陛下。」

桃賽特轉身離開首相，走進充滿鳥語的皇宮花園內。

夏日的驕陽令人氣悶，孤單的感覺不斷地向她襲來！

假使掌璽大臣百依還在世，他一定會想出對策，讓塞特・奈克特無法傷害她。如果換作是帕尼泊，他也絕不會聽這些言不及義的廢話而坐以待斃。

只是，百依已經死了，而真理村首長遠在他方，同時也有他神聖的職務要完成。

桃賽特只能靠自己來做出重要的決定，要不，就是讓位給塞特・奈克特；要不，就是與他展開一場你死我活的對決。

39

底比斯總營部有不少謠言在流傳著：內戰、政變、桃賽特暴斃、利比亞派兵入侵……所有部隊全進入了戒備狀態，其意味著發生了一些重大事件，上下埃及的安逸生活已受到了威脅。

每名士兵都迫不及待地等著莫希將軍的到來。早上過了一半，莫希終於駕著馬車出現。一些軍官集合、編整過部隊後，莫希開始向精兵團發表談話。

「士兵們，西卜塔法老已飛向西天，直到葬禮結束前，國家由桃賽特皇后繼續主政。北方和邊防部隊已進入備戰狀態，以防止外敵於七十天的治喪期間入侵。至於大家的軍餉，你們可以放心。我剛剛和阿蒙神大祭司見過面，他向我保證假如比拉美西斯政府發不出薪餉，就由卡納克神廟來補足。各位要知道，你們擁有最現代、最新技術研發出來的武器裝備；有了它、有了各位的才幹和勇氣，底比斯因而有最佳的保護，對未來無所畏懼。無論發生什麼事，這個地區將繼續維持它的繁榮。同時，我很高興地向各位宣佈，我準備從自己的私人財產中拿出一部份，做為加強訓練的獎金。」

莫希這番話贏得了一陣熱烈的歡呼聲。他不用為這種謊言付出任何代價，因為他只需在會計帳目上動一點手腳，就可以把市府的資金轉移到軍營上面，而不花自己一分一毫。

莫希耍完把戲後，便召集他的幕僚人員開會。這些幕僚都是他所收買的一些職業軍官，他們對他唯命是從，而且為了討好莫希，同僚之間彼此監視，巴不得能夠舉發自己的同儕以換得莫希的信任。他們也很清楚自己若犯了一點錯，都足以為此付出致命的代價。

「這次會議將不做任何紀錄，」莫希宣佈道，「目前只有一件事確定——一場內戰眼看著就要發生，而參戰的兩方遲早會要求底比斯軍隊表態。」

「我們有可靠的消息來源嗎？」一名高階軍官問道。

「現在就聽聽我們的一名情報員怎麼說，他剛自首府抵達這裡。」

這名情報員因旅途勞累而精疲力竭，可是莫希不讓他有休息的時間。

「目前誰在統治比拉美西斯？」莫希向他問道。

「現在的情勢非常複雜，將軍。攝政皇后始終掌有政權，而塞特・奈克特還沒有對她採取任何的反制行動。不過他的長子已經辭去了外交部長一職，以便能助他父親一臂之力。塞特・奈克特所領導的黨派很強大，他從未隱瞞自己不願桃賽特成為法老的事實。」

「這麼說來，皇后的處境孤立無援，在短期之內會被迫讓位。」

「也不是那麼肯定……桃賽特一向被視為一位優秀的統治者，而且比塞特・奈克特高明許多，再說，正統派希望攝政皇后登上法老的寶座。塞特・奈克特的說辭不足以說服他們，他們也不想背棄皇后，因為這些人力求避免一連串的政變發生。他們的立場似乎很堅定。」

「軍隊的情形如何？」

「非常的分散，將軍。有些軍官希望和塞特・奈克特在敘利亞—巴勒斯坦及亞洲發動一場戰爭，以阻嚇敵人侵犯我們的意圖。但有些軍官則較傾向於桃賽特加強防線的主張。」

「換句話說，桃賽特和塞特・奈克特兩人目前勝負難料。」

「可是他們之間不一定會打仗……」

「此話怎講？」

「塞特・奈克特仍然猶豫是否要發動內戰，而桃賽特則認為自己不足以強到贏得勝利。兩人虎視眈眈、緊守著自己的地盤，不知道誰會先發動攻擊。」

「你看好誰？」

「以現今的情勢而言，我誰都不看好。」

「比拉美西斯那邊的人對我有什麼看法？」

「大家認為您是一位很有勢力、正直而且遵守王法的人。每個人都知道底比斯部隊的強大，也很欣賞您在這個地區的政績。不管怎麼樣，下一任法老若沒有您的支持，將無法統治整個國家。」

這番話令莫希聽得陶陶然，不過別人承認他精明能幹還不夠。在這個混亂的時代裡，他要自己被視為國家的救星。

「你立刻啟程回比拉美西斯，」他對情報員下令道，「同時馬上建立一個快速而機密的情報網，以便每天提供敵我情勢的最新發展。」

＊　＊　＊

雖然賽克塔被莫希近幾個月來直線上升的體重壓得喘不過氣，她仍然再一次地佯裝自己達到了高潮。

莫希是個糟透了的情人，而且還自以為是床笫間的高手，不過她知道他的確有能力除掉一切障礙，以奪取最高政權。總有一天，她會去找一些雄糾糾、氣昂昂的男人來滿足她，同時會小心不讓莫希發現她的行為。

莫希發洩過後平躺在床上。

「我感到很擔心，小寶貝。」

賽克塔摩擦著他一向引以為傲的肥腿。

「你不能從這個混亂的局勢中趁機奪利嗎？」

「我原先以為可以，不過聽了情報員的分析後便不再樂觀……我到底要公開支持誰？」

「當然是塞特・奈克特！」

「事情不是那麼單純……」

「為什麼？」

「因為桃賽特和塞特‧奈克特兩人都不是省油的燈。我原以為西卜塔死了以後，皇后不會再有繼續奮鬥的力量，可是我錯了，她下令要擴建西卜塔的陵墓。換句話說，她打算延長七十天的治喪期，目的是要跟一些有影響力的文武大臣鞏固聯盟，以便打倒塞特‧奈克特。假使我們不支持她，而她又獲得勝利時，桃賽特會要我們付出很大的代價。好的話是令我退休，壞的話是以叛國罪來定我死刑。不過目前沒有任何跡象顯示她會戰勝塞特‧奈克特……多年以來，他一直在做好篡奪王位的準備，我相信他不會在最後一刻宣佈放棄的。和皇后一樣，他也需要底比斯和我的支持。到底要選哪一邊？」

「目前暫時誰都不選，」賽克塔主張道。「桃賽特和塞特‧奈克特一定不再有直接的往來，你可以分頭向他們兩人保證你對他們的忠心。兩人最後交鋒是在比拉美西斯，而不是在這裡。我們知道得勝者也必定會失了元氣，這時我們再予以痛擊。」

「妳的意思是……」

「對，到時必須帶領底比斯的主力軍隊前往北方，讓你登基成為法老。大家都會將你視為穩定政局的大功臣，而不會有人跟你爭政權。」

莫希感到陶陶然。

「妳真的相信……」

「時機已接近成熟，親愛的。桃賽特不過是個女流之輩，而塞特‧奈克特是個垂垂老朽……局勢對我們從來沒有如此有利過。」

莫希從床上跳起來，一拳擊在枕頭上。

「還有誰擋在我的路上?那就是真理村!就是因為它，桃賽特才得以延長治喪期……否則，塞特・奈克特早就不費吹灰之力把她排擠掉了。妳應該有叛徒的消息吧?」

「他寫來的最後一封信上，提到他已確定光之石藏在行會的主神廟裡。」

「那他還等什麼?」

「真理村除了保險室，就屬這個地方看管最嚴密!在神殿的牆上絕對有一些可移動的大石塊。」

「是密室之類的機關……」

「如果不是在地底下、就是在一面牆上。」

莫希為自己倒了一杯酒。

「這一次我們是真正接近目標了，我感覺得出來!我們的盟友想好計劃了嗎?」

「他必須非常的小心謹慎。帕尼泊又再次設了一個圈套讓他跳，還好他的警覺性很高，所以沒有掉進陷阱內。」

「假如我們擁有光之石，桃賽特和塞特・奈克特就只是我們手上的傀儡罷了!」

賽克塔雙手環抱著丈夫。

「再忍耐一下，親愛的……直到目前為止，我們沒有犯任何的錯誤，你的威名也不斷地遠播。」

莫希一把揪住她的頭髮。

「妳也想要權力嗎?」

「唯有透過你，我才能擁有，親愛的。」

她比一隻毒蠍還要來得可怕，不過他需要的就是像賽克塔這種母狗。

40

如何能夠潛入哈托爾和瑪亞特神廟、而不被人看見？如何能在那裡待上足夠的時間來尋找光之石、而不被人發現？叛徒腦海裡不斷地縈繞著這兩個問題，卻尚未找到答案。

他朝思暮想，以致於失去了胃口，睡也睡不好。他的妻子已經好幾次勸他放棄這個危險的計劃，這一晚，她又開口了。

「就算你知道首長把光之石放在那裡，你也不可能拿到它。幹嘛這麼死心眼？」

「因為我們在這個村子裡一點出息也沒有！而在村外正有一筆財富等著我們，可是在享用它之前，必須先履行我們的協議。」

「如果你被抓到的話，法庭會判你很重的刑！」

「不要老是這麼膽小，妳應該想想我們終於要接近目標了。我決定要裝病，這樣才不用和其他人一起到國王谷地。不，這個主意不好……卡萊兒會識破的。妳去拿一些有毒的食物給我吃，我必須真正的生一場病。」

「你以為神廟裡會沒有人看管嗎？假使你是唯一一個留在村子裡的右隊工匠，只要發生任何一點事，人家馬上會懷疑到你頭上！」

「有道理……我該想一個更好的點子。」

她雖然氣惱，還是弄了一些熱蠶豆給他吃。

「我不久前聽到一個奇怪的消息，」她說道，「可是我不知道這個消息對你是不是有用。」

「說說看。」

「左隊金銀匠的老婆向我透露這件事，而且要我保密。她說首長命令她丈夫製作一隻金鵝。」

「金鵝……妳確定沒有聽錯？」

「錯不了的！左隊在皇后谷地裡進行維修工程的時候，一個雕匠在拉美西斯女兒的陵墓內發現這個陪葬品有點損壞。因此帕尼泊才決定叫人另外做一隻。」

「一隻金鵝……一隻大到足以藏匿光之石的看門鵝……不是在村子裡，而是在皇后谷地內！妳可不可以得到更多有關這個陵墓的消息？」

「左隊金銀匠的老婆很自以為是、話又多……應該不是很困難。」

朝廷內充斥著同樣的流言：桃賽特皇后已承認自己不是塞特・奈克特和其長子的對手。連續幾天以來，她從早到晚不斷地接見一些文武朝臣，而且仔細傾聽他們的意見。

因此，當塞特・奈克特受邀參加一個特殊會議時，他深信自己已占了優勢。

「桃賽特不但聰明，而且很明智。」他向長子說道，「你要不要陪我去？」

「自從辭職以後，我已不再處理任何政務。我想沒有必要去挑釁她。」

「你倒是學到了一些外交手腕！幫我傳喚轎子。」

* * *

塞特・奈克特因風濕病而痛得幾乎寸步難行，他很清楚若自己當上了法老，執政的時間也不會很久，與敘利亞—巴勒斯坦打完一仗就差不多了，到時再由他的長子來繼位。

塞特・奈克特一到皇宮，許多大臣立刻向他致敬，態度比往常更恭敬。他們已認定他是埃及未來的主人，對於這次的政權和平移轉也感到很滿意。

他一看到皇后穿著金色長袍、頭帶紅色皇冠出現，再一次忍不住地欣賞她。多少男人可能曾經愛上她，卻完全無法動搖她對亡夫的忠貞！

桃賽特在王位上坐下。

「西卜塔國王的木乃伊化儀式已進行了二十天，」她說道。「我們雖然處於守喪期，執政的工作仍得繼續下去。因此，為了國家的未來，我做了一個重要的決定。」

「攝政皇后可以等到木乃伊化再完成讓位的，」塞特・奈克特心想著。「但這樣不是更好嗎？新法老的名字一出爐，緊張的局勢也會隨之緩和，對埃及只有好處、沒有壞處。」

「我選擇了一位新首相。」皇后繼續說道。

這句話彷如一陣晴天霹靂。攝政皇后選任一位新首相，無異於說明了她想成為法老的堅定意志。

塞特・奈克特馬上會意過來：她要選的人就是他，如此才可以約束他！但桃賽特這樣做就大錯特錯了。他會強悍地拒絕，證明他沒有什麼好怕她。

「請歐利首相過來，以法老之名和瑪亞特法則立誓。」皇后下令道。

歐利是阿蒙神廟的一位祭司，曾經教授西卜塔閱讀古文經典。這時他被引進了大廳內。

桃賽特舉起一隻象徵瑪亞特女神的金羽毛，歐利在它面前立誓將盡忠職守。

穿著厚重長袍的兩名祭司為歐利戴上一條項鍊，上面有兩個墜子，一個呈心形，另一個則是代表瑪亞特。

* * *

塞特・奈克特回到位於底比斯的自家別墅內，怒火像山洪一樣爆發開來。

他氣得滿臉通紅，好不容易才恢復正常呼吸。

「既然她要跟我拚，我也絕不會示弱！這個攝政皇后以為我這麼容易就向她低頭？她休想讓那個傀儡首相對我下命令！」

「我勸您要謹慎一點，父親。」

塞特・奈克特對長子的警告吃了一驚。

「你難不成打算要歸附桃賽特？」

「我只是打聽了一些有關首相歐利的事情。一方面，您應該會喜歡這個人：他很廉正、勤勞、沒有野心、嚴格、而且不輕易被左右；另一方面，他被任命為首相，代表皇后的抉擇很明智，她的首相將不會是個走狗、也不是個傀儡。他已經進駐了掌璽大臣百依的辦公室，以便開始研究攝政皇后準備發佈的詔書。」

塞特・奈克特板下了臉。

「這只不過是想給我們一個下馬威！」

「我不認為，父親。桃賽特一意要當法老，而她正在想辦法讓自己成功。」

「哼！歐利只是一個毫無經驗、微不足道的首相！」

「他是一個新人，既沒有任何政治包袱、也不會偏袒任何一個黨派。」

塞特・奈克特很贊同他的分析。

「歐利只剩下五十天來樹立他的威望！不管他有多大的才能，他是不可能做到的。」

「您很清楚桃賽特會克服一切困難，她會以陵墓尚未擴建完成做為藉口，而延長葬禮的時間。」

「所以說，真理村得加緊腳步才行！」

「我們無法左右真理村，父親。」

「誰可以？」

「桃賽特本人，因為她是攝政皇后，同時也是代理法老。」

「行會裡面難道沒有一個代表政府的人物嗎？」

「陵寢書記。」

「目前是誰？」

「是一個年紀很大的人，名叫肯伊，他在村子裡已經生活了好多年。這個人不讓政府輕易干涉他的職權。」

「你的情報蒐集得很好，兒子！」

「長久以來，我對真理村一直很感興趣。若沒有它，我們歷代的國王只是活在世間的一個生命；就是因為有這些工匠為他們建造陵寢，他們才得以在死後的世界繼續散發光芒。桃賽特試著利用行會來製造出對自己有利的情勢，是一個很巧妙的手段，在這方面，我們無法反抗。」

「底比斯的強人是莫希將軍……依你看，他會採取什麼樣的態度？」

「他一直都很服從合法的政權。」

「所以說，他會忠於桃賽特！」

「很有可能，父親。」

塞特・奈克特覺得很氣餒。

「我過去所做的一切，剎那間似乎變得不堪一擊……我從未低估過這個皇后，然而她比我想像中還要來得可怕。她永遠不按牌理出牌。」

「正因為她不愧是一位真正的皇后。」

「這麼說來，你也很欣賞她……」

「對這麼一位特殊的女性，誰不會打從心裡尊重她？」

「所以說，我們是被打敗了。」

「那倒不。」

「你還抱什麼希望？」

「我們必須尊重自己既定的原則。我們並不希望打倒桃賽特皇后，而是要將埃及從一個真正存在的危機中解救出來。我們不能放棄這個願望，如果我們不犯錯，就一定可以實現這個目標。」

塞特・奈克特感覺壓力已減輕許多：兒子的一番話又再度為他注入了新的活力。

「桃賽特錯了，她讓我們的國家陷入險境，也因此她必須要讓位。」

41

「你覺得滿意嗎？」阿沛弟指著房子、向父親問道。這棟小房子過去住了伊姆尼，已經年久失修，現在陵寢書記將它分配給阿沛弟。

「你只做了最基本的維修工作。」帕尼泊觀察道。

「我在這麼短的時間內能夠做到這樣，已經不錯了！」

「你得重新粉刷牆壁的頂端、修理大門、將廚房全部翻新。你必須要讓你的妻子過得幸福，首先就是要給她一棟漂亮的房子。」

她一邊整理衣物、一邊哼著歌曲。

「我本來沒有打算要結婚……」

「現在已成定局了。你眼前的這個男人就是一個盡責的丈夫。」

「正因為這樣，我才不希望永遠當一名石膏工！」

「喔……你希望做什麼？」

「你是行會的首長，我是你兒子，你提名我當助理隊長。」

「就這樣？」

「我會將工人帶領得和你一樣好！」

「他們是工人沒錯，不過他們尤其是工匠，更應該說是聽見召喚的真理村使徒。因此不是隨便什麼人都可以領導他們的。」

「我不是普通人！」

「你會不會畫藍圖、建築和彩繪？」

「每個人都有自己的特長！我生來就是為了領導別人。」

「要在這個地方領導別人，首先需要懂得服從，並了解創作的意義。你還差得遠呢！兒子。」

「這裡的每個人都怕我！這還不夠嗎？」

「最好是讓每個人都敬愛你、尊敬你。先把這棟房子修好再說吧。」

首長說完便離開了，阿沛弟輕蔑地環視著屋內簡陋的設備，兩張草蓆、三個置物箱、一桶小麥和橄欖油。他的妻子正在清洗鍋盤，準備開始做飯。

他不要過這種平庸的生活！別的不提，光是他的妻子就已經開始令他厭煩。他已看中了一個左隊雕匠的女兒，打算請來當清潔女傭；此外還有兩名已婚婦女也令他念念不忘，每回她們去打水時，總是故意露出自己的大胸脯，藉此引來阿沛弟的目光。

阿沛弟決定要即時行樂、好好享受生命。他父親和碧玉之間的關係人盡皆知，又有什麼資格來教訓自己的兒子？

「你想吃什麼，親愛的？」阿沛弟的妻子問道。

「妳自己吃吧！我要出去走一走。」

＊　　＊　　＊

帕尼泊動手去除下西卜塔陵墓大門上的封印。在前往國王谷地的路上，他一句話都不吭。由於傑德也盡量避免平日的冷嘲熱諷，因此整個氣氛顯得很沉悶。

谷地的邊崖頂上有索貝克的部下在站崗，帕尼泊朝他們望了一眼。

「你在怕什麼？」烏奈士問道。

「也說不上來。」

「我昨晚做了一個噩夢，不過我沒有告訴肯伊……否則，他又會花上好幾個鐘頭來詮釋這個夢境！我和你一樣感到不安。」

陵墓大門上乾掉的泥章很難除去。

「我們實在應該放棄，」卡洛建議道，他總認為這是一個不吉祥的現象。

「終於弄掉了！」奈克特說道。

「首長得帶頭進入，」帕伊提醒道，「不過要先點上火把。」

大家點燃了十幾枝火把。

陵墓內看起來很平靜、沒有任何異狀。所有的雕刻、壁畫及象形文字都活靈活現、刻畫入微。

「西卜塔國王應該會對自己的陵寢感到滿意，」傑德環視道；「他在這裡的生活一定會比在世期間來得愉快。我們進去吧？」

帕尼泊第一個走下坡道，並在每個地方停留許久，彷彿他在擔心有什麼損壞。

然而陵墓內的裝飾依舊完好如初。

「根本不可能把它擴建，」傑德評估道，「如果硬要這麼做，就得毀掉所有的作品，將牆壁往外擴張，一切重新來過。谷地內從來沒有一座陵墓進行過這種破壞的行為！」

「只剩一個辦法，那就是延長陵墓的盡頭。」費奈德下結論道。

「整個和諧感都會被破壞掉，比例也會變得不對。」卡烏反對道。

「我們都很清楚這點，」卡洛說道，「可是法老的命令不能不服從！」

「那只是攝政皇后的命令。」卡沙提醒道。

「她以埃及皇后的名義下命令，她的話對我們有法律上的效力。」圖弟插嘴道。

費奈德花了一個鐘頭以上的時間來研究盡頭的牆壁。

「你的意見如何？」首長問道。

「我們當時挖到這裡就停下是對的。若繼續往後挖絕對是個錯誤。因為岩石本身極可能有問題，再不然就是前方有一個廢井，我們會掉進那個洞裡。依我看，要照皇后的意思去做，是不可能的事情。」

為了這件事，首長前去找陵寢書記和他的助理。

「我總不能寫信給攝政皇后、告訴她你拒絕擴建西卜塔的陵墓吧？」肯伊發了火說道。

「這不是拒絕的問題，而是涉及到一個技術上無法克服的困難。」

「桃賽特鐵定無法接受真理村的首長說出這種話。困難不是用來克服的嗎？」

「人在某些情況下要懂得向大自然低頭。」

「這不是你的一貫作風，帕尼泊！」

「費奈德對自己的預感很有把握。他從來沒有出過錯。」

陵寢書記對這個說辭感到不安。

「他的意見正好合你意，因為你一開始就不想更動這個陵墓！」

「不管合不合我意，事實就是如此。如果我鑿穿底部的牆壁，就會毀了西卜塔國王的陵寢。皇后會樂於見到這種結果嗎？」

肯伊覺得很煩躁。

「我擔心我們可能被捲入了一場政治鬥爭的漩渦裡……由於皇后需要一些時間來鞏固自己的黨派，同時設法抵制塞特・奈克特，所以她才會要求進行不必要的工程來延長治喪期。」

「換句話說，她在利用我們。」

「有何不可？」牛妞介入道，「既然她的理由正當，我們應該支持她！過去曾經治理國家的女性都是很傑出的皇后。桃賽特對其亡夫忠貞不貳，她建立了和平，每個人對她的執政都無可挑剔。我們為何得支持一個野心勃勃的老臣?這個塞特・奈克特純粹是瞧不起女人，如此而已！」

肯伊覺得她的分析太過武斷，不過他不想與她爭辯。

「我得和皇后談談。」首長決定道。

「那根本是在做夢，」肯伊反對道。「以目前瞬息萬變的情勢而言，她絕不可能離開比拉美西斯。」

「所以就由我去見她。我立刻出發到首府，並向桃賽特解釋一切。」

底比斯的精英部隊正在進行一連串的嚴格訓練。大部份的軍人都很高興能一改平日索然無味的生活，新兵們則對他們所擁有的精良武器讚嘆不已。

只要莫希一出現，連最溫吞的士兵也立刻變得精神抖擻。他經常毫不遲疑地拿起刀劍舞弄一番，以證明自己無所畏懼。莫希尤其注重他的戰車部隊，而且它堪稱是全國最優秀的戰車部隊。對於自己能統領如此強大的軍力，莫希越來越沾沾自喜。

根據來自首府附近的消息，命運尚未決定誰勝誰負。皇后任命歐利為首相確實是一個錦囊妙計，許多大臣及軍官在桃賽特與塞特・奈克特之間仍尚未做出最後的抉擇。

「將軍，」副官前來通報，「一名河上防衛隊警察希望見您一面。」

「讓他進來。」

這名警察四十來歲，皮膚曬得黝黑，看起來很有自信。

「將軍，您曾經指示過我們，若有任何不尋常的情況，要立刻通知您。剛剛發生了一個不尋常的現象：陵寢書記租了一條快艇。」

「目的地是哪裡？」

「比拉美西斯。」

「是他本人搭船前往首府嗎？」

「不是，是一個壯漢，他至少高我兩個頭。」

首長啟程前往首府……為了什麼原因？當然是桃賽特召見他，想要將他安排在政府裡面身居某個要職！

莫希必須立即有所行動。

42

左隊一名畫匠的老婆最後終於無法抗拒阿沛弟的魅力，而與他發生了關係。當時天氣很熱，她任髮絲垂散、光著胸部在自家門前掃地，阿沛弟正好打從那兒經過。兩人充滿情慾的眼光交錯，路上空無一人，她解下了做家事穿的蘆葦罩裙，於是天雷便勾動地火。

在回家的路上，阿沛弟仍不斷地想著這個情婦。他年輕的妻子用微笑來迎接他。

「我幫妳準備了一頓豐盛的午餐。」

「妳自己吃吧。」

「我向你保證真的很好吃，親愛的！至少嚐嚐看嘛。」

「我得出去一趟。」

「你要去哪裡？」

「今天在底比斯有船伕節的慶祝活動。我參加了一場比賽，最後的勝利者當然會是我。」

「你帶我去好不好？」

「那可不行！家庭主婦的角色就是要是把家裡看好。」

「阿沛弟，我……」

他不由分說便摑了她一耳光。

「別再惹我。我最討厭話多的女人。」

阿沛弟立在船首，手中持著一根又長又重的木杆，準備與第四個對手過招。先前三個已被他狠狠打成了重傷。

再贏兩場，他就成了節慶的英雄！眼前那個弱不禁風的傢伙可別想阻止他成為最後的勝利者。

兩條船上各有十四名槳手划著船，就在兩船交接的一剎那時間，阿沛弟發出一聲怒吼，對著船艄那人迎頭痛擊。

對手靈活一閃、阿沛弟的木杆只擦過其太陽穴。然而對方的木杆卻正中阿沛弟的腹部。阿沛弟一下子失去重心，掉進了水裡，在場的人看了高興不已。

他忍住疼痛游向岸邊，兩名年輕女子扶著他站起來。

「我是個護士，」漂亮的那個說道，「讓我來檢查一下你的傷口。」

「樂意之至……」

「你來自哪裡？」

「我叫阿沛弟，是真理村的助理隊長。」

「是那個神秘的工匠村？」

「正是。」

「那麼說，你知道所有的神秘事蹟了？」

「那當然。」

「其他的工匠是不是都和你一樣強壯？」

「我是他們的冠軍。沒有人打得過我。」

「除了那個骨瘦如柴的船伕……」

「那個懦夫耍花招！如果再讓我看見他，我會把他大解八塊。」

「我們看看你的傷口……」

當護士靠上前時，阿沛弟右手抓住她的胸部，左手也跟著抓向她朋友的胸襟。

「你鬧夠了，小子！我們兩人都已經結婚了。」

「既然是這樣……」

阿沛弟任她們兩人帶到河岸邊的一個木屋內。他躺在一張草蓆上，眼睛望著天花板。

「我覺得好痛……傷口嚴不嚴重？」

「對方出手很重，造成一個大血塊！我可以用草藥來減輕你的疼痛。不過你得去看醫生。」

「我會考慮考慮……如果按摩一下不會讓它消腫嗎？」

「我和我的朋友試試看。」

她們兩人分別按摩他的肩膀。阿沛弟覺得她們的力道和愛撫沒有兩樣，忍不住一把抱住兩人。

「你夠了沒有？」護士生氣地反抗道。

「妳想要我，我想要妳……不用把事情弄得那麼複雜！」

護士的朋友非常憤怒，企圖抵抗他。他反手將她推開。

「一個一個輪流來，小妞。我等一下再來侍候妳。」

阿沛弟撕破護士的上衣，露出兩個圓圓的乳房，雖然小了一點，不過看起來卻非常可口。

「放開我，你這個野人，我不要！」

「我知道妳要。」

阿沛弟壓到護士的身上，她的朋友見狀大喊救命。

阿沛弟原想讓她住口，但他被護士的美妙胴體全然給迷住。

就在他即將得逞時，數名船伕闖了進來，並朝他衝過去。

＊　＊　＊

整個旅途上，帕尼泊始終沉默不語，只是靜靜回想著那次和尼菲到吉薩盆地的金字塔之旅。今天，他身為行會的首領，獨自出發前往一無所知的另一個世界，準備向皇后據理力爭。由於尼羅河的水流強烈，水手們經驗豐富加上願意夜航，整個行程只花了不到六天的時間。

當他抵達比拉美西斯的碼頭時，一隊士兵將他攔了下來。

「我是帕尼泊阿當，真理村的首長。」

「沒有人通知我們您會來。」士兵隊長驚訝地說道。

「我希望能立刻見桃賽特皇后一面。」

「我去通報這件事……在我回來之前，您先留在這條船上。」

在這個拉美西斯建立的美麗首府裡，帕尼泊只看到一條大運河，兩旁有茂盛的花園，以及很多軍艦停靠的碼頭。空氣中充滿了焦躁不安的氣氛，許多軍人在岸邊及附近的巷子裡來回巡邏。

帕尼泊心想這次的旅行不知會不會以失敗收場，桃賽特為了自己的生存，正處於一個激烈的鬥爭中，她會有時間接見帕尼泊並聽他說話嗎？

帕尼泊感到很憂慮，於是獨自關在船艙裡。他想吃點東西，卻因為肉乾和紅酒都不對胃口而作罷。他來到甲板上，水手們正在用大量的水沖洗甲板。船長在舷梯下方和一名同事討論著事情。

他一上船，帕尼泊便把他叫住。

「有沒有人知道城裡發生了什麼事？」

「一切都很平靜，不過到處都有軍隊。」

「桃賽特皇后仍是攝政皇后嗎？」

「目前還是她在執政，而且她剛剛在塞赫邁特神廟主持了一場平安儀式，似乎想證明她有能力消除動亂。」

「塞特・奈克特會不會歸順她？」

「不會，他的支持者依然為數眾多，而且立場堅定。依我看，您最好學學我當一個旁觀者。我準備去睡我的大頭覺了。」

身為真理村首長，帕尼泊拒絕擴建西卜塔陵墓之舉，也許會改變埃及的命運。然而他們的行業有其禁忌，他必須堅持到底。

太陽已開始西下。帕尼泊躺在旅行用的草蓆上，心裡又想起了尼菲寡言。若是尼菲處於目前這種情況，一定不會讓步。無論是面對威脅、或是虛偽的承諾，尼菲都不會偏離瑪亞特的正途。身為義子的他，應該要以義父做為典範。正當他快要睡著時，有人前來敲船艙的門。

「那些士兵要找你。」船長說道。

帕尼泊開了門。

「誰派他們來的？」

「是攝政皇后。」

負責來帶帕尼泊的軍官雖然比伊姆尼稍壯一點，但他同樣有一副獐頭鼠目的長相。

「我們動作得快些，」他用嘶啞的聲音說道。「攝政皇后迫不及待要見您。」

軍官在前面帶路，帕尼泊和左右兩名士兵走在中間，後面跟了另外兩名士兵。

「人家還會以為我是個囚犯呢！」帕尼泊說道。

「這只是為了您的安全。」

「皇宮離這裡很遠嗎？」

「不太遠，如果我們走得快一點的話。」

帕尼泊雖然對首府的地形不熟，但他覺得他們所走的路徑有點奇怪，一條接一條的小巷子通到人煙逐漸稀少的郊區。當他發現有些房子還在建築時，他停下了腳步。

「我受傷了……大概是被一個碎石塊刮傷了腳。」

帕尼泊假裝要蹲下來檢查右腳，實際上卻猛然起身，一把抓住後面兩名士兵的頭用力對撞。他們一下子被撞昏了過去，手上的木棍也應聲落在地上。

軍官企圖用自己手上的木棍攻擊帕尼泊的後頸，但帕尼泊及時一個後踢，狠狠踢中了他的鼠蹊部，隨後立即閃到一旁，另外兩名士兵因而撲了空。帕尼泊用手刀劈昏一個，馬上又用手肘撞斷最後一個士兵的肋骨。

「是誰派你們來的？」帕尼泊向倒在地上呻吟的軍官問道。

「我們是……是傭兵……」

很顯然地，這個壞蛋不可能會多透露什麼。

「皇宮在哪個方向？」

「在你左手邊的第二條小路……然後往北走。」

帕尼泊丟下這群哀嚎連連的手下敗將，踩著大步離去。

43

皇宮第一道大門的警衛一看見帕尼泊走近，便知道可能有麻煩上身。因此他馬上用刀尖頂著帕尼泊的腹部，同時叫來其他的士兵支援。

「我名叫帕尼泊阿當，是真理村的首長，我希望能夠立刻見到桃賽特皇后。」

幸好帕尼泊提到聲名遠播的行會，否則警衛很可能會要他難過。

一名軍階較高的軍官來到現場。帕尼泊將自己的名字和頭銜重複了一遍。

「您的確是您所說的真理村首長本人？」

「我以法老之名發誓。」

「我去通知陛下的秘書。」

「您要通知的人是陛下，而且是馬上。」

「不可能的！您得等待皇后正式召見，而且……」

「相信我，我沒有時間可以浪費。」

軍官看到帕尼泊的眼中閃爍著一種不近常人的特殊光芒。

「請在這裡等著……我去試試看。」

士兵們全鬆了一口氣。他們也感覺到帕尼泊極有可能強行闖關，而且他的拳頭會毫不留情。

帕尼泊以書記的坐姿靜靜地在一旁等待。士兵們一一收起了自己的武器。

整整一個小時過去，帕尼泊一點都沒有不耐煩的樣子。之後來了一名書記，伴隨著另外四名配帶短劍的侍衛。帕尼泊站了起來。

「請跟我來。陛下答應接見您。」

在場的士兵們大吃一驚，同時體會到真理村的魔力並非是一種傳說。

帕尼泊走上宏偉的台階，經過一條長長的走廊。他心中不斷地想著若是尼菲寡言去見皇后，他的態度肯定是直接了當而不咬文嚼字。然而尼菲所擁有的冷靜是帕尼泊所缺乏的長處。

大廳內的屋頂由兩根高聳的斑岩石柱頂著，四面的牆上有一些小棕葉及藍色的螺紋裝飾圖案。皇后坐在一張烏木椅上，椅腳呈獅爪形。她穿著一件樣式很樸素的褐色罩衫，頭髮用金簪挽成一個髻，完全襯托出她美麗的瓜子臉。桃賽特上了淡淡的妝，臉上的線條更顯得完美，她堪稱是埃及最美的女人。帕尼泊欣賞著她的美麗，同時向她鞠躬行禮。

「為什麼長途跋涉來到這裡，而沒有事先要求謁見，首長？」

「因為您向我下的命令並沒有考慮到工地的實際情況。」

「把話說清楚一點！」

「西卜塔法老的陵寢已經準備好要迎接他的光明之體。我們按照規定將陵墓造得差不多了，可是絕不能再將它擴建或延長，因為岩石本身並不可靠。我們幾乎可以肯定若更動陵墓會造成嚴重的問題。」

「你為何如此肯定？」

「費奈德和我本人很確定不能再穿鑿下去。我希望親自告訴您這件事，以保留它的機密性。」

皇后從椅子上站起來，舉止優雅地靠在一根立柱上。

「我很感激你這麼做，帕尼泊。但你是否了解國家最高層所下的命令代表著什麼意義？」

「我並沒有忽略法老是行會的最高主人，而且我應該絕對服從。」

「也許你認為一個攝政皇后的決定可以不服從！」

「我絕無此意，陛下。也正因為如此，我才會前來比拉美西斯，親自向您陳情。而我一到此地便有人企圖要謀殺我。」

桃賽特吃了一驚。

「誰敢這麼做？」

「我沒有讓這群傭兵得逞，不過我不知道誰是幕後的主使者。」

「想當然是塞特・奈克特……你在首府停留期間就住在皇宮裡，我會派兩名士兵在你的房門前站崗。你應該了解我需要的是時間，帕尼泊，而爭取時間的辦法就是延長治喪期。若要達到這個目的，唯一可行的方法就是改建西卜塔的陵墓。假如你拒絕的話，我就死定了。」

「陛下……」

「七十天的木乃伊化儀式對我而言並不夠。我需要更多的時間。」

「摧毀一個已完成的作品是一件不可原諒的行為。」

「我既不要求摧毀、也不要求蓋另一座新的陵墓，它們會花上太多的時間。而我無法拖延太久，因為對手絕不會讓我拖過一定的期限。」

「多久的期限，陛下？」

「再多一百天。只要你小心謹慎，一定可以成功的。」

「我們很肯定再挖下去會掉進一個墓井內，而且造成原有陵墓的嚴重損害，更別提陵寢內整體性的諧和感將完全遭到破壞。西卜塔國王的光明之體將不再位於我們特別計算過的神聖中心，他的復生便成了一個不定數了。」

皇后閉上眼睛沉思了一會兒。

「你提到的這一點是最好的理由，首長。我對西卜塔法老有很深的感情，因此我不會做出任何可能會傷害他的事。我的命令就這樣取消了，歐利首相會正式給你去函確認。」

桃賽特凝視著帕尼泊。

「真理村在打每一場戰時總是會贏，對不對？它應該要賜給我一點它的力量才對。」

「我正有此打算，陛下。」

皇后一時好奇心起。

「假使無法變動西卜塔的陵墓建築結構及裝飾，為何不在陪葬品上面動腦筋？現在離木乃伊化完成的時間只剩四十幾天，您可以向我們訂一些床、寶座、釉陶瓶和其他物品，而且要最好的品質，讓我們無法在四十幾天內完成。如此一來，我可以在不說謊也不違背行會精神的原則下，向您要求更長的期限，而這個期限至少要三個月。」

「這是個不錯的主意，帕尼泊。可是塞特・奈克特知道西卜塔的陪葬品已經準備妥當，再說他也知道行會成員的能力。多做幾個額外的陪葬品並不需要你們花這麼多天的時間。」

皇后的說辭很合理。她回到座位上，臉上的表情很嚴肅。

「你們可以利用光之石來製造黃金，是不是真有其事？」

首長遲疑了一會兒才回答。

「只有在某些特殊的情況下……」

「我乾脆在朝廷上這樣宣佈：你們將在西卜塔陵墓內進行一些最後的工程，而且要製造某些特殊物品，尤其是金質的權杖、皇冠和一座大祭壇。這些物品所需的黃金將由國庫供應，並儘快派遣船隻運送到到真理村。」

「這麼說就不需要採用煉金術了。」

「正好相反，首長！為了要引起塞特・奈克特的強烈反彈，我會要求為數龐大的金子。他一定會極力反對，理由是國庫裡的黃金要為一場即將發生的戰役做準備，所以不能動用。雙方周旋一番後，我會同意不去動用國庫的黃金，但也不放棄要製造西卜塔的這些陪葬品。這時雙方便會陷入僵局。」

「然後您只好提到行會還是可以完成這個任務，可是必須延長期限。」

「換句話說，塞特・奈克特會意識到真理村有製造黃金的能力。只是你能接受我說出這個秘密嗎？」

「假若您當上法老並繼續保護真理村，這麼做有何不可？」

「即使我採用這個策略，也未必一定會成功。」

「謝謝您的坦誠，陛下。」

「你做何決定，首長？」

「既然您要求我將西卜塔的陪葬品準備得更完美，我沒有拒絕的理由。」

桃賽特極力掩飾自己內心的感動。

再一次地，她察覺到帕尼泊擁有當一個國家領袖的特質，不過，就他目前所擔任的職位，不已發揮了這個特質嗎？

「陛下……萬一失敗了，您會面臨什麼樣的命運？」

「我不知道、也不在乎。我唯一盼望的就是能夠避免一場禍國殃民的戰爭。沒有其他的理由值得我去為了政權而奮鬥。」

帕尼泊知道桃賽特皇后的內心很真誠。這一刻的她顯得如此地脆弱、如此需要安慰。如果他將她擁在懷裡，她大概不會反抗。然而她是一國之后，也是上下埃及的攝政皇后，而他是真理村的首長，他們的身份不容許他這麼做。他們兩人所要共同奮鬥的事情，遠比沒有明天的愛情來得重要，畢竟他永遠不會離開村子，也不會離開行會。

44

帕尼泊所搭乘的快船因故障而進廠修理了許多天，他急得像熱鍋上的螞蟻，好不容易才熬到啟程回底比斯的時刻。然而，一名菁英侍衛隊的軍官叫住了他。

「歐利首相要見您。」

「首相？可是我的船在等我，而且……」

「跟我來。」

對方的語氣很強硬。想必是桃賽特皇后指示首相交待帕尼泊幾件事。歐利習慣自清晨便開始工作，人既樸素又冷淡，也不講求客套。雖然非自己所願，但他接下首相一職以後，便開始研究皇后交給他的所有檔案，並各別約見每一位部長，包括塞特•奈克特，以便了解每一個層面的特殊問題。

「您就是真理村的首長帕尼泊阿當？」

「正是。」

「您是否認為自己對您的工匠有盡到責任？」

這個問題對帕尼泊宛如是一種侮辱。

「您怎能對此有所懷疑？」

「您身為首長，居然能將一個重要的職位交給一名混混來擔任，怎不教人懷疑？」

「混混……您指的到底是誰？」

「底比斯的司法單位送來一份文件，內容是關於您行會的一名工匠在船伕節時所犯下的嚴重罪行。這個混混綁架了兩名婦女，不但動手打她們，甚至還企圖強暴她們。他承認自己已結婚，卻和幾名同事的妻子有不正常的關係。由於他是真理村的工匠，而攝政皇后又非常重視行會所扮演的角色，我希望預審的過程盡可能地徹底而低調，更何況這個罪犯又是您的副手。」

「我要知道他的名字。」帕尼泊感到很錯愕，並堅持要求問道。

「他是工匠助理隊長，名叫阿沛弟。」

帕尼泊覺得房子彷彿快要塌下來。

「阿沛弟是我的兒子，」帕尼泊說道。「他不是工匠助理隊長，只是一名石膏工而已。」

首相的臉上沒有任何表情。

「這個案情很嚴重，不會這麼簡單就平息下來，尤其是犯罪的地點在真理村的領地之外。」

「阿沛弟不能在我們村子的法庭受審嗎？」

「您有權利提出這項要求，不過我得警告您這麼做並不妥當。如果你們想找出可以減輕罪行的方法，結果只會耽誤審判的程序，而且案子照樣會送到我這裡的法庭來審判。別指望我會手下留情。」

「不管他是不是我兒子，阿沛弟是一個石膏工匠，所以應該要由教導他的人來判決。」

歐利站起身。

「您這種態度並不利於您自己，首長。」

「我只是遵守我們的規定。」

莫希一聽見帕尼泊的快船已抵達岸邊，立刻便從底比斯總營部趕往碼頭。他令比拉美西斯的密使派人去謀殺帕尼泊，卻被他逃脫。此刻莫希迫不及待地想看到成為皇后新寵的帕尼泊。說不定皇后還派給了他一些助理！

然而帕尼泊獨自一人下了舷梯，臉上也沒有剛被加封的喜悅表情。

「一路上旅途還愉快嗎？」

「您可否陪我到監獄一趟，莫希？我可能會需要您的幫忙。」

「到監獄……為什麼？」

「因為我得去把我兒子帶出來，並且把他帶回村子裡受審。」

「這大概是一場誤會，我們待會兒就把事情澄清一下。」

「他在船伕節的時候胡鬧了一場。」

「啊……這案子很麻煩，因為事情鬧得很大。我很想幫您忙，但……」

「首相已經知道這件事了。」

莫希裝作很同情的樣子。

「我希望令郎已經知道自己錯了，並且能夠改邪歸正。」

他們兩人來到監獄門口，莫希終於忍不住提出他一直想問的問題。

「您見到攝政皇后了嗎？」

「我有幸與她會晤過。」

「陛下近來可好？」

「她忙著治理國事。」

「這樣我就放心了，帕尼泊。」

* * *

由於首長似乎對國家大事毫不感興趣，莫希猜想他這次的行程大概以失敗告終。他可能是向攝政皇后提出一個有關真理村的要求，最後卻不得其果。

莫希放下了心上的一塊大石頭，態度也轉而傲慢地叫來監獄官，同時命令他把阿沛弟交出來，讓他被轉送到真理村。首長的在場令監獄官鬆了一口氣。

阿沛弟走出大牢，樣子似乎並未因受到拘留而有所影響。

「啊，你終於來了，父親！我才開始等得不耐煩……」

「警方會直接把你帶到村子。你給我留在自己家裡，尤其不准利用任何藉口跑出來。」

「我跟你說，我根本沒有做什麼嚴重的事情，而且……」

「照著我的話去做。」

阿沛弟一聽父親的口氣，知道自己暫時少說為妙。

「我需要一份完整的起訴文件。」帕尼泊向莫希說道。

* * *

首長向智女、陵寢書記和左隊隊長陳述了與桃賽特會談的經過。

「我沒有先問過各位的意見就做了決定，」他坦言道，「因為我當時得馬上給皇后一個答覆。」

「你做得很好，」肯伊認同道；「現在掌政的人是她，我們當然視她為真理村的主人。」

海伊顯得頗為憂慮。

「我們真的準備要製造為數足夠的黃金嗎？」

「這的確不容易，」智女承認道：「製造的過程很複雜，萬一違反了程序，會遭致嚴重的失敗。」

「那麼，大家就不要再浪費時間！」

「我們先得召開法庭。」帕尼泊決意道。

「我手上有關於你兒子這件案子的資料，」肯伊說道；「一切證據都齊全，他罪責難逃。」

「他再怎麼說都是行會的一員，」左隊隊長提醒道，「再說他是一個很好的石膏匠。誰年輕時不曾一時糊塗？」

「這不是一時糊塗，」陵寢書記說道，「它涉及了通姦、暴力攻擊和強暴未遂等罪行！阿沛弟懷有一種獸性的暴力，而且根本不把我們的規定放在眼裡。好幾名工匠的妻子已對他的行為提出控訴。她們其中有些人也許是自己招蜂引蝶，但其餘大部份的人都是被他騷擾，甚至被虐待。」

帕尼泊不做任何辯白。

「我們明天就召開法庭。」

* * *

娃貝特在家中傷心得泣不成聲。

「為什麼……為什麼他會做出這種事？他妻子那麼愛他，而且一心要讓他幸福快樂，而他卻和那些有夫之婦亂來！喔，帕尼泊……我們的兒子把我們的臉都丟盡了！」

娃貝特無助地依偎在帕尼泊的懷裡。

「諸神對妳做出這些痛苦的懲罰，」他向她說道，「不過祂們給了妳賽雷娜，而她也許是我們將來的智女。」

「你說得對……這個小女孩的特質和卡萊兒很像。」

「該走了，娃貝特。」

「我寧願留在這裡。」

帕尼泊朝哈托爾及瑪亞特神廟走去，廣場前已聚集了所有的村民。奈克特和卡洛分站阿沛弟兩側。

「我身為真理村首長，應該要親自主持法庭。然而被告是我的親生兒子，人們或許會認為我有所偏袒。我以瑪亞特女神的羽毛發誓絕不偏頗。不過我還是要知道，你們之中是否有人不同意由我主持？」

沒有人提出異議。

「請陵寢書記將控訴狀的內容唸出來。」

肯伊將阿沛弟所有的罪行一一唸給大家聽，同時細數所有對他的指控。阿沛弟始終面帶笑容，他深信村子法庭會判他極輕的罪刑，與東底比斯可能判的刑比起來根本微不足道。他是行會的一員，就外界而言，他可享有某種被赦免權利。

「現在輪到被告提出申辯。」帕尼泊命令道。

「那些都是發情的母狗所造的是非！」阿沛弟譏諷地反駁道。「她們已經得到她們想要的，不是嗎？根本沒有必要為此大作文章！」

「被告是否承認有這些事？」

「這倒是有！她們都有達到高潮。女人總是喜歡真正的男子漢，而我正好天賦異稟。」

法庭上充滿了一股令人難堪的沉默，阿沛弟的放肆與狂妄令眾人為之愕然。

「我建議做出如下的懲處，」首長宣佈道，「娃貝特純潔及帕尼泊阿當之子阿沛弟，亦即石膏匠阿沛弟，由於承認自己犯下了嚴重的暴力罪行，同時違反了瑪亞特法則，因此不配屬於我們行會的成員。在這種情況下，他應該被逐出真理村。其妻則因丈夫的過錯可獲准離婚。阿沛弟從今以後不准再踏入村子一步，他的名字在陵寢日誌上將被刪除，就如同他從來不曾存在過。任何一名工匠都不會承認他是工匠隊的一員。最後，他的父親與母親也不認這個孩子，並與之斷絕關係。」

45

攝政皇后在國家高層會議上所做的提議，令在場的官員大吃一驚。塞特・奈克特第一個有意見。

「您所要求的黃金數量太過於龐大了，陛下！」

「您難道不同意我們對西卜塔法老有尊崇的表示嗎？」

「當然不是，不過我們得保存財力以應付未來的戰爭，許多人，尤其是我，相信戰爭可能一觸即發！」

「西卜塔陵墓的最後工程即將完成，」桃賽特說道，「一位偉大的國王所應有的陪葬品他都會有。可是我希望他能擁有金質的權杖和皇冠，以及一座刻有復生咒語的大祭壇。請各位考慮一下我這個提議，我們在下一次的會議中再進一步討論。」

攝政皇后站起身。

「我要單獨與您談一談，塞特・奈克特。」

塞特・奈克特隨著皇后來到一間小召見室，外面的人無法聽見他們的談話。

「陛下，我正式反對從國庫中支出任何黃金。」

「您是否打算以武力來抵制？」

「陛下……」

「如果您違抗命令，您會因此而被關進監獄。」

「我的擁護者會採取激烈的手段來抵制！無論如何，您也不想引起內戰，不是嗎？」

「我承認。」

「那麼，您何不放棄？目前埃及應該保留所有的黃金庫存。」

「這點我也同意。不過您是否仍然接受我所提議的陪葬品？」

「原則上我接受，但是……」

「我不會動用國庫的黃金，」皇后保證道，「不過這些純金物品的製作仍照樣進行。您同不同意？」

「您準備用何種神奇的方法來完成它們？」

「我會要求真理村去進行必要的工作。」

塞特・奈克特的眼神沉了下來。

「您打算把黃金秘密地運過去？」

「您很清楚這是不可能的事。」

「這麼說，您相信那個傳說了！行會難道真的有能力製造黃金？」

「我相信它有這個能力。」

「實際上，陛下，您只是試圖在爭取時間罷了。」

「我試圖要讓西卜塔的陵寢盡可能達到完美，這是我們一貫的禮俗與象徵。如果您不認同我們祖先所遺留下來的傳統，那麼您就在會議上當眾說出來。」

「首長要求多少時間來完成？」

「那要由他來決定。」

「他會告訴我的，陛下，這點您可以肯定！」

＊　＊　＊

智女為娃貝特治療她的抑鬱症，不過最好的藥方是有小賽雷娜陪伴在側。她依照卡萊兒的指示把母親照顧得無微不至，宛如一個經驗豐富的小護士。

「妳父親到哪裡去了？」娃貝特終於開了口。

「爸爸工作去了，」賽雷娜答道。「智女說過，當妳開口說話時，妳就會開始痊癒了。」

「痊癒……我怎麼能痊癒？你哥哥已經離開了！」

「不是的，他是被趕出村子，因為他犯了一些錯誤。」

娃貝特沒有勇氣向賽雷娜解釋這個判決無異於死刑。阿沛弟已不再是行會的一員，若他以強暴的罪名被起訴，他就和一般的罪犯一樣會被判死刑。

娃貝特永遠也沒想到她的丈夫會如此無情。然而他是行會的首長，最後選擇了大義滅親……娃貝特怎能接受這種事實？沒錯，帕尼泊不是唯一要負責的人，因為法庭可以做出較輕的判決，只是在場沒有一人找得到說得過去的理由。而阿沛弟離開時，還破口大罵那些工匠和勾引他的女人，因此大家都不為阿沛弟感到遺憾。

野獸……是的，阿沛弟是一頭野獸，但他仍是她的兒子，而她也永遠不會原諒帕尼泊把兒子送上死路。假使帕尼泊試著為兒子辯解，陪審團也許會聽得進去。

「妳得吃一點蠶豆泥，媽媽……這是我為妳做的。」

娃貝特笑了一下。

「我不餓，乖女兒。」

「吃一點嘛……好不好？」

娃貝特不忍心拒絕她。

「妳呀，已經是個小鬼靈精了！」

終於等到一個新月的夜晚，而且還夾雜著幾片烏雲！叛徒帶著鑿子從陵園那頭繞出村外，以避開巨鵝大壞蛋，因為他知道大壞蛋一向睡在村子的大門入口處。

帕尼泊第二天要分配皇后谷地的工作，現在是到谷地的最好時機。阿沛弟被逐出村外令村民們既高興又難過。高興是因為如牛妞所言，這個孩子的本性不良，如果不這麼做，將來可能會害了行會；難過是因為帕尼泊和娃貝特受到這件事的打擊而傷痛不已。不過大家都很佩服首長為了拯救真理村而大義滅親。

「假使有人認為帕尼泊是一個懦弱而易受人左右的首長，那就大錯特錯了。」叛徒心裡想道；「沒有任何事情也沒有任何人能夠令帕尼泊改變既定的方向，他將是我不共戴天的敵人。」

叛徒路上經過了建築之神卜塔和沉默之神的廟宇，接著走向南方的皇后谷地。

谷地內雖然有警衛在看守著歷代皇后及公主的陵寢，但叛徒很清楚他們的所在位置，因此很輕易地便避開了這些警衛。

他小心翼翼地潛入工匠們在谷地的臨時住所區。這一區的面積約有七百平方公尺，裡面蓋了幾間石屋和工作室。叛徒原本擔心左隊有一兩名工匠決定留在這兒過夜，不過四下空無一人。

他透過妻子蒐集而來的情報，因而得知公主陵墓的正確地點。這個小陵墓內放了一隻金鵝，光之石就藏在鵝身內。一路上沒有什麼障礙，可是他依然一步一步慢慢地往前行，彷彿像一隻正在尋覓獵物的野獸。

他的謹慎又再度起了作用。離陵墓不遠處，有一名警衛正在打瞌睡，而這個地方平常根本沒有人站哨。該怎麼辦？除掉這名警衛是一個辦法……不過萬一他劇烈掙扎，而且大聲引來同事，叛徒一定逃不掉的。

他苦思良久，想找出另一個辦法，卻仍然想不出對策。就在這時，命運之神又再一次眷顧他。

警衛伸了一個懶腰，並在地上吐了一口痰，然後走到另一個較遠的角落。

這一回看起來似乎真的沒有障礙。但這會不會又是一個圈套？那名警衛很可能故意裝作離開的樣子，想藉此引他上鉤。

叛徒在四周繞了幾圈之後才放下了心。他沒有發現任何異常之處，於是開始動手將陵墓門板上的泥章給除去。這塊臨時的門板很薄，維修的工程一經完成，便會換上厚實的相思木門。如他所期望的，金鵝就安置在大門入口不遠處。這隻雕工精細的金鵝看起來是如此的完美，彷彿是一隻活生生的動物！

有那麼一剎那，叛徒很遺憾自己得破壞這麼一件傑作品，可是他沒有別的選擇。他拿出了鑿子，將金鵝的頭部鑿開。金鵝的肚子裡面有金片之類的東西。

叛徒將金鵝的肚子鑿出一個洞，並拿出藏在裡面的寶物。他輕而易舉地把麻繩割斷，裡面包著的東西瞬時呈現在眼前。那是一些用金、銀、銅製成的薄片，象徵著讓公主得以復生的天庭金屬，金鵝的任務就是看守著它們，並且將它們帶到天上。的確，這些是頗為值錢的小東西，但卻不是光之石！

希望又再度落空……叛徒的這條線索是錯誤的。真正藏了光之石的地方仍是在哈托爾及瑪亞特的神廟裡。

他沒有帶走這些令人失望的小東西，便直接走出陵墓把門帶上。他必須振作精神並保持冷靜，以便儘快離開皇后谷地而不被人發現。

46

「皇后谷地發生偷竊事件？」肯伊吃驚地重複道。他在索貝克第五堡壘的簡陋辦公室裡，後者剛剛通知他這件事。

「有人潛入一位公主的陵墓內，因為門上的泥章已被破壞。」

首長一接獲通知，立刻便與左隊隊長趕到現場。他們兩人仔細地檢查損壞的情形。

「好一個奇怪的竊賊！」海伊意外地說道。「他剖開了金鵝的肚子，為了知道裡面藏了什麼東西，可是卻沒有把金屬帶走！」

「他對這些金屬不感興趣，因為他要找的是光之石。」

「在公主的陵墓裡面找？」

「他大概猜想金鵝的肚子裡藏了我們行會最寶貴的東西。昨晚你隊上的工匠有沒有在臨時住所區過夜？」

「就我所知是沒有，不過我會去查清楚。」

海伊將左隊所有工匠叫到面前，讓索貝克和首長一一盤問他們。他們的證詞完全一致，連村內的調查也獲得了同樣肯定的結果：發生偷竊的那一晚，皇后谷地的工匠臨時住所完全空無一人。

「我的部下又犯了這種丟人的疏失，」索貝克難過地說道，「我應該為這件事情負責！」

「不要自責了，」帕尼泊勸道。「叛徒搞錯了線索，他以為我們把光之石運出了村外。現在他已知道自己犯了錯，一定會重新尋找線索。」

「我承認在皇后谷地站崗的警衛不是我最優秀的手下，但再怎麼說，他們也都不是新手啊！」

「這個叛徒既狡猾又謹慎，」首長強調道。「你想想看，他這麼多年來總是躲得過我們，而我還天天跟他生活在一起，卻不知道他是誰！」

「這麼狡猾的一個人、這麼久的時間以來，他到底是如何不被抓到把柄的？我看只有魔鬼才有這種本事。」

「你說得沒錯。」

索貝克一下子愣住了。

「你也相信他是魔鬼？」

「我認為人類做得出任何卑劣的行為，但這個傢伙已經超過了極限。真理村啟蒙他、培養他、供應他吃穿、為他開啟奧秘的境界、讓他能夠生活在兄弟和諧的氣氛中……而他卻一心想要破壞！你說得對：只有魔鬼才有這麼一顆腐敗的心。」

*　*　*

村子的大門守衛向首長鞠躬打招呼。

「陵寢書記在他家中等您。」

肯伊家門前沒有婦女們平日的聊天、也不見小孩在玩耍……大門是開著的。牛妞一反常態坐在矮凳上，掃帚和刷子被遠遠擱在一邊。

「他在辦公室裡。」她低聲說道。

肯伊沮喪地蜷縮在一張扶手椅上。

「你兒子，帕尼泊……郵差給我們送來了一份判決書的副本。他被判在西奈半島的銅礦場服終生勞役。你知道這意味著什麼……他向首相的法庭上訴，可是歐利仍維持原來的判決。在我們的國家裡，強姦罪一向被判很重的刑罰。」

帕尼泊立在原地良久，一動也不動。

「既然他已不是行會的成員，我們沒有任何辦法為他辯護。」

「當我提議把他逐出村外時，您已經料到會有這種結果，其他人也一樣。」

「我並沒有怪你，只是他還年輕，也許可以改變，他……」

「您很清楚他不會改變的。」

肯伊垂下了眼睛。

「的確是……不過你未來可能會很孤單。」

「首長的命運不就是這樣嗎？」

「你已經沒有兒子了，帕尼泊，可是你已越來越接近你的義父。」

「過了中飯的時間，我會將兩隊工匠召集到神廟前，準備分配大家接下來的工作。」

帕尼泊的堅強令老肯伊深為佩服。帕尼泊阿當已掌控了內心無數的烈火，並將之轉化成為行會服務的力量。肯伊在帕尼泊仍是個性衝動的青少年時，就已經感覺到他的獨立特異，他並沒有看走眼；而尼菲寡言和帕尼泊的外表與性格南轅北轍，尼菲選了他當繼任者也同樣沒有看錯人。

一進入家門，帕尼泊就發現前廳的地上有幾粒沙子。其實它們一點兒也不起眼，只是平常娃貝特將家裡打掃得如此乾淨，以致帕尼泊馬上發現了它們的存在。自從結婚以來，娃貝特從未有過這種疏忽。

「妳在家嗎？」

她從房間走出來，身上穿著哈托爾女祭司服，整個人顯得纖細而脆弱。

「妳要去廟裡祭拜？」

「不，帕尼泊，我已經請智女讓我擔任廟裡祠堂的管理人。」

「妳身兼家庭主婦，這個工作對妳不會太繁重嗎？」

「我的兒子已經不在了，女兒也住在卡萊兒家跟她學習醫術……我要離開這個家，我要離開你，帕尼泊。」

「妳要……離婚？」

「我曾經用我的方法來愛你，而且盡我所能的去愛。但你卻對阿沛弟做出這種處罰，我既不能原諒你、也無法再當你的妻子。如果我繼續留在你身邊，最後反而會痛恨你。」

「妳有沒有好好考慮過？」

「我的解釋還不夠清楚嗎？」

帕尼泊太了解自己的妻子，他知道她已不可能回心轉意。

「答應我一件事，娃貝特，訴請離婚時，錯誤的一方由我來承當。」

「一切還是要按照法律來辦。我要離開這個家了，請好好照顧它，讓它至少像個行會首長所住的房子。我會住在阿沛弟之前的那個小房子。他的妻子已經回去底比斯了，政府會付給她贍養費。從現在起，我要負責村子裡所有祠堂的管理和準備祭品的工作。還有什麼樣的生活會比這個更好？」

「娃貝特……」

「不要碰我，帕尼泊。我的祭司服是新的，所以不想弄皺它。」

經過一番調解失敗後，肯伊在平靜而嚴肅的氣氛下宣佈了兩人的離婚事實。首長會有一名女傭幫忙打掃房子及做飯；娃貝特選擇了自己照料自己，同時可以得到帕尼泊的薪餉及農田收入的一半。由於娃貝特離婚後繼續留在村子裡，大家可以就近知道她是否衣食無缺。

接著只剩下賽雷娜的去留問題，她被叫到陪審團面前。

「妳比較想住在誰家？」肯伊用溫和而親切的語氣問道，「是住妳爸爸家、還是妳媽媽家？」

小賽雷娜想了很久。

「現在，我有三個家：一個是爸爸的、一個是媽媽的，還有卡萊兒的家。我的運氣真好，對不對？我三個都想要。」

帕尼泊和娃貝特都沒有反對。

「我們就先試著這麼做，」肯伊決定道，「假使有問題發生，我們到時再召開法庭協商。」

「我要先幫媽媽把東西整理好，以後我再幫卡萊兒清洗那些小藥瓶。」

賽雷娜和娃貝特一起離開了。

「這個小女孩非常地難能可貴，」肯伊有感而發道。「她一點都不像其他的孩子。」

「您很難想像她是多麼的愛笑，」卡萊兒接道，「可是當她在學習事物時，她總是全神貫注、銘記在心上。她不但保留了小女孩的純真，同時又比大部份的成年人來得成熟懂事。」

「看來她以後會繼承妳的衣缽了。」帕尼泊說道。

「如果諸神願意的話……你呢？你怎麼去熬過目前的處境？」

「這樣子很好。當初在審阿沛弟的案子時，我沒有事先告訴娃貝特我的決定，也許是錯的，不過我知道我們倆一定會意見分歧。現在她沒有了我，而與哈托爾女祭司們更親近，相信對她而言也是一種幸福。」

卡萊兒感覺到帕尼泊體內的力量並沒有減少。相反的，他所經歷的悲劇反而令他更投入於自己的職務。

智女和首長慢慢地往神廟的方向走去。

「先人曾經說過，天將降大任於斯人也，必先苦其心志，勞其筋骨……我大概是因為有許多的重責大任要挑吧！」

「首長要走的道路既如宇宙之寬、又如一己生活之狹窄。每一件事情要視你用什麼角度去看，有時你會覺得成功在即，有時又會覺得一敗塗地。」

「換句話說，妳不要我自怨自艾。」

「一方面，你不是這種人，也不善於做這種事；另一方面，你所領導的行會扮演了一個維持人間和諧的重要角色。在自艾自憐與負起神聖使命這兩者之間作選擇，還需要猶豫嗎？」

帕尼泊握起智女的雙手，敬重地吻了它們一下。

47

首長經歷了精神上如此沉重的打擊後，有些工匠以為他會變得意志薄弱、猶豫不決。然而他說話依舊鏗鏘有力，走路依然威風凜凜。

「桃賽特皇后下令要我們準備西卜塔的陵寢，以及葬禮用的陪葬品。右隊明天就出發到國王谷地，將陵墓的每一個細節再檢查一次，左隊工匠則依照海伊手上的清單去製造那些陪葬品。」

「這花不了我們多少時間。」卡洛說道。

「西卜塔的陪葬品早已經準備齊全。」左隊的木匠也接著說道。

「我剛剛向你們提到的是在比拉美西斯的正式說法。」首長解釋道：「實際上的工作要複雜許多。我們必須製造一些權杖、皇冠和一座刻滿象形文字的祭壇。」

「用什麼樣的材料？」卡烏問道。

「黃金。」

「黃金！」圖弟驚訝地重複道；「可是誰供應我們金子？」

「我們自己生產，」智女說道，「但我們必須先獲得真理村創始者的支持，也就是阿孟霍特普一世，若沒有他的支持，我們就不可能成功。」

叛徒喜出望外。為了要製造黃金，首長勢必得取出光之石，並在一間特別的工作室內運作它。首長會叫某些工匠看守工作室，而他鐵定是其中一個。

到時候，他會不擇手段除去一或兩個同事，然後把光之石拿到手。

紀念阿孟霍特普一世的慶典在一年中有好幾次，其中最重要的是以遊行及大開宴席的方式進行。但這次村子裡要舉行的慶典不同，所有村民都要向阿孟霍特普一世的雕像匍匐跪拜。

當智女來到塑像面前時，工匠們屏住了呼吸。真理村的未來全部取決於卡萊兒的默禱能否引起阿孟霍特普的反應，結果只有兩種：一是開始煉金，再者就是向攝政皇后宣佈真理村放棄製造黃金，而皇后只好任塞特・奈克特爭取政權。

無論帕尼泊的希望是什麼，他都只能靜待神明的指示。

卡萊兒在神像前靜默良久，彷彿正在向祂說明這次請願的事由。當她退下的那一刻，神像沒有產生任何明顯的反應，帕尼泊不禁想像當他告知桃賽特行會無法達到她的要求時，她會是何等的失望與苦惱。

然而，就在卡萊兒恭敬地向雕像鞠躬行禮時，神像的頭點了一下，表示祂的同意。

＊　＊　＊

第一堡壘上的哨兵眺望著遠方，突然間，他猛然吞下所剩的一口熱餅。

「快去通知隊長！」他把同事大聲叫醒，後者嚇得跳了起來。「前方至少有一百多個士兵！」

「你呢？你要一個人抵擋他們？」

「哦……不。我跟你一起跑。」

「我們棄守堡壘？」

「你我兩人根本擋不了他們！」

他們並不是沒有勇氣，而是目前的情勢危急，需要索貝克出面，再說也沒有必要做無謂的犧牲。

不巧的是，一個多月以來，這天是索貝克唯一放部下休假的日子，警力因而減少許多；幸好索貝克隊長就在第二堡壘檢查一些磚牆。

「隊長，隊長，有一整隊士兵往這裡過來，還有許多戰車！」

「快將大石塊移到路中間。」

警衛們立刻照辦，索貝克隻身站在微不足道的路障前。

索貝克看到帶頭的那輛戰車慢了下來，最後在他前面一公尺停住。索貝克從戰車上的人所帶的盔甲認出他是莫希。

「您打算去哪裡，將軍？」

「我收到命令，要把首長帶回底比斯。」

「誰的命令？」

「是塞特・奈克特親自下的令。」

「不認識這個人。」

「你在開什麼玩笑，索貝克？」

「我只聽命於法老、首長和陵寢書記。」

「你很清楚你的部下根本不是這些士兵的對手。」

「要打了才知道。」

「你別忘記我也是有令在身，不得不服從！」

「假使塞特・奈克特要和首長見面，那就叫他親自到助理區來。到時如果首長願意接見他，一切都好辦。」

「你話講完了沒？」

「如果您下令攻擊，我們也一定會反擊。」

塞特・奈克特待在莫希的豪宅內，非常無法忍受賽克塔的嘮叨，對於她的搔首弄姿，他也毫無反應。最後，他獨自一人來到一間面向花園的辦公室裡。

「將軍剛剛回到家，」總管通知道。

塞特・奈克特迫不及待地到接待大廳去找他。

「您一個人回來，將軍？」

「如同我之前向您所說的，索貝克隊長對於我們的武力根本不放在眼裡。」

「您就這樣打退堂鼓？」

「如果我帶兵衝進去，索貝克的弓箭手一定會射殺我的人，到時會造成不少的死傷。這對您的名譽非常不好……」

塞特・奈克特的怒氣稍微緩和下來。

「是有道理，將軍……可是這個真理村就像個銅牆鐵壁似地堅不可破！」

「從它建立以來，歷代法老就是希望它這樣。」

「首長總不會拒絕與我見一面吧？」

「索貝克隊長建議您親自到助理區一趟，也許帕尼泊會在那裡與您見面。」

莫希深知塞特・奈克特覺得自己被嚴重地羞辱，有機會一定要讓囂張的行會付出慘痛的代價。

「您是西岸總督，莫希。您難道拿真理村一點辦法也沒有嗎？」

「我的角色只是單純地保護它不受外來的侵襲。也正因為如此，索貝克才會這麼有把握。他非常清楚我的士兵不會攻打他們。」

「就算是法老下的命令？」

「那情況就完全不同了。」莫希答道。

＊　＊　＊

「我知道你並不擅長交際，」陵寢書記向帕尼泊說道，「但你最好還是和塞特‧奈克特見一面。不管怎麼說，就算是桃賽特掌握了最高政權，他的勢力還是很大。你要不斷地想到村子的前途與安危，哪怕是有些事情你不願意去做。我親自帶個口信去給塞特‧奈克特，說你準備與他見面。」

「就這麼辦，肯伊。」

陵寢書記鬆了一口氣。帕尼泊不但沒有因為離婚一事而一蹶不振，反而改善了很多，許多份內的事他從不藉辭推拖。

「塞特‧奈克特是一個經驗老道而又狡猾的老臣，他會設計陷害你。所以，千萬不要多話，而且話題儘量簡單就好。」

「您放心。」

從帕尼泊臉上不滿的表情看來，肯伊自問讓他們倆見面是不是一個明智的決定？可是如果得罪了塞特‧奈克特，他會與真理村誓不兩立。

「答應我一定要謹言慎行，帕尼泊！」

「我只要跟他講幾句簡單的話……如此而已。」

＊　＊　＊

「是不是有人要攻擊我們？」費奈德與帕尼泊在村子大街上相遇，便向他問道。

「你看起來的確很擔心……」

石匠費奈德在離婚許久以後，好不容易才開始恢復一點體重。他聽了首長這句話不是很高興。

「我們大夥兒都是有家有室的人，而且也對塞特‧奈克特這種野心勃勃的人感到很擔心！」

「我也是，」帕伊強調道。「為什麼桃賽特皇后的對手想要闖入村子？」

「因為他想知道我們的秘密。」

「叫他滾回去比拉美西斯。」卡洛提議道。

「錯了，我們應該與他交涉！」雷努貝反對道。

「你跟他接觸時，一定要態度明確，不要向他讓步。」卡烏吩咐道。

「我們與這個傢伙井水不犯河水，」奈克特斷然說道。「就叫索貝克隊長按照規定不讓他進來。」

「我會去和塞特・奈克特交涉。」首長說道。

「這是個好主意，」傑德贊同道；「我相信他會碰一鼻子灰的。」

48

她美得實在無話可說。

她正全神貫注地在繡花，纖細而修長的手指似乎永遠不會累，每一個動作與姿勢都像舞者般美妙。不管做什麼事情，她的姿態總是如此地優雅與美麗。

「碧玉……」

她抬起了頭。

「帕尼泊！你不是該去見塞特‧奈克特嗎？」

「他還沒到。」

碧玉放下了繡布與針線。

「我的答案是不！帕尼泊。」

「我沒有向妳提出任何問題啊！」

「你敢說你不是想和我談談你恢復單身一事嗎？不管你有沒有離婚，對我都不重要。誓言就是誓言，我一輩子永遠不會結婚。」

「我曾經希望……」

「你什麼時候才會放棄這個希望？」

「妳對娃貝特的決定有什麼看法？」

「娃貝特純潔是哈托爾女祭司，同時負責廟堂的管理。其他的事與我無關。」

「那麼，關於我對自己兒子做出的決定，妳有什想法？」

「我只在乎你身為首長所持有的態度。行會認為你當時的態度是正確的。」

帕尼泊將碧玉緊緊擁入懷裡。

「你不是有一個重要的約會嗎？」

「沒錯，是跟妳。」

＊　＊　＊

在陶匠貝肯的命令下，所有的助理工全撤出了助理區。只有歐貝德一人獲准留在他的鐵舖裡，不過也不能踏出一步。索貝克和十幾名部下就近監視著整個助理區。

塞特・奈克特很意外首長不在助理區。

「我不習慣等人。」他向陵寢書記說道。

「帕尼泊很快就會過來。」

「您最好去通知他我已經在這裡了！」

肯伊點點頭，然後慢步走向村子大門。門口的守衛向他行禮，並推開門讓他進去，隨後又立刻將門關上。

儘管塞特・奈克特並不害怕，但他突然覺得自己一個人孤伶伶，四周的努比亞黑人警察向他投來懷有敵意的眼光，令他渾身感到不自在。他相信如果那些工匠攻擊他，索貝克隊長一定會無動於衷、見死不救。

無論他是想跑或只是單純地要求折回底比斯，結果都會很丟臉。桃賽特皇后是不是已預測到他的反應，所以設下了圈套讓他無法活著出去？塞特・奈克特試圖安慰自己，告訴自己攝政皇后應該會遵行瑪亞特的精神……可是首長為何到現在還沒有出現？

時間一分一秒過去，塞特・奈克特越來越肯定一件事：在攝政皇后的教唆下，行會準備為她除去頭號敵人，只因為他不讓這個野心勃勃的女人順利取得政權。

至少，他將寧死不屈，而且將昂然面對著殺手。當大門再度打開時，一時之間，他仍然感到不寒而慄。帕尼泊走向他，他不敢相信對方居然如此高大。帕尼泊只穿了一件工人的皮革罩裙，整個人看起來像一座屹立不搖的大山。塞特・奈克特終於了解為何外傳他一個人有能力打倒十幾名對手。

而帕尼泊在走來的路上，仍細細回味著碧玉的軟玉溫香，此刻他打量著外表看起來很不自在的對手。

「您希望見我一面？」

塞特・奈克特很快便恢復泰然自若的樣子。

「您的招待方式不是很熱情，首長。」

「您應該知道，行會目前忙碌得很，我沒有閒情逸緻跟您說長道短。請告訴我您此行的目的，我會儘可能地與您配合。」

「既然您希望開門見山……攝政皇后命令您去製造一些純金物品，可是又不供應任何的黃金，因為我們必須保留它們，以應付可能發生的戰爭。目前只有兩種可能，要不，您根本無法達到桃賽特皇后的要求，要不，您就是自己去生產這些黃金！」

「我會服從攝政皇后的命令。」

「照這麼看來，有關的傳說是真的了？」

「對，在某些特殊情況下。」

「哪些情況？」

「這是真理村的秘密。」

「假使法老親自下令要您不斷地生產黃金以供應國庫呢？」

「我會向他解釋這是不可能的事。我們只有為了國王靈魂的永生才會製造。」

許多人若聽到這種話很可能會嗤之以鼻，可是塞特・奈克特並沒有蔑視他的話。

「您也有可能是在向我說謊，帕尼泊。」

「這不是我的為人。」

「那麼您就實話實說！西卜塔國王的陪葬品何時會準備好？」

「大概再三個月的時間。」

「這麼久？」

「純金的大祭壇是一件很複雜的作品，再說，祭壇表面的象形文需要很精密的雕工，完全急不得。」

「您是在偏袒攝政皇后，首長，您將來也許會因此而感到後悔。」

「誰會怪真理村完成它的任務、怪工匠們盡到自己的職責？」

「難道沒有任何辦法提早完成這些陪葬品嗎？」

「沒有。」

「您再想一想，帕尼泊。」

「我的腦海裡只有一個念頭，那就是為法老製造這些物品，讓他在冥間擁有全然的力量。」

「您是否了解我不是那些權謀家？你們這些手段並不能阻擋我登上埃及的王位去挽救這個國家。等到我的責任完成時，你就完蛋了。」

* * *

烏奈士煩躁地清洗著一個調色盤。

「我有不祥的預感。」

「真理村又不是第一次製造黃金。」卡烏說道。他同時在為西卜塔的大祭壇畫草圖。

「就算是這樣，」帕伊說道，「我們還是腹背受敵呀！最後的受害者還會有誰？」

「首長知道自己在幹什麼。」卡烏肯定地說道。

「萬一他不知道呢？」烏奈士憂慮地反問道。

這時奈克特進入了畫室。

「會談結束了！」

三個畫匠跟著奈克特來到陵寢書記家裡，門口已經聚集了許多其他工匠。

「帕尼泊正在和肯伊說話。」圖弟說道。

「事情看來不妙，」卡沙猜道，「塞特•奈克特大概對他發出了最後通牒。」

「這種人只敢說而不敢做。」傑德輕描淡寫地說道。

「絕不可能！」卡洛反駁道，「一個與塞特神同名的人勢必是個危險人物。」

「他的怒火會摧毀我們的首長，」伊普伊預言道，「這個人擁有塞特神的真正力量。」

「村子的大門不對外人開放，而且永遠會保持這種情況。」狄弟亞有信心地說道，「再說，這種老臣也沒有本事破門而入。」

「如果這個人站在我面前，」歐塞哈特兇狠地說道，「我會好好修理他一頓，讓他懂得收斂一點！他以為他是誰呀？」

「你以為桃賽特皇后對我們就有利嗎？」卡沙不以為然地說道。

「她是攝政皇后，如此而已！」

「我和卡沙一樣有所懷疑。」費奈德臉色凝重地說出心裡話。

「我想得沒錯，」烏奈士重複道，「這一切都不是好現象。」

首長走出肯伊的家門。工匠們全都圍了上來。

「塞特・奈克特到底要什麼？」帕伊迫不及待地問道。

「他只是想知道我們的秘密，也要求我們服從他。」

「你該不會……你沒有讓步吧？」伊普伊沒有把握地問道。

「你認為呢？」

奈克特露出一個大大的笑容。

「我可以擁抱一下首長嗎？」

「你給我的擁抱對我就是最好的鼓勵。」

每個人都跟著奈克特輪流上前給首長一個擁抱，工匠們彼此之間的兄弟情誼就像金字塔的大石塊一樣，緊緊疊在一起。

「你有沒有想好要準備一間特別的工作室來製造黃金？」

「我會在神廟裡安排一間金坊。」

「我們之中由誰去看守？」卡沙問道。

「您們到時會有很多的工作要做。因此我會把這個工作派給小黑、大壞蛋，以及哈托爾女祭司們。」

49

叛徒氣得說不出話來。首長不僅沒有依照習慣在工匠中選出幾名來看守金坊，反而在每天早晨開始煉金時，要他們留在家裡向祖先祈禱。

這道嚴密的措施使得叛徒無法接近光之石。神廟前的塔門至少有四位哈托爾女祭司在守著，更別說廟內的露天中庭裡還有另外好幾位。

「你該不會又去想什麼荒謬的計劃吧？」叛徒的老婆問道。

「目前光之石不可能拿到手，我得和其他人一樣去工作。」

「首長警覺性這麼高，你永遠也不可能得到光之石！」

「妳錯了，老婆。第一，帕尼泊也許無法成功地生產這麼多金子，這麼一來，他就不再是首長；第二，如果他真的成功了，他的警戒心也會隨之鬆懈，而那些安全措施也不會這麼嚴格了。」

「你何時才會放棄？」

「我現在已經騎虎難下……況且我又知道它藏在什麼地方！我們會成功的，我向妳保證。」

「我很害怕……帕尼泊難道永遠不會知道是你嗎？」

「等他知道的時候，為時已經太晚，不管是對他或是對行會。」

*　　*　　*

「塞特・奈克特已經從底比斯回到首府。」首相歐利向桃賽特皇后通知道。就一些可信的大臣所言，他非常地不高興。真理村之行讓他碰了一鼻子灰，首長的確履行了他的諾言。」

「我一點都不懷疑。」

「我曾懷疑過，陛下。您任命我這個職位，讓我不得不提防所有人。」

「可是您已經見過帕尼泊了啊！」

「他留給我的印象是另一回事。您與塞特‧奈克特之間是一場艱苦的戰爭，面對這麼一個老手，他人的背叛隨時可能會發生。」

「我覺得你似乎很悲觀，歐利。」

「我只是講求實際罷了，陛下。」

「我們的支持者近來有沒有減少？」

「正好相反。」

「既然如此，你為何如此憂慮？」

「因為就算獲勝，您還是會被打敗。」

桃賽特很欣賞歐利的坦誠。她很高興自己選了一位宗教界的人來擔任首相，他遠離俗世，不會阿諛奉承或趨炎附勢。

「這話做何解釋？」

「我已經研究過朝廷的官員，以及塞特‧奈克特的親近。塞特‧奈克特的長子鶴立雞群，只有他擁有一個國家元首的特質。然而，他卻支持他父親的行動，而後者絕對很清楚自己兒子的長處在哪裡。」

「你真的認為我會甘願臣服於他？」

「我每天都在奮鬥，目的是為了減少塞特‧奈克特那一派的勢力。但我相信他的兒子會比父親還要來得難纏。就算您能夠擺脫塞特‧奈克特，那只能滿足您的自尊心，但不會讓您獲得真正的全面勝利。」

歐利的預言令皇后感到很不安。

「你有什麼建議？」

「如果您覺得這樣做是對的，那就堅持下去，但一定要考慮到現實的層面，同時要記得，不管在任何情況下，埃及的前途比您個人來得重要。」

＊　＊　＊

智女與帕尼泊將神廟的大門關上。帕尼泊拿出了光之石和肯伊交給他的《創作完成之書》。這本秘笈的內容包括了驅逐邪惡力量的咒語，以及祖先所構想的神廟建築過程。智女則帶來了一些小瓶子及各類器皿。

神殿的大廳內點燃了數枝火把，他們準備在此試著用煉金術來製造黃金。智女穿著一件紅色長袍，帕尼泊下身圍著一件白色纏腰布。他在大廳緩步地來回走動，並在四個角落停頓一會兒，以顯示每一個方位的存在，這四個方位會發出不同的光芒：東方為誕生之光、南方為強烈之光、西方為成熟之光、北方為秘密之光。

而光之石就放在正中央。

「無人能控制你、無人能征服你，」智女對光之石朗誦道。「任何一隻手都無法劃破你、雕琢你。求你開恩賜予光明。」

光之石開始變成淡綠色，接著它每一面發出一種柔和的微光。煉金的工作於是開始進行。

「請安置奧塞利斯神之床。」智女向首長吩咐道。

帕尼泊用五根圓頭十字架與刻有塞特神頭的十根權杖架成了一張床，然後將塞滿大麥粒、仿造奧塞利斯身軀的鑄模安放在床上。

「現在，請將神秘之箱打開。」

他們分站在光之石兩旁，兩人將它的上部如同蓋子般抬起來。

「我知道石內之光、也知道它的秘名。我知道它同時是聖言、也是聖行。」智女朗誦道。

「我已望見知識之箱，」帕尼泊跟著朗誦道，「我知道它含有奧塞利斯分散之軀、祂的身軀既是埃及、也是宇宙。只有光明能將它合而為一。」

她從光之石內取出一個封住的罐子。

「這是奧塞利斯的血液，各種力量以及尼羅河氾濫皆由此而生。有了它，所有物質皆可變為精神。」

帕尼泊從卡萊兒帶來的各種器皿中取出少量的金、銀、銅、鐵、錫、鉛、藍寶石、綠寶石、黃玉、紅玉髓、雞血石、天青石、綠松石等數種珍貴的材料。他把所有的材料搗碎，再倒入已裝有瀝青與相思樹脂的大鍋內。此二十四種礦物相等於晝夜二十四個時辰，經過烈火的燃燒而結合為一，而每一種成份仍繼續發揮其特質。

接著他們開始進行調整爐火的複雜過程，有時必須加強火力，有時必須減弱。在第一天即將結束時，卡萊兒在煮成的漿液內加了安息香脂。次日，帕尼泊把漿液過濾一遍，並讓它沉澱兩天的時間。之後，他再將它倒回大鍋內，同時補充一些松脂與香料。在繼續燒煮之前，他把漿液樁搗一翻，然後用一塊布將之脫水。

到了第七天，鍋子內的濃漿表面出現了何露斯眼睛的形狀。

「到目前為止，一切進行得很順利，」卡萊兒鬆了一口氣說道。「我們現在要把濃漿分成兩部份，一部份是極細的粉末，另一部份是一種濃脂。只有用何露斯的血液才能做到。」

卡萊兒打破裝有何露斯血液的罐子泥封，然後將裡面的銀色液體倒幾滴在鍋子裡面，剎那間，漿液分成了兩部份。帕尼泊取出浮在上面的粉末，讓濃脂沉在鍋底。

「把粉末灑在鑄模上。」

細微的粉末散發出強烈的香味，首長彷彿覺得自己是生命的播種者。

智女將罐子重新封上，將它放回光之石底部，接著再把石頭的上部蓋回去。光之石所發出的綠光逐漸黯淡下來，取而代之的是一道強烈的紅光。此刻智女身體搖晃得幾乎要倒在地上。

「卡萊兒！」

智女終於恢復身體的平衡。

「我們繼續吧！」

帕尼泊自鍋底取出黑色的膏脂。工匠只在金坊內使用它，將它塗在最珍貴的雕像表面，使得雕像具有不可摧毀之力量。

「妳先去休息吧！我們明天再繼續。」

「不可能的！若稍有疏忽，我們便會功虧一簣。」

智女將雙手伸到奧塞利斯鑄模的頭頂上。

「你身體的每一部份代表著宇宙的神秘力量，當它們結合成一體時，生命便再度顯現。請陶匠加上原始之水，並攪拌原料，讓上天產生復生者之金。」

首長照著做了。

「願上天的精神照耀人間，」智女繼續祈禱，「奧塞利斯是生命，既是唯一、又是多元體。願偉大的使命得以實現。」

卡萊兒和帕尼泊無法再多做什麼。他們已完全遵照祖先的秘方去進行，接下來只能等待物質的本身有所反應。他們靜靜地向尼菲禱告，希望他在冥冥中助他們一臂之力。但鑄模內的奧塞利斯始終沒有任何動靜。

正當帕尼泊認為他們已經失敗時，一根金條自奧塞利斯的心臟部位射出，緊跟著另外兩根自其雙眼噴出來。

奧塞利斯的軀體接著完全復活。祂的頭髮變成了綠松石、顱頂成了天青石、全身的骨頭成了白銀、皮膚則變成了黃金。

50

「怎麼會花這麼多的時間！」卡洛一邊擲骰子，一邊咕噥道。

「煉金又不是像呼吸一樣簡單。」卡沙接口道。「換我玩了。」

「你又輸了。」卡烏說道。

「今晚我的手氣真背！」

「你昨晚也輸。你已經欠我們一頓晚餐了。」

「你們有沒有看見烏奈士？」歐塞哈特問道。「我一直找不到他。」

「他在神廟附近。」卡洛答道。

「這個小子總是這麼好奇！他還以為自己會比別人先知道什麼……就讓他去做白日夢吧！」

「那些哈托爾女祭司一點兒也不買帳！」傑德哀嘆道，同時觀望著同事玩骰子。「我看我的魅力已經起不了作用了。」

「我一點兒也不擔心，」雷努貝說道，「智女和首長一定不會讓人失望的。」

「這也許還不夠，」帕伊憂心地說道；「那些原料根本沒有一個定性，要掌控它們的反應很難！能不能在期限內煉成金子仍是一個未知數。」

「你乾脆學那些沒有玩骰子的人去睡覺吧！」傑德說道。

「我怕做噩夢！」

「你是不是做了什麼虧心事？」

「你……這根本是兩碼子事！」

「別再激他了，傑德。」歐塞哈特勸道。

「你也心神不寧啊？」

「不但心神不寧，而且脾氣很大。」

「喂，喂！你們大家幹嘛這麼激動？」

傑德吹著輕快的口哨，歐塞哈特則聳聳肩，給自己倒了一些飲料。

大家不管是情緒平靜或是心急如焚，每個人都已經到了忍耐的極限。又是另一夜的開始，神廟內始終是大門深鎖。

＊　＊　＊

叛徒的妻子將他喚醒。

「他們已經出來了，你快去看看！」

他勉強坐起身，人還在半夢半醒中，夢裡的他頭戴金皇冠、手握法老的金權杖。

「妳在說誰啊？」

「我在說智女和首長！」

他一下子完全清醒過來，套了衣服便急急忙忙衝出家門。其他的工匠和哈托爾女祭司們已經聚集在塔門前，碧玉、小黑和大壞蛋仍盡職地守在門前。

「他們真的完成了嗎？」一名婦女問道。

「是在清晨完成的。」

「意思是說……金子已經製造出來了？」

「他們會親自宣佈結果。」

塔門終於打開了，卡萊兒和帕尼泊出現在大家面前。前者顯得很疲憊，而後者臉上也有一些倦容。

「你們成功了嗎？」費奈德問道。

「祖先聽到了我們的祈求。」卡萊兒答道。

＊　＊　＊

在莫希帶領的一場軍事演習中，戰車部隊模擬衝鋒陷陣的情形，看見一旁的步兵連閃都不閃。一場演習下來，有好幾名士兵受傷，甚至一人死亡，但為了要提高部隊的鬥志，以應付隨時會爆發的戰爭，犧牲幾個人算不了什麼。

莫希對他的精英部隊及裝備感到非常滿意，演習結束後便快馬加鞭往家中的方向飛馳而去。他很喜歡把馬兒們累到喘不過氣而一命嗚呼，牠們不過是畜牲罷了，只有那些埃及的古代智者才會相信動物是神力的化身。

莫希才剛下馬，總管便匆匆忙忙跑了過來。

「大人，您的夫人……」

總管不住地發抖。

「我太太怎麼了？」

「她正在大發脾氣，而且把許多珍貴的物品都給砸破了……沒有人敢勸阻她，而我……」

「她在哪裡？」

「在她的房間裡。」

莫希沿路踩著越來越多的碎片，直到賽克塔的房門口。房裡傳出一陣陣歇斯底里的尖叫聲。

賽克塔拿起高價位的香膏瓶，毫不猶豫便往牆上砸過去，美麗的壁畫頓時變得面目全非。她像隻困獸般橫衝直撞，完全沒有注意到莫希的存在。莫希一把抓住她的頭髮，狠狠一耳光摑在她的左臉頰上，力道大得令她嘴角鮮血直流，弄髒了身上的衣裙。

「這是怎麼……誰敢……你，莫希，是你嗎？」

莫希抓住她的肩膀猛烈搖晃，直到她的眼光轉為正常，才住了手。

「妳已經發作完了，賽克塔！」

「完了……」她宛如一個做錯事的小女孩嗚咽地說道，然後一頭倒在枕頭堆裡。

「妳為什麼胡鬧到這種程度，賽克塔？」

「我不記得了……啊！我記起來了！一封信……是那封真理村的叛徒寫來的信。他告訴我首長及智女已經成功地製造出黃金了。他們現在的威力無人能及，我們根本對付不了他們，完了……」

「錯了，這是個大好消息！現在我們已經很肯定的知道行會有多大的能耐。所以更應該要擁有它的秘密。」

「我好怕，莫希……有本事創造出這種奇蹟的人，一定會像魔鬼一樣將我們粉身碎骨。」

「不要再滿口胡言了，賽克塔！妳去喝一點鴉片湯提提神，好讓自己恢復正常。先去沖洗一下，順便把衣服裙子換掉。」

賽克塔乖乖地走進浴室裡。

莫希開始盤算要如何應付這個危險重重的新局勢。行會確實達到了攝政皇后的要求，後者此刻更是大權在握、勝利在即。不過這只是一個暫時性的勝利，塞特・奈克特和其長子不會因此而放棄政權的。他們為了篡奪王位已到了如火如荼的地步。現在若歸順桃賽特，無異於判自己死刑。看來免不了會有一場內戰。

然而，到底應該先支持哪一方、等它戰勝後莫希再來打敗它？

「我已經好多了，親愛的，真的好很多了……」

賽克塔換了一件新長裙，身上灑了香水，嘴角的傷口也擦上了藥膏，整個人已恢復了正常。

「我不太喜歡自暴自棄的人，寶貝。」

「你說得對，」她說道：「不過我剛才只是心浮氣躁而已。你可以相信我，我將與這個行會對抗到底，直到它被徹底毀滅。」

* * *

卡萊兒和賽雷娜一起度過了一個早上，後者很認真地在學習醫學方面的知識。此刻智女來到了尼菲墓前的酪梨樹下。這棵樹以驚人的速度成長著，樹上的枝葉已密密麻麻形成了涼快的樹蔭。陽光從心形的葉子隙縫中灑下來，她在這裡總是能夠感受到丈夫的存在，生活在天堂的他也一定正在望著她。

村民們到大甕邊去取水，並趁機彼此交換秘密，孩子們用破布做成的球丟來丟去玩成一團，工匠們則各自在自己的工作室幹活兒。村子的生活就像尼羅河流動的水一般，平靜、充滿陽光、而且神聖，尼菲的精神也依舊活在每個人的心中。

自尼菲過世以來，卡萊兒之所以堅強活到現在，是因為要保護真理村免於遭到災難的摧殘，而她，失去了愛情、失去了平凡的幸福，她的存在卻是真理村的精神支柱。

小黑走過來舔舔她的手，同時兩眼凝視著她，牠的眼神充滿了笑意與信任。

「你是不是餓了？」

小黑用長長的舌頭舔了舔自己的嘴角。

卡萊兒走向廚房，她的廚子烤了一些鵪鶉肉，四溢的香味早已令小黑直流口水。廚子在盤底鋪上一層鷹嘴豆加燻肉丁，令人忍不住食指大動。

「有緊急狀況！」卡洛的妻子前來通知卡萊兒。「我鄰居的小女孩剛剛不小心劃破了腳底。」

「妳拿一些東西給小黑吃。」卡萊兒向廚子交待道。

「您呢，您什麼時候用餐？」

「等有空的時候再說。」智女微笑著說道。

是的，生活仍要繼續下去。

51

「您請坐，塞特‧奈克特，也請您儘量長話短說，」歐利說道。「我今天上午非常忙碌。」

自從上任以來，首相瘦了整整一圈，臉上的皮膚也變得又乾又皺。他和已故的百依一樣日夜不停的工作，每一個檔案都詳加研究。他對皇后赤膽忠心的程度已造成了對手極大的困擾。

「我要見皇后一面。」

首相將身子坐直。

「您不是唯一想見皇后的人。」

「您別裝作不知道我是誰，也別裝作不知道為何我在這裡。」

「我的確不是不知道。」

「而您居然還敢擋我的路？」

「我的角色不正是為了要保護皇后嗎？」

「攝政皇后不能老是躲在您背後，歐利首相。現在是我和她把話說清楚的時候了。」

「您不覺得您的要求太過份了一點嗎？」

「我已經忍無可忍，我要求得到一個明確的答案。把我擋駕在外只會讓情況更惡化。」

首相站了起來。

「我陪您去見陛下。」

「我很欣賞您的態度，歐利首相。等到我成為法老時，我會需要像您這樣的人來幫我治理國家。」

「我聽命於桃賽特皇后，假使她不再執政，我會毫不遲疑地回去阿蒙神廟。」

首相帶著塞特・奈克特來到皇宮花園正中央的一個大水池旁。

皇后獨坐在一棵洋桐槭樹下，面前放了一個棋盤。她聚精會神地研究棋子，彷彿正在與一位看不見的對手下棋。

「陛下，」首相說道，「塞特・奈克特希望與您談談。」

「請他坐到我對面與我下棋。」

塞特・奈克特在皇后的對面坐下後，歐利便退下了。

時間一分一秒過去。

「我只有三步可走，」塞特・奈克特結論道；「但每一步都會令我很快地輸掉這一盤。」

「我的看法也一樣。」皇后說道。

儘管皇后的美麗教人心動，但她的對手不讓自己有所動搖。

「西卜塔國王的木乃伊化過程依照傳統共進行了七十天，而他從去世到現在已經有一百六十五天了，陛下。您當時要求延長下葬的期限，好讓真理村製造出足夠的金子來完成他的陪葬品。目前事情進行得如何？」

「您拒絕走下一步棋子嗎？」

「我們這場對談並不是一個遊戲，陛下。我需要得到明確的答覆。」

「我剛剛才得到陵寢書記的明確答覆，紀念西卜塔的大祭壇已經完成了。」

皇后下了一顆棋子。

「這是不是意味著……您已經訂下了葬禮的日期？」

「既然一切已準備周全，為何要再拖下去？」

「可否煩請您告知日期，陛下？」

「十天後。」

塞特・奈克特傾身向前，並移動了一顆棋子，因而躲過了桃賽特的攻擊。

「當陵墓的大門再度被關上時，攝政時期也將告結束。您屆時得向人民宣佈下一任法老的名字。」

「沒錯，就是這樣，」她說道，同時將了塞特・奈克特一軍。

「您是否放棄政權，陛下？」

「這麼做理智嗎？先夫曾經在建築和翻新神廟方面做了一些很重要的計劃，為了紀念他，我打算完成他的遺志。」

塞特・奈克特板下了臉，立刻站起身。

「這麼說，您已決定要掀起一場內戰！」

「誰告訴您有這麼一個可怕的決定？我們把這一局下完吧！」

「我已經輸定了，因為佈局的人是您。但權位之爭是一個更殘忍的遊戲，不是只有您可以訂下遊戲的規則。」

「沒錯，我也很明白這點，這要感謝我的首相，他的忠告讓我避免犯下嚴重的錯誤。」

塞特・奈克特又再度坐了下來。

「這麼說……您準備放棄了？」

「由於我們各人所懷的信念有所不同，你我兩人都無法放棄。」

「所以您選擇了迎戰！」

「您難道一心只想戰爭嗎？為了要避免因對立而引起禍國殃民的戰爭，其實還有別的辦法。」

「我不懂您的意思……」

「我明天就出發到底比斯去主持西卜塔的葬禮。典禮一結束後，我的政權將正式展開……您也是。」

塞特．奈克特張口結舌，一時之間說不出話來。

「您是指有……兩個國王？」

「法老的本質原是由一對國王夫婦所組成。我身為女性，也可以當上國王而獨自執政，就好像哈特謝普蘇特女王。但我沒有足夠的力量，也因此我提議與您共同執政。如果您唯一的目的是為了埃及的幸福著想，您就不會拒絕。」

「我們是否……一切都得共同決定？」

「我會住在底比斯，您則留在比拉美西斯。我負責建築、您負責國家的安全。萬一我們要進入戰爭，您必須獲得我的同意。」

「您一定會拒絕我發動戰爭的！」

「如果您的理由合情合理，我不會拒絕的，塞特．奈克特。我相信您會稟持公正之心，告之我實情。」

「多麼奇特的解決方法……」

「我們只要為上下埃及的前途著想就好，別無其他。」

「既然您已承認自己的弱點，我何不拒絕您的提議？」

「您和我一樣無法單獨執政。我擁有合法的政權，您不能藐視它。」

塞特．奈克特站起來走到水池面前，凝望著水中開放的藍色蓮花。

「我也希望和您一樣，相信和平永遠存在，陛下，但現實的情況不容許我做如是想。」

「也許您錯了……悲觀者不一定永遠是對的。您何時給我答覆？」

「在您離開底比斯之前。」

塞特・奈克特離開以後，桃賽特下了最後一顆棋子而贏了這一局。

*　*　*

小黑轉動著靈活而烏溜溜的眼睛、動作敏捷地與小賽雷娜玩著球。賽雷娜還沒扔出手中的球，牠已憑著直覺、拔腿開始往球可能落地的方向跑。突然間，小黑兩耳高高地豎了起來。牠不再對球有興趣，轉身便往村子大門的方向快速奔跑。

歐塞哈特的妻子一看見小黑衝過去，馬上猜到某件重要的大事就要發生了，因為小黑平常不會無緣無故浪費牠的精力。

歐塞哈特知道後，立刻走出了家門，並通知其他的同事。不到幾分鐘，整個村子便沸騰了起來，連正在寫《夢之鑰》的陵寢書記也走出了辦公室。

「為什麼大家這麼吵？」他莫名其妙地問道。

「小黑一路衝向村子的大門口。」雷努貝答道。

「你們就因為這隻狗而打斷我寫作？」

「中央政府也應該對您的信有所答覆了！」伊普伊提醒道。「我們很肯定小黑一定是察覺到郵差的腳步走近。」

「你們都給我回家去……」

「是郵差！」奈克特大聲喊道。「所有人全到大門口！」

「如果什麼都要由狗作主……」肯伊雖然嘀咕著，但也只好跟著大夥兒行動。

烏普弟將一封紙莎草紙信交給陵寢書記。

「這是來自比拉美西斯皇宮的一封信。」他宣佈道。

工匠們開了一條路讓帕尼泊通過。

「請將它唸出來。」首長向肯伊說道。

老肯伊將泥章打破。

「桃賽特皇后將親自前來真理村主持西卜塔法老的葬禮。一切相關事宜必須事先準備好。」

52

莫希一得知攝政皇后即將來臨，立刻便讓士兵進入備戰狀態。到時候他迎接的是個被罷黜的皇后，或是個新法老？莫希在比拉美西斯的情報員並未明確地回答他這個重要的問題。他們只知道攝政皇后在出發到底比斯之前，曾經和塞特・奈克特私下長談過，而且沒有他人在場。會談之後，也沒有走漏一點風聲。只有等到桃賽特在西卜塔國王的葬禮結束後做出正式的宣佈，他才能知道她到底是放棄王位，還是準備發動一場內戰。

這種不明朗的情勢令莫希煩躁不已，因此來到西邊的沙漠打獵。他藉由屠殺獵物的方式來發洩情緒，並讓自己的頭腦清醒一點。見到攝政皇后時，他最需要的莫過於保持冷靜的頭腦，尤其是他負責桃賽特的安全，因此可利用這個機會就近探出她的最後決定，再來研究到底是支持或是反對她。

假使他在這段過渡時期選擇效忠塞特・奈克特，他會把攝政皇后交給塞特・奈克特，而且最好是死屍一具，好讓她永遠閉上嘴巴而不能出賣他。反之，如果他決定選擇桃賽特這一方，他就得說服她以迅雷不及掩耳的方式，利用他所擁有的軍隊先壓制她的敵人。

莫希連續射殺了幾隻狸兔、一隻羱羊和兩隻羚羊，可是他依然覺得不過癮。他喜歡以屠殺取樂、喜歡那種主宰生殺大權的感覺、更喜歡看到那些心膽俱裂的小動物逃不出他的手掌心。

就在這時，他看到了牠。

那是一隻白黃色交雜的沙漠狐狸。這個小動物一感覺到自己成了獵人的目標，立刻便逃到小沙丘邊上的一塊平坦石頭底下藏匿。

莫希露出了笑容。

這隻狐狸以為自己逃過了一劫，其實已被判了死刑。他可以輕而易舉地將石塊搬開、把洞挖大，然後先用箭射向狐狸的脖子，再一刀刺死他。

然而一個不尋常的現象吸引了莫希的注意力：一根折斷的駝鳥羽毛。

駝鳥在沙漠中並非是罕見的生物，但這根羽毛有一個相當特殊的地方：它的顏色非常鮮豔。莫希挖開地上的沙子，發現了一堆殘餘的營火。

只有利比亞人才會在出征時，將駝鳥羽毛插在頭髮上。

沒想到來自利比亞的偵察兵居然敢深入底比斯這一帶……莫希本應立即回到總營部，並下令進行全面搜索。可是在這個混亂的時期裡，他有更好的主意。利比亞人雖然痛恨埃及，但如果有人出高價，他們也不排除投靠對方一途。莫希可以藉用這些無法無天的傭兵來增強自己的兵力，以爭取更大的勝算。的確，和這些一天到晚酒醉鬧事的傭兵打交道並不容易，不過就算失敗，莫希也有了最壞的打算。

現在只剩這隻以為逃過一劫的狐狸要處理。

莫希搬開石頭，將洞穴的入口挖大，一道強烈的光線射進了洞內。洞裡的狐狸睜大眼睛凝視著兇手。

莫希對這種眼神並不陌生。狐狸眼中的尊嚴與勇氣已深深地蓋過了牠的恐懼。然而兇殘的獵人卻絲毫無動於衷。

莫希一箭射過去，就在那一瞬間，狐狸已不見蹤影，只見那根箭射在空蕩蕩的洞穴中。

他愣在原地，隔了一會兒才意識到這隻狐狸另外挖了一條更深的坑道，在逃走之前大膽地擺了獵人一道。

莫希憤怒地將弓折成了兩段。

*　　*　　*

「來了！來了！」站在第一堡壘高處的守衛從一大早開始便盯著真理村前方的道路，一刻也沒有離開過視線。

他揮動著雙手向第二堡壘的警衛示意，後者也重複同樣的動作通知第三堡壘，如此一直傳到第五堡壘。

索貝克從辦公室走出來。他前一夜刻意刮了鬍子、理過頭髮，今天則特別穿上了正式的服裝、披上肩帶、腰間配著一把短刀。他大步走向皇后。

莫希親自為桃賽特駕馭戰車，只不過她仍是一派高傲而沉默，莫希始終無法得知她的意向。

「歡迎您蒞臨真理村的屬地，陛下。」索貝克恭敬地行禮說道。

皇后身上穿了一件淡綠色的長袍，金質的項鍊與手鐲在陽光下閃閃發亮。她的風采令所有的士兵與警衛為之傾倒。

「由於情況特殊，」莫希上前說道，「我必須陪著陛下，以確保她的安全。」

「沒問題，您可以一路陪到助理區，不過只有您一人，您的部隊得留步。這裡的安全是由我來負責。此外，您和我都不能進入村子裡。」

「索貝克隊長，這個規定難道不能……」

「這是真理村的規定，將軍，我們所有的人都得服從。」皇后提示道。

莫希雖然惱火，卻不得不聽命。

「您可以回到您的馬車上了。」索貝克向莫希說道。

「但我應該……」

「這是規定，將軍，請您記住。陛下剛剛也特別強調要遵守這個規定。在這個屬於皇后的村子裡，她會有什麼危險？」

「我連皇后打算要停留多久的時間都不知道！」

「那又怎麼樣？您和我都是元首的僕從。等到陛下決定要離開真理村時，我會讓您知道的。」

所有的村民全都列隊歡迎皇后的到來，當她一踏進村子時，年紀最小的孩童們立刻為她獻上用蓮花紮成的花束。每個工匠都穿上了他們儀典服，就連肯伊的服飾也在牛妞細心的準備下顯得格外高雅。

陵寢書記、首長和左隊隊長向攝政皇后鞠躬行禮。

「陛下，」肯伊說道，「這個村子屬於您。」

「我就住在拉美西斯大帝的行宮裡，直到葬禮結束，」桃賽特宣佈道，「你們是否隨時可以開始進行葬禮？」

「木乃伊棺已放進了西卜塔國王的陵寢內，」帕尼泊回答道，「大祭壇及所有的陪葬品也已經完成。」

「這麼說來，你們真的成功了……」

「諸神助了我們一臂之力，陛下，我們在金坊工作時，完全遵守祖先遺留下來的指示。」

「明天西卜塔的木乃伊身將被送到國王谷地。到時只由兩隊工匠參與祭典就好，並將你們製造的所有陪葬品放進陵墓內適當的位置。」

這個決定令行會的成員有些憂心。這是不是意味著桃賽特已失去了政權，而真理村是她最後的庇護所？

「葬禮結束時，」她接著莊嚴地宣佈道，「我將在卡納克接受加冕成為法老。塞特・奈克特也將同時登基。他已接受我的提議，我們將共同執政，如此一來便可避免埃及進入混亂的狀態。」

肯伊驚訝地說不出話來。埃及在這種情況下如何存活？

「我的決定會令很多人大吃一驚，」桃賽特續說道，「但最重要的，不就是維持國家的和平嗎？塞特‧奈克特已向我證明了他在乎的是我們國家的幸福，而非個人的野心。在締結此盟約的同時，他也許下了承諾，沒有我的同意，他不會擅自採取行動。我們為了國家的最高利益，從敵人變成了盟友。」

皇后的崇高靈魂令帕尼泊感動不已。從她的語氣中可以感受到她已超越了自我、不再執意獨自掌政。不過她依然是法老政權思想體系的捍衛者，或許對充滿塞特神之火的塞特‧奈克特能夠發揮制衡作用。

「您要不要先用餐，陛下？」肯伊問道。

「待會兒再說吧……我想先到廟裡一趟。」

在小黑的伴隨下，兩名女祭司陪著皇后到神廟，牛妞則利用這個空檔趕到拉美西斯的行宮內，再次檢查是否每個地方都一塵不染，而且也不缺花束。

卡萊兒代表村內的女祭司總長，站在神殿門口迎接皇后。

「女神的殿堂期待著您的蒞臨，陛下。」

「您和我兩人都是遺孀，對於我們深愛的丈夫至死忠貞不渝，他們將永遠存在我們的記憶中。只有在此處，讓我發現了愛的真正意義，那就是與瑪亞特之道天人合一。而真理村每天都活在這種令人欣喜的境界中。拉美西斯大帝是對的：真理村的存在比什麼都重要。」

「我現在將這神廟交回它真正的主人手裡。」卡萊兒說道。

「您是智女，未來繼續主持祭祀工作的人是您。我只有一個要求：看到光之石。」

「您今晚就會看見它，陛下。」

「有一個問題始終縈繞在我的腦海，而現在我終於找到了答案。您當時為何無法在皇后谷地找到我的陵墓位置？因為，從我們第一次見面起，您已經知道行會遲早會在國王谷地挖築桃賽特法老的陵寢。這一刻已經到來了。」

53

整整一個月的時間，比拉美西斯沉浸在塞特・奈克特加冕的慶典氣氛中，好不容易才開始慢慢回復正常的生活。因此，當歐利首相在天剛亮不久就闖入新法老塞特・奈克特的府邸時，後者一點兒也不感到意外。

「很抱歉這麼早就來打擾您，陛下，不過我們得一起研究所有的文件，好讓我能擬出一些具體的方案。」

塞特・奈克特並不排斥這個工作。他放棄了豐盛的早餐，立即坐到首相面前。

「我有一些非常好的消息要向您報告，」歐利繼續說道，「底比斯熱烈地慶祝了桃賽特法老的加冕典禮，西卜塔國王的葬禮結束後，桃賽特法老已住進了底比斯皇宮。我這裡有一些大工程計劃準備要進行，特別是位於三角洲的這個工程，相信您到時會有興趣親自監督它的進度。」

「我以為一旦我成了國家的元首，您就會辭職……」

「如同我向您承諾過的，陛下，我永遠會忠於桃賽特皇后。既然她也同時治理上下埃及，我當然繼續為她服務……目的是在於不斷地提醒您所許下的諾言。」

假使塞特・奈克特任由自己的脾氣發作，他會很樂意將這個放肆而又固執的首相狠狠踩在腳下！只可惜，除了他的長子以外，他誰都不相信，但他只信任這個正直而嚴格的歐利。他曾經想過幾位替代歐利的人選，但沒有一個人有他的能力能夠擔任這個艱難的職務。

桃賽特這一步棋的確高招，她選擇了這位首相，而且深知塞特・奈克特不可能將他免職。

「我覺得我們真的應該一起合作……」

「很高興聽到您這麼說，陛下。我現在就向您報告幾個問題，並請教您的看法，同時也請教桃賽特皇后法老的意見。我相信她一定會盡力與您達成一致的決議。有了起碼的誠意和許多的耐性，我們應該會有非常好的成績。」

*　*　*

「您近來身體如何，父親？」

「我感到很累，但又很高興。」塞特·奈克特向長子說道。「很累，是因為歐利首相完全不讓我有休息的時候。高興，是因為他很重視我的意見，也不會毫無理由就反對我的決定。可是……」

「可是，他就像是桃賽特在首府的眼睛和耳朵，讓您無法隨心所欲地做事情。」

「說得好，兒子。」

「由於這種情勢讓您很不舒服，因此打算告訴我您所想到的解決辦法。」

「你好像能讀出我的心事？」

「我非常了解您的個性，也知道您並不喜歡這個共同執政的決定。」

「誰會喜歡？」

「您的解決辦法是什麼？」

「你猜不出來嗎？」

「我想我已猜到了，父親。可是如果要罷免歐利，讓一個傀儡來取代他，將會是一個很嚴重的錯誤。這位首相是一位受人尊敬、也值得讓人尊敬的人，他的管理從來沒有被任何人批評過。」

「再怎麼說，他都是桃賽特的心腹！」

「那並不重要，因為您已和她訂下了協議，您也會遵守您的諾言。這個協議是一個很好的協定，父親，請不要去破壞它。」

塞特・奈克特心裡覺得好過許多。

他的長子所提出的看法完全符合他的期望，因此，他將按照原訂的計劃任命他擔任埃及軍隊的總司令。

＊　＊　＊

莫希在落座於卡納克附近的皇宮內為桃賽特舉辦了一場盛宴，所有與會者對於宴會的排場都嘆為觀止。雖說皇后法老只出席了幾分鐘接受底比斯官員的祝賀，不過光是這短短的時間，她的風采就已深深吸引了這些官員，因而無條件地成了她的支持者。

「多麼美麗的女性啊！」市長向莫希說道，「她的政策手腕又是多麼高明啊！假若桃賽特試著慢慢削減塞特・奈克特的勢力，並從而取回整個國家的政權，她一定會成功的。」

「您該不會是拜倒在我們皇后的魅力下吧？」

「誰不是？一位法老會決定住在底比斯，這對我們的城市是何等的光榮！比拉美西斯多少會有點損失。您看起來似乎不太舒服，莫希……」

「只是覺得有點累而已，過一會兒就好了。」

「您應該要多休息才對！您既是底比斯軍隊司令、又是西岸總督，這麼辛勤的工作都是為了我們城市的繁榮……真不簡單！大家都很佩服您大公無私的精神，不過您實在得為自己的身體多著想。」

「您放心，我的身體很強壯的。」

「請不用擔心。底比斯所有的達官貴人對您讚賞有加，相信皇后會再度委任您現在的職務。我自己也說了許多您的好話。」

「感激不盡。」

「小意思，莫希！聽我的話，好好休息！」

莫希露出一個僵硬的笑容。市長接著走向其他賓客，繼續他那些甜得膩人的虛情假意，莫希這時離開了宴會廳。大部份的來賓經過了一整天的焦慮，此刻已因為情緒的放鬆而醉得差不多。如同桃賽特的保證，新政府將不會改變既有的官員等級。

莫希的神經緊繃，因此一口喝下整杯熱辣辣的棗子酒。勞累……他才不在乎身體上的勞累，他只感覺到自己像是一隻掉入陷阱的獵物！莫希過去一直是底比斯這一帶的主人，而現在卻得聽命於皇后法老。很明顯地，桃賽特根本無意分他一杯羹。當西卜塔的葬禮結束時，桃賽特離開了真理村來到東岸，她在皇宮的大廳內召見了十位底比斯最有影響力的人物，其中也包括了莫希。

皇后發表了簡明扼要的談話：皇后法老準備親自監督所有的行政業務，連軍事也不除外。莫希迫不得已，只好於會後立即伴隨著皇后檢視總營部，她在那裡接見了所有的高級軍官，隨後參觀了一場戰車部隊與步兵連的演習。莫希覺得自己受到莫大的侮辱，但在皇后面前他仍得表現出一副忠心耿耿的樣子，從今以後，莫希不得不對她唯命是從。

「你在想這個該死的皇后，對不對？親愛的。」賽克塔撫摸著他的臉頰喃喃說道。

「她不久就會插手管國庫的開支，並干涉我的行動……只要我走錯一步，像市長這種卑鄙的投機份子馬上就會落井下石、趁機打我的小報告！」

「我不會給他們這個機會的，親親。」

「沒有我的同意，我不准妳輕舉妄動！」莫希命令道。

「是不是應該考慮除掉這個母老虎？」

莫希摟住賽克塔的腰，將她拉向自己。

「或許吧，寶貝，也許有這個必要……不過得等到我做出決定，妳知不知道？」

「越早除掉她不是越好？」

「我希望桃賽特這次的舉動只是想給那些官員一個下馬威，然後很快地再回到她紙醉金迷的生活，好讓我來負責一切。她為什麼不像其他人一樣信任我？」

「因為她是法老，而且又是一個權力慾很重的女人！你要多防著她一點，她是一個很難纏的對手。」

莫希把賽克塔的警告記在心裡。

「如果有必要，我們在她明白我如何擺佈底比斯之前就得先下手。」

賽克塔聽了很高興，她已經開始想像自己如何去謀殺一位法老。

「達克泰到了沒？」

「他在你的辦公室等你。」

矮胖的大鬍子達克泰已等得相當不耐煩。當莫希一出現時，他的怒氣終於忍不住爆發。

「您終於來了！為何我沒有被邀請參加這次的宴席，反而要讓人為我戴著風帽偷偷摸摸走進來？」

「因為這次的會面是一個秘密。」

達克泰的怒火猛然平息下來。莫希的態度似乎意味著有新的任務要交給他。

「您有需要我為您服務的地方嗎？」達克泰討好地說道。

「我在西邊的沙漠裡發現了利比亞人的營地。」

達克泰頓時臉色發白。

「利比亞人！他們難不成打算要……攻擊底比斯？」

「他們只不過是偵察隊，不過利比亞人已經有好長一段時間不敢靠得這麼近。」

「我想您八成已經派遣一隊人馬去逮捕他們了。」

「桃賽特給我帶來不少麻煩，所以我也許會需要一些新的盟友。」

「利比亞人，您的盟友……可是這些人是埃及世代承傳的敵人啊！」

「這要看情況，親愛的達克泰。我要你和熟悉那一帶的沙漠特警隊一起去逮捕這些人。」

「特警隊的人會把他們給殺了！」

「我會把命令交待得很清楚，你到時負責徹底執行我的命令。首先是盤問他們，然後再把我的口信帶給他們。」

達克泰大吃一驚。

「換句話說……我們要釋放那些利比亞囚犯！特警隊一定不會答應的。」

「命令就是命令……我也會交給你其他的任務。」

莫希把他要達克泰做的事情交待了一遍。

「它的危險性……」

「你沒有選擇，朋友。」

莫希冷峻的眼光令達克泰閉上了嘴巴。

「一定得成功，達克泰。否則我不會原諒你。」

54

面對眼前的緊急需要，帕尼泊向桃賽特建議將她的百萬年大神廟建在梅仁達和圖特摩斯四世的兩座神廟中間。皇后法老接受了這項提議，於是首長立刻便將藍圖畫在一張皮革紙上給左隊隊長海伊，並要他盡快開始施工。這座建築物能夠提供皇后所需要的力量，以便讓她順利執政及對抗邪惡的勢力。

所有世俗之人對於神廟建築所使用的特殊尺寸和比例表完全無法解讀，它們有一定的意義，目的在於讓神廟擁有生命。桃賽特一宣佈即位後，工匠們立刻便向採石場訂了貨，而第一批大石塊已運到了工地。為了要保持不讓石頭在堆砌時失去它們的原始力量，因此石匠們將它們切削得很粗糙而不規則；過度的勻稱會失去它們的創造性，並引來死亡。工匠們將石塊放在滑橇與大形的平衡器上，以便於運送與搬動。他們一一檢查每個石塊，首長一共淘汰了其中三塊。

「你有沒有準備石漿？」帕尼泊向海伊問道。

「我們挑選了品質最好的石膏，經過燒焙，反應很不錯，我們的橫向接縫會做得很薄。此外，用於滑動石塊的潤滑劑經過實驗後，結果令我非常滿意。」

海伊充滿感情地將手擱在準備施工於底座的石塊上。

帕尼泊親手鑿了一個燕尾形的榫孔，這兩塊石頭從此將永遠結合在一起。

海伊用一小塊相思樹幹填入孔裡，然後開始分配工作給左隊工匠，每個人在自己負責的石塊上刻下了個人的標誌。大夥兒一邊忙碌著手邊的工作，一邊吹著口哨，當帕尼泊聽出那是歌誦創作之美的曲調時，他知道這次的工程將進行得很順利。

＊　　＊　　＊

皇宮的侍衛們一站到帕尼泊的旁邊，身材立刻顯得瘦小而單薄，因此侍衛長讓六名衛兵陪著自己一同帶領帕尼泊到皇后的辦公室。桃賽特已經和治水官員一起工作了整整一個早上。

皇后法老先喝下一杯香草鮮奶提提神，隨後便立刻接見帕尼泊。

「您的百萬年大神廟已經開始施工，陛下。最後一批砂岩也會在這個禮拜結束前送達，再過不到兩個月的時間，您就可以舉行神龕的揭幕典禮。從那一刻起，神殿便會開始發揮它的作用，祭司們每天早晨也會在廟裡以您的名義舉行祭祀。」

「這真是一個令人喜悅的好消息，首長！」

「最難的工作還在後面，陛下。」

「你是指我的陵寢……你打算在什麼地方開鑿？」

帕尼泊向來不知焦慮為何物，可是這次向皇后提出的建議多少有點令他不安，因為他怕皇后會失望。

桃賽特不能向他坦承自己也非常擔心。行會到底希望在谷地何處挖築她的陵寢、讓她的靈魂於奧秘中復生？

「若由您親自到谷地去選定陵寢地點，會不會更好，陛下？」

努比亞警衛們在桃賽特和首長面前讓開一條路，兩人沉默不語地走進國王谷地。天空有一對隼在飛翔著，谷地內的暑氣逼人，陽光強烈地照射在懸崖壁上，反射出刺目的光芒。

帕尼泊走在皇后的前面，沿路經過拉美西斯大帝、梅仁達、以及阿孟美斯的陵墓、接著走上通往南邊的小路，然後向西轉。

西卜塔的陵寢對面就是掌璽大臣百依的陵墓，首長在經過它們時並沒有停下來，只是繼續向南走。他在圖特摩斯一世的陵寢前停了下來，就在塞特裔二世的陵墓不遠處。

「這就是智女所選的位置，」帕尼泊說道。「依費奈德和我本人的看法，這個地點非常好。」

「百依、西卜塔和先夫的陵墓形成一個三角形，而我的陵墓正好位於三角形的中心……你們選擇此處，是不是為了這個原因？」

桃賽特摸了摸岩壁。

「這裡的岩石很純，而且很適合使用鑿子施工。我們可以挖得很深而不會有太大的困難。」

「就是這裡了！」

「如果您喜歡的話，就這麼決定，陛下。」

「這個地方實在太美了，帕尼泊。」

首長感覺到桃賽特需要面對這片尚未受到侵犯的岩石獨自沉思，因此便退到一邊、遠遠凝視著皇后。她站大太陽底下，絲毫不在乎它的酷熱，首長意識到皇后法老和他一樣來自於同一把火。

時間彷彿靜止在這一刻，國王谷地的精神滲入了桃賽特的心，將女性與皇后兩者的特質結合成一位埃及法老。

「帕尼泊……」

他走上前去。

「你準備何時動工？」

「我只等您點頭同意。」

「請給我看草圖。」

首長在沙地上畫了起來。這個單純的動作令他回想起年少的日子，以及想成為畫匠的遙遠夢想。

「這……你準備要建的是一個巨大的陵墓！」

「它不光是巨大，而且裡面裝飾的壁畫也將史前無例。」

「它的規模是不是太大了一點？」

「行會有的是經驗豐富的工匠，絕對有能力做好它。」

桃賽特美麗的臉龐顯得有點黯然。

「我不認為命運會要我長期統治國家……而且我迫不及待地想回到塞特裔的身邊。」

帕尼泊深受感動，一時之間也找不到貼切的安慰字眼，他相信皇后也不想聽這些話。

「陛下……」

「你請說，首長。」

「行會會做出最大的努力，我也會日以繼夜不停地去畫。我們一刻都不會浪費，這個計劃一定會實現的。」

桃賽特露出了一個莊嚴的笑容。

「我信任你，帕尼泊。」

帕尼泊原本想說其他的話，但諸神不容許他這麼做。他從這位高尚的女性身上所獲得的，是她眼中比火焰還要純潔的目光。

* * *

莫希和賽克塔不斷地宴請底比斯省的一些主要官員，以便能夠私下和他們會談。他發現皇后法老的權威雖然無庸置疑，但他自己的權勢與地位並未因此而有所動搖。

然而桃賽特很快便會知道莫希的黨羽有哪些人，也會了解他是如何控制這些成員。他們答應繼續忠於莫希，但也開出了更多的條件，莫希不得不全數同意。

就在他憂心忡忡的同時，賽克塔則不斷地向國庫的檔案管理員施展媚功。後者是個呆板而軟弱的好色之徒。賽克塔對他的口胃而言有點太胖，可是當她用小女孩一般的天真口吻向他說話時，他的身體不由自主地起了一些特殊反應。

「您是否嚐過這瓶白酒，親愛的朋友？」莫希走向他們說道。

「我怕自己已經喝得太多了……」

「什麼話！人要懂得享受生活！」莫希為客人大方地斟了一大杯白酒。

「我們這位朋友真好，」賽克塔接口道，「而且他真是風趣！」

「您太過獎了，賽克塔夫人。」

「老實說，有好多的高官一點兒都不好玩！您真的很與眾不同……我相信莫希很快就會讓您高昇的。」

「這個主意太好了。」莫希附和道。「您認為西岸中央行政副主任這個職位怎麼樣？」

國庫檔案管理員一時高興得有點不知所措。

「這……這真是……」

「當然啦，薪資一定是加倍的。」

「我不知道自己是否夠格……」

「這個您不用操心。只是有一個小小的交換條件：明天早上將檔案處的會計文件取來給我。這張是我所需要的文件清單。」

管理員打了一個寒顫。

「我沒有這個權力，我……」

賽克塔靠上前搭著他的手臂。

「您人這麼好，一定會幫我們的，對不對？」

「您目前的職位是我給的，」莫希提醒他道，「您如果想升遷也要靠我。我可以靠您辦這件事嗎？」

莫希陰沉的眼神令他癱軟在原地。

「可以，可以，您可以……」

55

國庫的檔案管理員一大早就來排隊求見莫希。後者為了避免讓人猜到他急欲和管理員談話，因此先接見過其他兩人後才輪到他。

清晨的天氣仍有一點兒涼，可是管理員的額頭上卻不斷地冒出斗大的汗珠。

「你坐。」莫希一邊說道，一邊去把門關上。

「不用了……我把東西都帶來了。」

「給我看。」

管理員打開一個方形的籃子，並從裡面拿出五張紙莎草紙。莫希逐一地檢視它們。如果這些文件落到桃賽特手裡，她就可以知道這些年以來，莫希是如何地挪用公款。沒錯，若要找出文件的問題所在，需要有很專業的會計知識和敏銳的嗅覺才能夠看得出端倪，可是莫希不想冒任何風險。

「我已經把這些文件在總檔案上的編號全消掉了。」管理員雙手發抖地說道。「從現在起，它們等於從來不曾存在過。」

「太完美了，我的朋友。」

「那……我的新職位呢？」

「我下個月立刻就把你的資歷遞上去，要不了多久，你就可以正式上任了。為了謝謝你，我打算派人送幾個克里特島的五彩器皿到你家裡，相信你一定會喜歡的。」

「這怎麼好意思，真的太不好意思了！」

「對朋友沒有什麼不好意思的。相信我，你的作法是正確的。」

國庫檔案管理員準備用將來的薪水搬新家，然後再養個漂亮的女人。他鎮日埋在會計簿裡作帳，早已不相信感情這一回事，可是他卻非常相信有錢能使鬼推磨。

他嫌惡地望著自己的小房子。這棟兩層樓的房子位於底比斯北邊。像他這麼有辦法的人怎麼會長久滿足於這種寒酸的房子？看看那個小得可憐的花園，裡面只有種了兩棵老棕櫚樹，這些怎麼能夠配得上他的身份地位！再過不久，他就可以在新房子裡、懶洋洋地躺在水池旁的美麗樹蔭下乘涼了。

一個送貨的女人謙卑的低著頭走過來。

「這些珍貴的器皿……是不是要給您的？」

「當然啦！妳馬上將籃子放到這張矮桌上。」

國庫管理員迫不及待想看莫希送來的好禮，於是立刻動手去解開籃蓋上的繩子。

一條黑色的蝮蛇由於被關得太久，因而憤怒地一衝而上、咬了一口管理員的脖子。

這個可憐的傢伙大驚失色，慌忙用雙手壓住脖子上的傷口。

「快去叫一個醫生來！」

「沒有用的，要不了三分鐘，你就會一命嗚呼了。」賽克塔說道。她喬裝的技術如此出神入化，以致於讓管理員幾乎認不出是她。

「請幫幫我，求求您！」

「將軍知道你不會守口如瓶的……我讓你和這條蝮蛇好好獨處了，還有，我把器皿順便帶回去囉！」

管理員慌亂地想抓住賽克塔，卻被她輕易地閃過，他那無謂的掙扎反而加快了毒液在血中循環的速度。

賽克塔眼睜睜地看著他死去，心裡想到幸好有他幫忙偷出文件，莫希這會兒不會被抓到把柄了，不過桃賽特肯定會繼續查下去的，到時候她一定會察覺莫希是用賄賂與威脅的手段來管理底比斯。

賽克塔得在皇后找莫希麻煩之前先下手為強。

＊　＊　＊

右隊工匠聚集在行會新漆過的議室堂內，大家仔細聆聽著帕尼泊的簡短報告。

卡洛聽完後非常生氣，態度激烈地反映他的看法。

「你不是向我們保證過你會遵守正常的工作時數嗎？而且你還說過不取消我們任何一天的假日。現在你卻來要求我們累得像個苦役似的，好盡快完成桃賽特皇后的陵寢！」

「我並非不守信用，」首長解釋道，「而且也不想違背你們的意願。」

「如果我們拒絕的話，」帕伊說道，「你一個人根本無法挖築和裝飾這個陵墓！」

「假使你們大家都不願意做出最大努力的話，我也只好這麼做了。」

「你之所以這麼要求，真正的原因是什麼？」傑德問道，嘴角邊依然掛著一抹嘲弄的微笑。

「我們現在說的話都必須保密。桃賽特皇后很可能在位不久，她希望行會能夠同時為她建築百萬年大神廟和陵寢，而且越快越好。」

「陵墓為什麼要設計得這麼大？」卡烏不解地問道。「拉美西斯一世在位不到兩年的時間，他的陵墓雖然小、但也非常美麗啊！」

「法老的陵墓大小並非取決於他們統治時間的長短，」帕尼泊反對道，「你們有這麼多年的經驗，全都是個中翹楚，絕對有能力將這等規模的陵墓做好的。」

「你怎麼會知道皇后可能統治不久？」烏奈士問道。

「這只是桃賽特自己的預感。」

「智女怎麼說？」費奈德問道。

「她沉默不語。」

「這是個不好的現象。」伊普伊說道。

「我認為首長的計劃非常有挑戰性！」奈克特大聲說道，「最近這幾個月以來，我們幫外界做了不少工作，現在是我們將自己投入正事的時候了。」

「最令人興奮的事情不就是完成不可能的任務嗎？」傑德說道，「我們用很長的時間去挖築像西卜塔這樣的陵墓，結果無法發揮我們的極致。我雖然沒有帕尼泊的力氣與體力，可是只要我的精力許可，我將全力參與這一個偉大的任務。」

「至少有你和我兩個人。」狄弟亞平靜地說道。

「大家廢話少說，」圖弟斷然說道，「有誰反對首長的決定？」

「喂！」卡洛大聲說道，「這裡根本就沒有討論的餘地……與其浪費寶貴的幾個小時，倒不如趕快準備出發到國王谷地。」

* * *

賽克塔很滿足於自己的行兇手段，因此情緒放鬆地睡到日上三竿才起床。可是當她攬鏡自照時，愉快的心情頓時消失無蹤。她凝視著鏡中的自己，發現嘴角出現了一條可怕的皺紋。

她尖叫出聲，立刻要女僕和美髮師把乳液與香膏拿給她。

「妳們給我快一點，快一點！不能讓這個醜陋的東西毀了我的容貌！還有，馬上去把我的大夫找來！」

賽克塔仔細地上了妝，這才稍微感覺好一點。總管前來恭敬地向她通報。

「有一位客人從早上一直等您到現在。」

「他叫什麼名字?」

「他拒絕告訴我。我試過要把他打發走,但他說有一個非常重要的口信要帶給您。在這種情況下,只有您的決定……」

「他長什麼樣子?」

「中等身材,體格健壯,圓臉、黑髮……」

「把他帶到涼亭那邊,告訴他我馬上就來。」

總管不敢告訴女主人,來者的粗俗外表像極了莫希將軍。賽克塔很肯定這個人是特漢貝,也就是那個任由她擺佈的家具商。

賽克塔再一次檢查了臉上的妝,才去見這位不受歡迎的不速之客。

真不幸!的確是皮笑肉不笑、虛偽至極的特漢貝。

「你瘋了不成,特漢貝?我沒有允許過你跑來我家打擾我!」

「請原諒我的冒昧,賽克塔夫人,不過我有要事相告。沒有人聽得見我們的談話吧?」

「不會的。」

「底比斯到處有許多的傳言……很難分得出這些傳言到底是真是假,不過可以肯定的是桃賽特皇后表現得像一位真正的法老,而且您的夫婿目前的地位已變得……朝不保夕。然而,我們的關係是如此的密切,他、您、和我三人。」

「你是從哪裡聽來的流言?」

「您記不記得,賽克塔夫人……真理村的一名工匠是你們的親密戰友之一,這個工匠,我認識他。像這麼一條有價值的消息,若賣給桃賽特,難道不值幾條黃金嗎?」

賽克塔的眼睛幾乎要噴出怒火。

「哦！」他誇張地叫道，「我知道您心裡在想什麼！這個勇敢的特漢貝已經成了絆腳石，如果他消失的話，我和我的丈夫不會為他掉一滴淚的，是不是？千萬不要這麼想，因為我已經做了萬全的準備。再說，我對你們有信心，我相信莫希將軍會有一個偉大的前途。」

「你想要什麼？」

「第一，給我守口如瓶的代價；第二，和你們分一杯羹，當然是你們最吃香的一個計劃。」

賽克塔盯著他想了許久。

「我答應你。」她斷然說道。

56

「什麼，他生病了？」帕尼泊意外地說道。

「是的，他生病了。」石匠卡沙的妻子滿懷敵意地重複道。「反正就是這樣，他必須留在家裡。」

「我們今天早上就要出發前往國王谷地，我需要隊上每一名工匠都一起去。」

「卡沙就是不能去！他人在睡覺，我也不打算叫醒他。」

「我自己來叫他。」

「就算你是首長，我也不准你踏進我家一步！」

「妳不要太過份，免得我發脾氣。」

「如果你不相信我的話，你可以去問智女！她已經檢查過我老公的身體，而且認為他太過於虛弱、不適合起床。」

帕尼泊的好奇心被引起，於是大步來到卡萊兒的診所，她正在為一個過於好動的小男孩治療踝關節的扭傷。

「卡沙在裝病。」帕尼泊說道。

「他得了腎炎，我需要花幾天的時間來為他治療。」智女解釋道。

「妳該不會是在告訴我，他根本無法起床、走路和工作！」

「很不幸，確實是如此。」

「假使你讓我來處理，我會比妳更快治好他。」

「你不能違反規定叫一個生病的人到工地工作。」

帕尼泊不得不讓步，於是他來到陵寢書記家裡，準備請他把卡沙的名字及請假的事由寫在陵寢日誌上。

一看到肯伊穿著一件粗布上衣、手上拿著文具用品，他感到很驚訝。

「您難不成打算和我們一起爬到山口上，肯伊？」

「這……當然是！你難不成認為我不會參與一個新皇室陵墓的開工典禮？上路吧。」

帕尼泊的驢子走在前面領隊。北風和主人一樣健壯，一路上馱著陵寢書記的所有用品。牠踩著穩健的步伐決定隊伍的速度，最受不了的就是人類這種兩隻腳的動物走路慢吞吞。

首長走在通往山口的路上，內心充滿了感情。山口上設有一些小廟及小石屋。工匠們在施工期間會在這個地方過夜，此處也是最接近天空的地方。為了保持它的寧靜，他們不能在這裡生火煮飯；不過村民們可以為他們帶來好吃的東西。

在山口的夜裡總是令人難以忘懷。帕尼泊坐在他的石灰岩屋頂上，靜靜地欣賞著亙古發亮的大熊星座。

「你也還沒睡？」肯伊說道。

「我們一整天在維修祖先的石碑，這會兒全無睡意。我沒有一刻不想到尼菲，在這裡，我幾乎可以摸得到他的存在。」

「放心，你不愧為他的繼承者……你有沒有想好該如何進行工程？」

「我體內一直存在的那把火已經告訴我桃賽特的陵寢該怎麼做。」

「你一點都沒有改變，帕尼泊……打從你入會時、我為你在評審團面前辯護的那一刻開始，我就知道你一定會超越所有的障礙。首長一職並未改變你的意志力和你的願望。不過你還是要謹慎一點：其他的工匠並不像你的底子一樣硬。」

肯伊回到自己的小屋。他所住的這間是唯一擁有三個房間的石屋，第一間有一個U形的長條椅和幾個水甕，第二間有一張舖了草蓆的石床，第三間則是辦公室，好讓他可以在這裡寫陵寢日誌。

在這個簡樸的小房子裡，肯伊忘了他的年紀與病痛，因為他又重新生活在行會的偉大時刻裡，而他很慶幸自己有機會參與。為了將自己奉獻給真理村而放棄了前程似錦卻索然無味的事業，他一點也不後悔！除了真理村，有什麼地方能夠讓他如此接近生命的奧妙、有什麼地方能夠讓他生活在一片兄弟情誼的氣氛裡？

努比亞警衛班布負責看管國王谷地入口處的倉庫。他一看到北風到來，便讓開給牠通過，不過他卻用疑惑的眼光看著工匠們。

「你們有一個人缺席。」他發現道。

「卡沙身體不舒服，」陵寢書記解釋道：「他會在下個禮拜和我們會合。」

首長把班布的同事圖沙叫來，並交代他等到桃賽特的陵墓一開始挖掘，他要負責在入口處看守。圖沙身上配有一把短劍、一支匕首、一把弓和箭、以及一個投石器，只要有任何可疑的人物出現在這個地方，他有權力格殺勿論。

木匠狄弟亞幫助傑德在一個岩石凹處設立了他的繪圖工作室。他們搭了一些木板和白色的布棚，以便放置顏料罐、熔鍋及色料。由於陵墓的規模很大，畫匠們會需要用到大量的材料。

智女面對著尚未動工的岩石，將金罩衫、木槌及金鑿交給首長，由他來進行開工儀式。他鑿下了第一塊石灰岩，然後由費奈德來檢視岩石的品質。

「很完美。」他宣布道。

帕尼泊努力揮動著塞特神作了雙耳記號的大鎬，石匠們也跟著奮力開鑿。其他工匠則將鑿下的碎塊放進堅固的籃子裡，準備稍後將它們運走。

「鑿得好過癮，」奈克特興奮地喊道。「這塊岩壁好像就等我們來開鑿似的。」

「省省你的口水吧！」卡洛說道，「否則你馬上就會沒力氣了。」

「你呀，最好懂得運用節奏，否則很快就會弄傷自己的肌肉!連你再加上卡沙，我們隊上就有兩個病懨懨的傢伙了。」

帕尼泊二話不說，立刻為他們兩人調解。

工具鑿在岩石上的鈧鏘聲無形中變成了一種和諧的音樂。

＊　＊　＊

「一定要儘早把這個特漢貝除掉。」莫希斷然說道。「我想妳應該會很高興去負責這個任務吧?小寶貝。」

他躺在蓮花池邊，任賽克塔為他按摩著背部。

「它會帶給我很大的樂趣，不過現在下手還嫌太早，親親。」

「妳希望讓這個鼠輩繼續苟延殘喘一陣子?」

「他對我們還有用。」

「既然我現在已經不用再怕桃賽特，為什麼我還要為這個一心想背叛我們的敗類操心?」

「就是因為他擁有背叛這個特質!我已經想到了一個小小的計謀，他會是執行我們這個計劃的最佳盟友。」

莫希的好奇心被引起，因而轉過身來。

「特漢貝可以當我們的盟友?妳真是昏了頭，賽克塔!他滿腦子想的都是錢。」

她用食指輕輕劃過莫希的胸膛。

「沒錯，親親，就是因為這個原因！正是因為他這隻癩皮狗有這個完美的缺點，所以不會起任何懷疑。到時候他甚至連防都不防。」

「妳真是吊足了我的胃口……妳什麼時候變成了策略家？」

「你說呢？」

賽克塔將計劃一步一步地解釋給他聽，莫希開心得口水直流。這個計謀不但完美，而且還可以給行會來個迎頭痛擊。

* * *

帕尼泊沒有想到工程會進行得如此快速。工匠們的工作熱情及巧手令他們得以在岩石內順利地開鑿出寬敞的大洞，並以驚人的速度挖出往下沿伸的斜坡。卡沙的腎炎已經康復，再度歸隊的他也向同事證明了自己的精力依然不減。

畫匠的工作室內已擬出了壁畫的主題，雕匠們不需要首長給予刺激也自動表現出同樣的勤奮。肯伊體會到一種來自深處的莫大快樂。帕尼泊個人的光芒與活力成功地影響了整個團隊，大家的精力無窮、似乎永遠不知道疲倦。山口上的每一個夜晚都是幸福的時光。大夥兒滿足於白天的工作成果，同時準備第二天的進度。每個人熱烈地提出一些技術上的問題，直到首長做出最後的決定。桃賽特的陵寢似乎已佔據了整個右隊工匠的靈魂，就連平日態度冷淡的傑德也熱情地參與這次的偉大任務。

帕尼泊整個人充滿了創作的激情，從來沒有喊過累，一天也只睡兩個小時。夜裡，他凝視著群星，讓星星們為他補充次日所需的精力。首長總是第一個起床，天還沒亮就到祖先的石碑前祭拜，然後才叫醒其他仍在沉睡中的隊員。

肯伊困難地伸個懶腰說道：

「這種瘋狂的生活步調已經不是我的年紀可以做得來的……不過我們目前生活的每一刻都是那麼的美妙！」

「的確是。」

「你在想那個叛徒，對不對？」

「還有尼菲被殺的案子，每天早上我都在想。」

「我想該說的都已經說過了……」

首長突然凝神注視著前方。

「有人爬上通往山口的小徑。」

「你確定？」

「我想是一個女的。」

57

帕尼泊沒有說錯。

從來者的纖細身影判斷，他認出是娃貝特。由於她手上未提任何食物，帕尼泊擔心她是因為私事上有所不滿而前來找他。

然而娃貝特很快便證明了帕尼泊的猜測是錯的。

「這是一封來自比拉美西斯的緊急信函。郵差特別強調它的重要性，所以我認為你和陵寢書記有必要知道它的內容。」

「非常謝謝妳，娃貝特。」

「我要下山回村子了。」

肯伊看了歐利首相的信函。

「這封信不是應該先經過桃賽特皇后之手嗎？」帕尼泊意外地問道。

老肯伊不知道該如何啟齒。

「這是塞特・奈克特下的一個命令：他要我們在國王谷地開鑿他的陵寢。」

「底比斯又不在他的權力範圍內！」

「塞特・奈克特是一位法老，」肯伊提醒道，「他的這個要求是合法的，我們必須服從。」

「同時開鑿兩座陵墓……這是不可能的事情！我已經向真理村的隊員們要求太多了。」

「但還是得想出一個辦法。」

「延緩桃賽特的陵寢工程？不行！您去找塞特・奈克特協調，肯伊。我相信您一定有辦法說服他再等一陣子的。」

「不要太高估我的本事。照這封信的內容看來，國王急著要進行這件事，而且他已經很清楚要把自己的陵寢建在什麼地方：就在谷地的正中心，如此才可以接近他所崇敬的法老，如拉美西斯一世、塞特畜一世和拉美西斯二世。」

「平常不都是由行會根據地形的條件來向法老提出建議嗎？直到目前為止，沒有一位法老表現得像一名暴君，他們的陵寢始終都由我們主動提議！」

「你至少可以考慮這個可能性吧？」肯伊覺得自己進退兩難。

「所有的工匠都很疲累，該是回村子的時候了。」

＊　＊　＊

會議上大家顯得有點亂哄哄；不過行會的議事堂屬於神聖之地，尼菲寡言過去的專屬座位雖然空著，但他的靈魂於無形中與他們同時存在，因此每個人都儘量心平氣和地發言。

「目前的情況非常清楚，」歐塞哈特總結道，「兩位法老同時掌政，兩個人都要蓋自己的陵墓，而我們卻只能先蓋一個！既然桃賽特的陵墓已先開始進行，而且皇后法老定居在底比斯，這個話題就不用再繼續爭辯下去了。」

「完全不是這麼一回事！」烏奈士反駁道：「我們受限於規定，不得不服從法老的命令，尤其這關係到他的陵墓建築。」

「你有能力將自己一分為二、在不同的兩地同時工作嗎？」圖弟譏諷地說道。「我們非得選擇一方不可！」

「如果我們拒絕塞特・奈克特，他一定會讓我們付出慘痛的代價。」雷努貝憂心地說道。

「乾脆讓桃賽特皇后去和他處理這個問題！」卡洛提議道。

「陵寢書記的角色不就是負責幫我們擺脫這種困境嗎？」帕伊問道。

「我們大家應該要同舟共濟，而不要分崩離析。」傑德語重心長地勸道。

「看來只有一個辦法，」首長斷然說道，「讓兩位法老都滿意。」

「你要怎麼做才會讓他們兩個都滿意？」伊普伊問道。

「首先放你們大家三天假。接著派一個小組在谷地的中央位置開始挖鑿塞特・奈克特的陵墓。」

「你會不會是小組的一員？」狄弟亞擔心地問道。

「不，我得負責主要的工地。」

「那麼你打算派誰？」

「奈克特、費奈德、和伊普伊。我會把谷地的藍圖副本交給這三位去進行。」

叛徒一聽到這個宣佈，腦海裡馬上出現了一個計劃，他不用冒太大的危險，卻又能佔很大的優勢，第一就是令首長遭到撤職。

帕尼泊如果被排除，對行會而言是一個很嚴重的打擊，它的力量也將因此被大大地削弱。

這時，光之石就可以弄到手了。

* * *

半夜時分，肯伊在大壞蛋與小黑的幫忙看守下打開了保險室的三道門鎖，只有他和首長知道如何啟動這些機關。

「一切都正常嗎？」帕尼泊問道。

「沒有任何被侵入的痕跡。」

老肯伊藉著一支火把的光線將那些銅鑿移開，然後解開烏木箱上面所綁的粗繩子。

當他打開箱蓋時，心中多少有些忐忑不安，還好裡面的東西依舊安然存在。肯伊小心翼翼地攤開一張紙莎草紙，上面畫了國王谷地的地形及歷代法老的陵寢位置。

「我抄下我們所需的那一部份，」帕尼泊說道，「明天早上就可以交給費奈德了。」

首長開始仔細地把圖抄到一張紙上，肯伊則在一旁側耳傾聽四周的動靜。不過巨鵝與小黑都很安靜，沒有發出不安的訊號。

當肯伊再度把門關上時，一切顯得很平靜。整個村子仍舊沉睡在夢中。

「我很不喜歡這樣。」首長說道。

「你原本以為叛徒會有所行動？」

「不是，我是指塞特・奈克特的要求。」

「你已經找到了很好的解決方法，每個人也都接受了。」

「很好的解決辦法……我可不這麼肯定。」

「你在擔心什麼，帕尼泊？」

「我也很想知道！我們回去睡覺吧。」

＊　＊　＊

地板上散了一地的衣服、廚房到處堆滿了髒盤子、床鋪也顯得搖搖欲墜……費奈德的屋子簡直是一團糟。自從離婚以來，他從來沒有用心整理過房子。

帕尼泊將他搖醒。

「快醒醒，費奈德！」

「啊，是你……今天不是休假日嗎？」

「藍圖在這裡，等我動工開鑿後，你負責照著藍圖去進行。」

「先讓我清醒一下，再來研究它。」

「我看你需要有人幫你打掃房子……」

「萬萬不行，我不希望再有女人出現在我家！我自己會打掃。」

「你保證？」

「真理村的使徒說話算話！」費奈德一邊起床、一邊承諾道。「哇……你為什麼交給我這麼重要的一個任務？」

「因為現實的情況不容許我自己來進行。你放心，若發生什麼意外狀況，我會負起全責。」

「好吧……我先梳洗一下，然後我們兩人一起到谷地一趟。」

*　　*　　*

達克泰簡直是苦不堪言。

由於嚴重的鬧肚子，他已經好幾次離開隊伍去解決拉肚子的問題，整個特搜隊也因而耽擱了一些腳程。這個沙漠特警隊非常不喜歡達克泰這種嬌生慣養的學者參與行動，但莫希本人堅持要他們服從達克泰的指揮，而且不得有異議，因此特警隊長叫所有部下都閉上嘴。

「還是沒有那些利比亞人的蹤跡？」達克泰問道。他用一塊發燙的石頭壓著肚子，以減輕疼痛。

「就是因為有……所以您應該要慎重考慮一下。」

「考慮什麼？」

「眼前的情勢馬上就會變得很危險。這些利比亞人比毒蛇猛獸都要來得可怕，兩方對立可能會有一番激戰。您是學者出身，不可能會習慣這種場面的。」

達克泰像隻雄蛙般鼓起胸膛。

「莫希將軍交給我這個任務，我當然要完成它，不管情勢有多危險。只有我才是這次特搜隊的隊長，沒有別人！同時我要提醒您，這些利比亞人都得給我活擒！」

「看得出來您既不了解這裡的地勢、也不了解我們正在追蹤的獵物！」

「聽說這支特搜隊是由最有經驗的成員所組成……那就證明給我看。」

這句話嚴重刺激到隊長。

「沒錯，我們是最優秀的特警，也會證明給您看。」

「最好是這樣。我們何時會對利比亞人動手？」

「最晚再過兩天……他們已經開始在繞著圈子打轉，而且在背後留下了蹤跡。換句話說，他們已經累壞了，因此行動變得雜亂無章。就算他們再狡猾，也無法逃出我們的手掌心。」

58

六趾對於沙漠的地形瞭如指掌。大家用這個別名稱呼他，是因為他的左右腳掌各多了一個腳趾，也因此被視為一個無法無天的魔鬼。六趾知道要在危機四伏的沙漠中求生存，必須隨時保持高度的警覺而不能有絲毫的鬆懈，哪怕是在睡夢中。

他出入西底比斯至少已經有二十次，每次都成功地躲開了埃及巡邏隊的搜索，而這些對手都和他一樣不是省油的燈。懷著強烈的復仇願望，他覺得自己幾乎成了不敗之身。他要讓埃及的法老因為侮辱了他的同胞而付出慘痛的代價。

的確，現在還不是大舉進攻阿蒙神城的時候，這個富裕的城市還有莫希將軍在保衛著，眼前要做的工作是偵察前線的敵軍佈局，以準備來日的進攻。

「我們可不可以生火，隊長？」他的副手問道。

「可以到那邊的小山丘後面，用昨天剩下的火炭。」

「這有點困難……」

「你說這話是什麼意思？」

「昨天剩餘的木炭留在我們昨天的營地裡。」

六趾賞了他一巴掌。

「我還特別交代過你要把木炭一起帶走！」

他的副手立即亮出一把匕首。

「你不能這樣對待我！」

「你這個蠢材！埃及特警有了這麼好的線索……」

他的話還沒說完，一枝箭已從兩人中間穿過，一個威嚴的聲音喝令他們立在原地不許動。

「你們的哨兵已全數落網，別想企圖反抗，也別想逃走，否則就要你們的命。」

先是酷刑，再是殘殺，這就是他們的下場。六趾很想和他們拚命，但對手離他太近，只要他稍有動作，勢必會一箭斃命。

「把他們捆起來。」達克泰下令道。

粗粗的麻繩深深地陷入了肌肉裡，六趾的副手痛得齜牙咧嘴。

「把你的姓名和這次的任務報上來。」達克泰對六趾問話。從後者高傲的態度中可以看出他就是首領。

六趾朝達克泰的臉上吐了一口口水，達克泰反手擦了擦被弄髒的鬍子。

「讓我來教訓這個雜種！」特搜隊長要求道。

「不可動粗！」

「可是您根本不知道他們是什麼樣的狠角色！」

「這個混蛋名叫六趾，」一名部下望著六趾的腳說道。「聽說他是利比亞最好的偵察兵之一……這下我們可立了大功！」

「我要單獨跟他談談。」達克泰命令道。

「您最好小心一點。」特搜隊長提醒道。

六趾頗感意外，於是打量起達克泰。

「你不是一個軍人……」

「不，我是一個居中協商者。」

「如果你又發明了什麼新式的酷刑，儘管放馬過來吧！反正我不會透露任何情報給你的。」

「我卻有一個情報，而且是很重要的情報：莫希將軍要和你的首領之一會面，而且必須秘密進行。」

「你是在尋我開心！」

「會面的時間訂在三個月以後的半夜時分，地點是在羚羊河床附近的那個廢井旁。」

「你真以為利比亞人會笨到去上這種當？」

「莫希將軍屆時只帶幾名沙漠特警一起來，他的軍隊不會出現，到時你很容易分辨得出來。請你的首領也不要帶兵來，否則就不用見面了。相信我，如果你們不照著做，你們的損失會很大，因為將軍有意向他未來的盟友示好。」

「他未來的盟友……」六趾不解地重複著他的話。

「莫希想要交給你們一個任務，而且事成之後必有重賞。」

有那麼一刻，六趾的貪念幾乎超越了不信任。

「你只是在說謊！」

「我現在就釋放你和你的部下，讓你把我的口信送達。」

「釋放我們……想都別想！」

達克泰走向沙漠特警。

「把這些利比亞人全都鬆綁，並放他們走。」

特警隊長彷彿被沙漠毒蚊狠狠叮了一口。他站到矮胖的達克泰面前。

「不行！這些罪犯都應該被處死刑。」

「您難道不了解嗎，隊長？」

「了解什麼?」

「莫希對這幾個偵察兵根本不感興趣,」達克泰壓低了聲音說道,「他要抓的是他們的首腦,只有設下陷阱才有辦法達到這個目的。到時這個汗馬功勞就屬於你們的了。」

* * *

「我很滿意,也很不滿意。」費奈德結論道。

奈克特放下銅鑿,揩了揩額頭上的汗珠。

「你可不可以把話說清楚一點?」

「岩石看起來很好開鑿,石灰岩的成份也極佳,可是這個地點有點像是一個沒有作為的女人。」

「我看你是因為離婚的關係,頭腦還清醒不過來!」伊普伊回嘴道。「趕快把你的老婆好好忘掉,你會發現生活還是很美好的。」

費奈德挺起了胸膛。

「我從來不把私人的問題與工作混在一起……既然你的綽號是檢查員,你應該知道我說的是實話。」

「千古英雄難逃女人關。」奈克特搖頭晃腦說道。

「你呀,與其造一些亂七八糟的成語,倒不如拿起銅鑿好好幹活兒,至少會讓我們的進度快一點。」

「有些人只會抬槓、有些人只管認真幹活兒。」伊普伊一邊清理銅鑿,一邊說道。

「你是巴不得自己被分配到桃賽特的陵墓工作!」費奈德反唇相譏。

伊普伊輕手輕腳地放下手中的工具,然後審視著他的同事。

「人類有兩種：一種是蠢材，另一種是正常人。我很擔心你是屬於前一種。首長把開鑿的任務交給我們三人，表示他完全信任我們。我個人為此感到無上的光榮。」

「你剛剛說我是蠢材，是不是這樣？」

「吃中飯的休息時間還沒到！」奈克特趕緊居中調節。「你們要抬槓可以晚一點再開始。」

奈克特繼續開鑿陵墓的走廊。其他兩人互瞄一眼，也跟著挖了起來。

「稍微靠右一點，」費奈德強調道。他一絲不茍地照著首長的藍圖執行工作。

「奇怪……」

「怎麼了？」

「岩石發出一種不尋常的回響。」

「我看看。」

費奈德用一把寬鑿來檢查岩壁。

「你說得沒錯，岩壁似乎厚度不夠。」

「你再查一下藍圖。」

「不可能有錯，我們的方向完全正確。」

「好吧，那我們就繼續鑿下去！」

三個人比剛才更加賣力地揮動工具。他們的施工速度雖然比不上其他同事在桃賽特陵墓上的進度，可是他們打算讓同事對這個小隊刮目相看。

奈克特重新舉起大鎬，猛力朝岩石鑿下去，鎬尖應聲卡在石塊中，而且深得令他一時之間失去重心，差點鬆了手把。

「你在幹什麼？」伊普伊生氣地說道。「我敢打賭，你一定背著我們喝了不少酒！」

奈克特覺得很難堪，立刻氣沖沖地站起來頂嘴。

「別瞎扯了！這是我第一次出這種洋相……這個鬼地方大概被人詛咒過，我看只有這個解釋。」

伊普伊傾身向前檢查鎬尖所劈開的裂縫。

「四周沒有感覺到什麼邪氣……你只是在岩穴上鑿開了一道裂縫。」

費奈德拿起一枝火把靠近縫口。

「我們把裂縫加大。」

奈克特立即照做。

他使盡了吃奶力，終於鑿出一個洞口，寬度足以讓伊普伊擠進洞裡。

「你有沒有看到什麼？」費奈德問道。

「裡面另外有一個通道……我得爬上去。」

「小心一點！」

「不會有問題的，你不用擔心。」

伊普伊只進去了幾分鐘，但其他兩個同事卻覺得這幾分鐘漫長而無止盡。

當伊普伊再度出現時，他的臉色蒼白、絲毫不見血色。

「簡直教人不敢相信……我們剛剛挖到了阿孟美斯法老的陵墓！」

59

「事情好像很嚴重。」傑德向帕尼泊說道，「費奈德那一小組要求立刻見你一面。」

首長從墓穴中走出來。

「有問題嗎？費奈德？」

「問題可大了！我們照著你的藍圖去做，結果鑿到阿孟美斯的陵寢！」

「不可能！」

「但這是千真萬確的事情。」伊普伊難過地說道。

帕尼泊立刻來到了現場，發現伊普伊說的一點也不誇張。

「現在怎麼辦？」奈克特沮喪地問道。

「你們把鑿開的走道平整地填回去。」

「我們是不是要放棄這個地點？」

「沒有別的選擇。」

「我說過有問題的，」費奈德再次說道，「結果真的有問題！」

「你晚點再訴苦吧！」奈克特接道，「現在，先把洞填起來再說。」

整隊工匠悶不吭聲地往山口前進。帕尼泊走在隊伍最前面，其他工匠幾乎要跟不上他的速度。他一到達山口上的石屋區，兩眼就沒有再離開過西下的夕陽，彷彿除了它、什麼都不復存在。

工匠們開始沉默地吃著晚餐，只有肯伊一人敢接近帕尼泊，他巨大的身影遮住了西峰的一部份。

「我必須將這件事寫在陵寢日誌上，帕尼泊。」

「誰阻擋您了？」

「整個隊上都已經知道了這個可怕的意外，我不得不記錄下來。」

「這是您份內的事情，您儘管去做，肯伊。」

「很遺憾的，光是這麼做還不夠……」

「還有什麼？」

「首長也不能免除行會的規定，相反的，由於這是一個嚴重的錯誤，我只好召開法庭。」

帕尼泊轉身面對肯伊。

「您打算要審判我？」

「只有兩種情形：第一個是法庭宣告你無罪，如此一來你便繼續帶領行會進行工程；第二個是法庭判你要對這個錯誤負責，這時只有卸職一途。」

陵寢書記話一出口，緊接而來的是一陣長長的沉默。

「我不會到法庭面前受審，」帕尼泊斷然道，「因為我已經知道審判的結果。我是唯一要為這件事情負責的人，也就是說我有罪。」

首長有力的聲音吸引了工匠們的注意，大家放下手中的食物側耳傾聽。

「不要這樣，」陵寢書記勸道，「你很清楚大夥兒都非常尊重你。」

「再怎麼尊重，也免不了罷免我一途……你們生活在一個太陽國，但你們卻受不了它的光芒。你們和我的本質不同。你們所尋找的是個人的舒適與安全，然而你們卻不接受夏日的陽光浸潤你們的心。明天，你們大家全回村子去，並且再選出另外一位首長。」

所有工匠都站了起來。

「你有什麼打算？」肯伊憂慮地問道。

「我要去西峰頂上呼吸它的空氣，同時讓它的火焰燃燒我自己。」

帕尼泊的表情是如此的嚴肅，以致沒有人敢說一句話。不過，當帕尼泊離開石屋區時，奈克特趕了上去。

「你一旦去了西峰頂上，就無法活著回來！」

「那又如何？反正我已經被排除在行會之外。」

「法庭又還沒有做出任何判決！」

「我的失誤遠比一個罪行還要來得嚴重，沒有一個工匠可以反駁這點。因此，我只好請求西峰之神來審判我。」

「如果祂判定帕尼泊無罪，」圖弟接口道，「他就仍是我們的右隊隊長和首長。」

肯伊低著頭不說話。他很清楚西峰過去從來沒有寬恕過有罪之人。帕尼泊最好是接受村子法庭的審判，法庭也許會因他的誠意而網開一面。

只不過帕尼泊是個有原則的人；他不會從首長的身份變回到一個單純的工匠。他之所以選擇面對西峰的烈火，是因為他想要以神的力量來洗淨他的過錯，並且繼續發揮他的潛能，以創造出桃賽特的陵寢。

肯伊身為陵寢書記，絕不能偏袒任何一位首長，不管後者有多大的優點，他也只能對事不對人。自從真理村存在以來，這是它一貫的法則，若是不繼續遵守它，行會將因此而消失。由於帕尼泊深受愛戴，陵寢書記這種堅定的態度勢必會引來工匠們的怨恨，可是他不在乎；因為他的嚴苛，整個村子才會受到保護。

「我在猜是不是大家都回家去休息，並慢慢等待西峰審判的結果？」烏奈士挖苦道。

「除非肯伊決定接手指揮工程。」卡沙諷刺地說道。

老書記對於眾人的挑釁無動於衷，只是靜靜地拿起枴杖朝山下走去。他全身的骨頭疼痛，也無心多看山裡的風景一眼，而平常他是如此地喜愛這裡的美景與雄偉。從今以後，他將被視為帕尼泊阿當的迫害者，也許是該考慮退休的時候了。至少，他已經盡了身為陵寢書記的義務，所以問心無愧；只是他一直想不通，為何像帕尼泊這麼有經驗的畫匠，會在抄錄正本時出了這種差錯？

* * *

碧玉前來找陵寢書記，卻牛妞擋在書房門外。

「聽說陵寢書記讓帕尼泊去送死，是不是真的？」

「當然不是！是帕尼泊自己決定要面對西峰，沒有人強迫他。」

「但是是肯伊逼他去接受法庭的審判！」

「這是他的職責，碧玉，因為首長所犯的不是一般的錯誤。妳要知道我對娃貝特也是這麼解釋，任何一個工匠或哈托爾女祭司都不能批評我們的嚴格規定。我的丈夫只是按照規定行事，我們大家都應該讚揚他才對。」

「那他為什麼不出來見人？」

「因為他不但疲勞，而且心情很沮喪。妳以為帕尼泊的選擇讓他很好過？不要再來找陵寢書記的麻煩了，他只是在盡自己的責任而已。」

碧玉對於牛妞堅定的態度無話可說，只好離開那裡，轉而朝智女家走去。她從未想像過帕尼泊會有消失的一天，她還感覺得到他的激情，就好像他把她緊緊擁在懷裡，一刻也沒有離開過。

自從他們相遇以來，他們對彼此的吸引永遠是那麼強烈，每次做愛總是靈肉合一，從來沒有褪色過。碧玉是個自由之身，她大可以接受別人的追求，可是她卻沒有背叛過他。打從她成了他的情婦之後，她的熱情只屬於他一個人。

她沒想到自己居然深愛他到這種程度……從年輕、桀驁不馴的帕尼泊，一直到他成為成熟的行會首長，她還沒有完全了解他的奇異魔力，不，她不要失去他！

* * *

智女正在和賽雷娜展開一場嚴肅的對談。小小的賽雷娜向她尋問有關父親的消息。

「他真的一個人到山裡去了嗎？」

「是的，賽雷娜。」

「他是不是要到山頂去見女神？」

「的確，這是他的目的。」

賽雷娜知道智女從來不會對她說謊，聽到這個答案，她變得若有所思。

「好吧，我要去閱讀有關肺疾的資料了。」

賽雷娜走進了卡萊兒的圖書室。

「她還不知道事情的嚴重性。」碧玉感慨道。

「妳錯了。」

「賽雷娜看起來是如此冷靜、如此漠然！」

「她很了解西峰，也很了解她父親。」

「請妳讓我到西峰去一趟，卡萊兒，讓我去幫助帕尼泊！」

「太遲了，碧玉。他必須自己面對這個審判。」

* * *

「您至少喝一點蔬菜湯吧！」牛妞對肯伊勸道。

「我不餓、也不渴。」

「就算您不吃不喝、只是瞎操心，也無法令帕尼泊回來啊！」

「整個村子的人都討厭我。」

「那又怎麼樣?反正您對得起自己的良心。」

「良心，良心……說得是很簡單！」

牛妞皺起了眉頭。

「您對自己有什麼不滿？」

「我不知道，不過我總覺得似乎忘了一個很重要的細節……給我倒一點酒來。」

「您認為喝酒會讓您的頭腦更清醒嗎？」

「搞不好，誰曉得？」

牛妞只斟了杯底一點酒。

肯伊在一口喝下時，終於想起他到底忽略了什麼事。

「我腳痛得沒辦法走路……妳去幫我找費奈德，叫他帶著帕尼泊畫的藍圖立刻來見我。」

60

帕尼泊在攀上西峰的同時，心裡想到傑德曾經對他提出的警告——生活常常會帶給我們一些殘酷的考驗，讓我們爬得越高、跌得越深，而你會摔得比別人更慘，因此你要將戰勝黑龍的故事牢記在心。

西峰的烈日高照，它是否真的藏有一個他必須與之奮戰的怪物？其實帕尼泊心裡想的倒是免職一事。他覺得自己可以隨時迎戰最強悍的對手，但這次的事件卻來得太突然、太出乎意料之外，結果令他不戰而敗。

哈托爾女祭司特別叮嚀他要帶著花束當作祭品獻給西峰女神，以平息祂可能燃起的怒火；然而他卻兩手空空，唯一的祭品是他內心那把足以震動山河的怒火。

帕尼泊不願等到日出或日落才上山，他硬是要選在中午太陽最酷熱的時候向西峰之神挑戰。祂既是真理村的守護神，也是一把無情的烈火，祂的猛烈足以摧毀不慎與自大之人。

帕尼泊終於來到山頂上的小神廟。他舉起拳頭開始怒吼。

「妳雖然如此喜愛沉默，但妳還是要回答我！因為妳是瑪亞特的化身，而瑪亞特是天空、是萬物變化之主，如果妳認為我夠資格領導行會，那就請妳告訴我！我所犯下的錯誤是否足以令我無法再創造桃賽特法老之陵寢？」

結果卻只有換來一陣沉默。

這種殘忍的沉默是如此的沉重，連帕尼泊幾乎都被壓得無法挺直腰杆。可是他並未因此而屈服，而且再一次同樣激動地詢問女神。

於是，西峰開始動搖了。

這並非是地震，而是一種非常緩慢的舞姿，它令帕尼泊也跟著晃動起來。

「妳終於說話了！請不要猶豫，說得大聲一點，好讓我確實聽見妳的判決！」

帕尼泊恢復了身體的重心，而就在這時峰頂上的岩石裂開了一道縫，裡面射出一道紅色的光芒。

他痛苦得大叫一聲，同時用雙手遮住眼睛，儘管如此，他依然挺立在原地。

當他再度睜開眼皮時，他的雙眼已經全瞎。

「妳要阻止我畫畫，因為妳是一個殘酷的女神！難道我忘了分明是非？難道我發了偽誓、或是有辱建築之神卜塔的名譽？因為我反抗妳的沉默，所以妳才想用羞辱我的方式來摧毀我，但妳會失敗的！就讓天崩地裂把我吞噬、讓狂風暴雨將我永遠帶走吧！」

＊　　＊　　＊

肯伊因為過於激動，他的聲音不住地顫抖著。

「這是一個可怕的誤會……不，是一個下流的手段……帕尼泊沒有犯任何錯……妳看看這張藍圖，卡萊兒，仔細看！」

智女詳細地看了文件。

「這不是帕尼泊畫的線條。」

陵寢書記內心狂喜不已。

「正是我的結論！叛徒溜進費奈德家裡偷走了首長畫的藍圖，然後故意抄了另一張錯誤的藍圖，而費奈德就是根據這張……原來這就是事實的真相，太可怕了！假使我沒有想到去研究這張偽造的藍圖，我可能還繼續認為錯在帕尼泊。」

「您有沒有問過費奈德？」

「當然問了！他承認要偷到這份文件並換上另一份假的，是再簡單不過的一件事。費奈德，他不可能如此毒辣地偽造文書，再假裝自己是受害者……這太荒唐了！」

「我現在就去找首長。」智女決定道。

「假使西峰饒他一命，他早就該回來了……」

的確，肯伊說得沒錯，叛徒用這個技倆成功地除去了首長。但卡萊兒仍抱著一絲希望。

「不要冒任何危險，」肯伊求她道；「我們此刻非常需要妳！」

智女依然走向通往西峰的小路，這時突然有一隻小手牽住卡萊兒的手。

「我知道妳要去找爸爸，所以我跟妳一起去。」

智女原該拒絕的，可是賽雷娜的表情是如此堅決，她只有接受。如果最壞的情況已經發生，而且可能已經是事實，她想賽雷娜可以堅強地面對這個事實。

她們慢慢地攀上西峰，就在離峰頂幾公尺遠的地方，她們看到首長坐在一塊岩石上凝視著西峰。

「爸爸！」

賽雷娜跑向帕尼泊，在他的懷裡蜷縮成一團。

「西峰之臂給了我一擊，」他說道。「在祂讓我看過祂的力量之後，我感覺到了祂的氣息。正當我以為黑暗駕馭了白晝時，祂給了我一雙新的眼睛。妳要好好聽著，賽雷娜：如果妳懂得與西峰溝通，祂會對妳很慷慨。」

智女上前擁抱了一下首長。

「你沒有犯任何錯，帕尼泊。是叛徒從費奈德家偷走了你畫的那張藍圖，而又重新畫了一張，並在上面動了手腳。他心想石匠會因此而犯下致命的錯誤，而你是唯一要對這個錯誤負責的人。」

「這是否意味著我的職務沒有變動？」

「女神已判定你是無辜的，而且行會的法庭也會做出同樣的判決。這次的考驗可以讓你認識到西峰之火，從此這把火會為你帶來創作上的靈感。」

＊　＊　＊

叛徒在村子的大街上碰見碧玉，他很驚訝後者看起來滿面春風。

「什麼事讓妳這麼開心？」他向她問道。

「帕尼泊回來了！」

「可是一位哈托爾女祭司剛剛才說西峰把他弄成了殘廢？」

「正好相反，祂判定帕尼泊是無罪的！智女已帶首長到沉默女神的廟殿裡向祂致敬，明天，我們要為帕尼泊舉辦一場盛宴。你可以想像我是多麼地快樂！」

「看得出來，碧玉，看得出來……我也是，帕尼泊通過了這項考驗，我很為他高興。」

「他的心像一個巨大的瓶子，裡面還裝了很多傑出的作品，我們不久就可以欣賞到它們，這一切都要感謝西峰。」

她輕盈且愉快地走向神廟，而叛徒卻頓時像個洩了氣的皮球走回家裡。他的妻子正在準備小扁豆燜豬排。

一看到他灰白的臉色，她立即明白是怎麼一回事。

「帕尼泊安然無恙？」

「西峰寬恕了他。」

「他不是一個普通人，塞特神一直在保佑著他！」

「過去大家也認為尼菲有諸神在保護，可是我卻有辦法殺了他！這些迷信的說法不會阻礙我的計劃的。」

「我好害怕，而且越來越恐懼……」

「別在那裡哭哭啼啼了！我們絕不能放棄村外那筆財富。妳應該要去想我們即將擁有的美麗房子、成群的僕人、有人為我們耕作的農田，同時忘了妳的恐懼。帕尼泊只不過是一個凡人，我遲早會把他做掉，就像除掉他義父一樣，到時我會帶走光之石，我們就可得到長久以來所夢想的一切。」

有人前來敲門。

叛徒的妻子嚇得縮在牆角。

「他們已經知道是你，而且要來抓我們！」

叛徒不安地把門開了一道縫，看見牛妞站在大門口。

「陵寢書記要所有右隊工匠到他家裡。」

「我馬上就來。」

牛妞轉身去通知其他人。

「你千萬不要去，這是一個陷阱！」叛徒的妻子哀求道。「老肯伊會當著你同事的面將你逮捕。」

叛徒一時之間也不知如何是好。萬一他妻子說對了，唯一的辦法就是立刻逃走，一刻也不能耽擱。可是他到底出了什麼差錯？

就算沉默女神拒絕要帕尼泊的命，他仍然無法免除職責上所犯的嚴重過失，那張偽圖所帶來的後果令帕尼泊不配再當一位首長……叛徒決意要向陵寢書記堅持這一點，好讓帕尼泊被判刑。

「我們趕快離開這個村子吧！」他妻子建議道。

「我要到肯伊家裡。」叛徒決定道。

帕尼泊當著右隊工匠的面，仔細地檢查費奈德所用的那張藍圖。

「它是假的。」他做出結論說道，「要證明很簡單，理由有三個：第一，這張圖上面的墨水不是我當初抄錄正本用的墨水；第二，線條的粗細不符合我的畫筆；第三，紙莎草紙的品質也不一樣，肯伊可以將保留的那些紙拿給大家看。」

「首長說的都是事實，」肯伊說道，「既然首長沒有做錯任何事，我們也就不需要召開法庭了。」

所有工匠全都鬆了一口氣，卡洛第一個上前向帕尼泊道喜。

傑德轉身面對費奈德。

「你是不是該給我們一個解釋？」

61

費奈德神色倉皇。

「解釋……解釋什麼？」

「很簡單，」傑德推論道，「如果不是有人偷了首長畫的那張圖，並換上另一張假的，再不然就是你自己設下了這個圈套。」

「我，會做這種事？你根本就是在胡說八道！」

費奈德發覺所有人的眼光全集中在他身上，頓時感到一陣天旋地轉。

「你們都錯了，我是無辜的！」

「你跟我來。」帕尼泊命令道。

「你要帶我去哪裡？」

「如果你有罪，就會受到很重的懲罰；如果你是無辜的，就沒有什麼好怕的。」

費奈德知道自己無路可走，只好跟著首長來到娃貝特負責管理的一間神廟。

娃貝特讓他們兩人進入一間拱室，裡面的燈光很微弱。

智女站在兩座雕像的中間，一座是行會的始祖阿孟霍特普一世，另一座是他的夫人黑皇后。智女雙手捧起一尊瑪亞特女神的小雕像。

「現在當著我們正直的主人面前，你以法老及首長之名發誓，你的心及雙手是否純潔？」

費奈德立刻跪了下來，同時兩眼直視著瑪亞特雕像。

「我發誓。」

帕尼泊扶他站起來。

「這回我該給你一個擁抱。」

*　　*　　*

桃賽特收到來自首相歐利的消息，內容不是很樂觀。塞特・奈克特根據其長子所做的匯報，決定加強備戰狀態。亞洲出現了一些政局的改變，埃及對他們而言已越來越具有誘惑性，而埃及在外交方面並無突破性的成績，以致加重了外敵入侵的可能性。

由於埃及所保護的諸國並未發生任何的嚴重事件，因此塞特・奈克特還不至於要求桃賽特同意他率先發動戰爭。歐利首相則繼續用心治理國家的經濟。

桃賽特非常喜歡底比斯，這裡給了她一種前所未有的平靜，這是她在比拉美西斯所沒有的。她經常到卡納克的阿蒙神廟裡祭祀祈禱，也常常在皇宮的花園裡待上幾個小時。

皇后法老接見完穀倉總管後走出了辦公室，這時她的機要秘書臨時前來向她通報。

「真理村的首長希望能夠立刻見到陛下一面。」

桃賽特突然感到一陣暈眩，整個身子搖晃了一下。

「陛下……您還好嗎？」

「很好，我很好，您不用操心。」

「我把首長打發走，讓您可以休息一下。」

「不，我要見他……請他到花園來找我。」

桃賽特從來沒有感覺過這麼疲倦。她困難地走出皇宮，然後坐到一棵洋桐槭的樹蔭底下。

她感到全身無力，於是閉上了眼睛，同時想起了夜夜來到她夢裡的亡夫。有時候當她在聽取一些大臣的報告時，她會猛然發現自己居然不專心，彷彿執政已不再令她感興趣；不過這是不是因為一時的疲勞所造成的現象？

桃賽特感覺到身邊有人，便立即睜開眼睛，將自己拉回現實。

帕尼泊頂著烈日站在她面前。

「什麼事情如此緊急，讓你一路趕到這裡，首長？」

「您應該知道塞特•奈克特國王下令要我在國王谷地開鑿他的陵寢。」

「這並不令人意外。」

「行會無法答應他的要求。」

「此話怎講？」

「真理村的整個工匠隊全投入了您的百萬年大神廟及陵寢工程。這是一個大規模的任務，所以我們無法再加入其他的重要工程。」

「可是你們卻不得不服從命令。」

「如果這個命令不合理的話，我們不能去服從，再說還有一個很好的解決方法。」

「什麼方法？」

「它會讓您吃一驚，陛下，不過我需要有您的同意。由於我設計了一個非常龐大的陵墓，而國家目前由兩位法老共同執政，為何不將兩位法老永遠結合在一起？」

「意思是說……我必須在我的陵寢內迎接塞特•奈克特？」

「是的，如果是您先到西方世界。反之，如果是塞特•奈克特國王先離開，那麼就是他在陵寢內迎接您。」

桃賽特受到強烈的震撼。

「這個提議的確很教人吃驚！你真的認為我會接受這個建議？」

「是的，陛下，因為我們談的是一件作品，人間的爭執及世俗的過往都不會出現在作品中。陵墓內的每一個畫面、每一篇經文將不會涉及政治的變遷；取而代之的是您與諸神的對話，以及您在光明之中的復生過程。唯有法老的靈魂能夠永生於此。」

桃賽特與塞特・奈克特之陵墓……皇后再度閉上了眼睛，試著去想像這種奇異的現象。

「陛下，我以瑪亞特之名發誓，我會不遺餘力地將您的陵寢建造成國王谷地內最美麗的一座陵墓。我會將行會教我的一切，以及這些年來所吸取的經驗完全融入我的繪畫裡。畫中您的臉龐將散發著光芒，也永遠不會變質。」

若桃賽特再年輕幾歲、多幾分嚴厲，她一定會拒絕帕尼泊的這個提議。然而她知道自己不會再離開底比斯，而首長又是如此地誠懇，因此決定讓步。

「我接受，不過這件事不是由我一個人作主。塞特・奈克特一定會拒絕的。」

「您沒有辦法說服他嗎，陛下？」

「我是最不適合去跟他商量此事的人。」

「假使您同意，可以交給我辦。我準備到首府一趟，以便親自和國王討論這件事。」

「我會請我的秘書交給你一封委任函，只不過我怕這件事不會成功。」

「我寧可有比較樂觀的想法，陛下。」

「萬一塞特・奈克特堅決不肯呢？」

「無論結果如何，我都會盡全力來完成您的陵寢。」

* * *

「就照這樣繼續下去。」首長向石匠們交代道。他們以極為驚人的速度不斷地挖鑿岩石。

「這是我們有史以來最漂亮的工地！」奈克特大聲說道。「我從來沒有這麼熱情的投入工作過……整個過程就好像這個地方只等我們來開鑿！到現在為止都沒有碰到任何困難。」

「因為你運氣好，沒有風濕痛的毛病。」卡洛回嘴道。

「我覺得背部正中央的地方很痛。」卡沙抱怨道。

「你過來背靠在我胸前。」帕尼泊吩咐道。

帕尼泊自後方將雙臂用力抱住卡沙的胸膛，令他幾乎喘不過氣來。

「吐氣！」

就在卡沙吐完氣時，帕尼泊更用力地環抱住他，這時旁邊的人全聽到喀啦一聲。

「現在好多了。」卡沙全身舒暢地說道。

「工地裡還有沒有人不舒服？」首長問道。

「沒有。」肯伊坐在岩石蔭涼處說道。

「傑德和卡烏會負責完成我交待給他們的任務，肯伊您到時再仔細檢查過一遍。」

陵寢書記柱著枴杖站了起來。

「這是一個危險的旅程，帕尼泊。」

「您不用操心，我會回來的。」

「比拉美西斯比一個毒蛇窟還要可怕！塞特・奈克特把你視為桃賽特的主要支持者之一，他不會在這件事情上原諒你的。我肯定他會拒絕你的提議，並把你抓起來關到牢裡。」

「他一個人無法強制真理村換一個新的首長。就靠你們來按照我們的規定行事了。」

「如果你願意聽眾人的勸告，你就不會走這一趟了。」

「假使不親自去見塞特・奈克特，怎麼能夠讓他承認將兩位法老的陵墓合而為一有其必要性？」

碧玉站在村子的大門前，頭上戴了一頂黑色的假髮，眼睛四周畫上了美麗的線條。

帕尼泊肩上扛著一只袋子，走到她面前停下。

「妳是否反對這趟遠行？」

「沒有人能夠阻擋你、不讓你去，哪怕是那位深愛你的女人。」

帕尼泊用深情的眼光凝視著碧玉，令碧玉全身為之一顫。

「去吧，首長，去把你的任務完成，就算它會奪走你的性命也要去做。否則，我將不再愛你。」

62

塞特・奈克特平日習慣早起，但這一天卻因為腰部劇烈疼痛而無法起床，大夫只能開一些含有罌粟麻醉成份的鎮痛劑來減緩他的疼痛。到了接近中午時，他讓御醫為他做了一系列的身體檢查。

「到底是什麼問題，大夫？」

「我很希望能告訴您沒有什麼大問題，可是我沒有撒謊的習慣。您想聽實話嗎？」

「請不要對我有任何隱瞞。」

「好吧，陛下……事實很單純：您的年紀已大，主要的器官也已經衰退老化。由於您的精力比一般人旺盛，因此您還有辦法克服這種情況，可是您的勇氣將無法改變這個事實。當然，您可以多吃一些補藥，只是它的作用有限，充其量只能延緩最後一刻的來臨。」

「您是指……死亡？」

「您得要有心理準備，陛下。」

「多少時間？」

「假如能夠再多活一年，已經算是一種奇蹟。我很誠懇地勸您從現在起儘量減少活動，而且要多休息。否則我的預測會變得過於樂觀。」

「謝謝您坦言相告。」

「還有一點較好的消息。由於我們在醫藥方面的廣泛研究，目前已發明研製出許多鎮痛劑，可以減輕您的疼痛。不管白天或夜裡，我隨時會為您效勞。」

塞特・奈克特雖然沒有胃口，但還是強迫自己吃下一點羊排和沙拉。他吃了鎮痛劑以後，覺得背部不再疼痛難忍，於是便花了半個小時接見歐利首相。隨後他的私人秘書為他帶來了一些機密的消息。

「桃賽特皇后來了一封信，陛下，而且是真理村的首長親自為您帶來的。」

「帕尼泊阿當，你確定？」

「這個人比您的貼身侍衛長至少高出一個頭。」

「那就是他沒錯！可是他為什親自為我送來這封信呢？」

塞特・奈克特覺得很納悶，於是將信過目了一遍。它的內容只有簡單幾個字，大意是希望法老能儘快接見首長。

「今天下午有幾個會談？」

「四個，陛下。兵工廠廠長，還有……」

「把他們全改到明天，並讓帕尼泊進來。」

塞特・奈克特漱了漱口，然後坐到一張椅子上。這張椅背上有塞特神的權杖作為裝飾，他想到當自己終於成為法老開始掌政時，他的守護神塞特卻在這時準備遺棄他。

拉美西斯大帝的父親塞特裔一世選擇了與塞特神同名，但他卻成功地控制了塞特神的天火，而建立了埃及史上最偉大的政權。他不該模仿塞特裔一世選擇了同樣的名字，這麼做只是突顯了他的自以為是。

看到帕尼泊阿當令他精神為之一振。

「桃賽特的信上說你急著想見我。」

「您所選定的陵墓位置並不妥當，陛下。」

「啊……所以說，你希望向我建議另一個地點。」

「完全正確。」

「你大老遠跑來，就是為了和我談……」

「是的，陛下，因為這個地點甚為特殊。」

「它是不是也在國王谷地？」塞特・奈克特擔心地問道。

「我認為正在施工中的大陵墓，可以同時容納當前共同執政的兩位埃及法老。」帕尼泊用平穩而莊嚴的語氣說道。

「我和桃賽特在同一個陵墓……」

「皇后已經接受了。」

「你……確定？」

「錯不了，陛下。」

「桃賽特和塞特・奈克特永遠聯合在一起……你打算徵求我的同意？」

「我打從心底這麼希望。」

塞特・奈克特很想起身去呼吸一點新鮮的空氣、召集他的國策顧問，但他已沒有這個力氣。要是早個幾天，他很可能會因帕尼泊的膽大妄為而破口大罵。然而今天，一切都變了，變得如此不同……

「工程進行得很快嗎？」

「我們的進度很快，」帕尼泊說道，「再過不久，我就要開始彩繪諸神的壁畫。您希望我向您報告相關的計劃嗎？」

「不需要了，你的才能早已遠近馳名。我接受你的提議，和桃賽特一樣。不過我有一個要求：一切要快，首長。」

* * *

莫希半夜在一小隊沙漠特警的陪伴下，依約來到了他和利比亞人所訂下的地點。

雖然莫希的在場令特警們多少比較放心，但對於半夜出勤到沙漠，他們仍然感到很不安。除去數量驚人的毒蛇不說，沙漠中還存在著許多牛鬼蛇神，連最有經驗的戰士都無法打敗它們。只有一種想法令他們稍感安慰：那些利比亞人和其他的沙漠盜匪大概也和他們一樣感到害怕。

「這次的行動必須保密。」莫希提醒道。

「您這麼做實在太冒險了，將軍。」

「要抓到利比亞人的首領不是那麼簡單，你和我一樣清楚這點。不管有多大的危險，我們絕對不能錯失這次的良機！再說，我也很高興能證明自己不是一輩子待在辦公室的人。等我們把這些造反者帶回去給皇后時，你能想像她會有多高興嗎？」

「這是一個很大的功勞。」特警隊長承認道。

他們五人一進入羚羊河一帶，便採取一前一後的隊形以加強戒備。走在最前面的特警用一根長長的分叉棒不斷地敲打地面，在後面的一個警衛則扛著莫希交給他的一個大揹袋。

特警們一看到那口廢井，立刻神精緊繃。

「我們不要走太遠，將軍。我派一名部下去偵察四周的情形。」

「不用了，利比亞人會依約出現的。」

「假若我們沒有採取任何的安全措施，恐怕會像待宰的羔羊，任由他們宰割！」

「你不要慌，隊長。他們一定會先看看我們可以給他們什麼好處。」

莫希自若的神色並未令隊長放下心，他總是擔心會掉進對方的埋伏。

就在井邊幾公尺遠的地方，出現了利比亞人。

他們一共有八人，每個人手上舉著一根長矛站成一個半圓形。

「不要輕舉妄動。」莫希對埃及特警交待道。

莫希往前走去。

「我要求見你們部落的首領一面。他有沒有這個勇氣前來赴約？」

六趾向前跨了一步。

「我不是一個單純的偵察兵，而是一個部落的酋長，也不畏懼任何的埃及士兵。你呢，你真的是莫希將軍本人、底比斯軍隊的首領？」

「正是。」

「你為什麼想要見我？」

「最近這些日子，你已經非常接近我們的地盤。」

「總有一天，整個埃及會屬於我們！」

「在此之前，我有一個提議。」

六趾和埃及特警同樣感到驚訝。

「我可不是什麼商人！」

「如果你繼續攻擊沙漠商隊，我會命令我的軍隊全面追擊你，你也絕對沒有逃脫的機會。不過我有更好的提議。」

莫希向揹著袋子的特警示意要他上前。

「把袋子裡面的東西倒在地上。」

六趾不相信自己眼睛所看到的東西，以為是夜裡的昏暗令他花了眼。

「沒錯，就是你想的，」莫希說道；「你儘管去摸摸看。」

六趾蹲下來檢查。

黃金……好幾條黃金，加起來等於是一筆可觀的財富！

六趾抬起頭用詢問的眼光望著莫希。

「你要交換什麼？」

「不得在底比斯一帶進行搶劫，還有派給我一組突擊隊讓我隨時可以聯絡得上，並且要完全服從我。」

「你在開我玩笑！我怎麼能信任法老所養的一名將軍？」

莫希用迅雷不及掩耳的速度拔出匕首，刺向埃及特警隊長和揹黃金的部下。

「快把其他人殺掉！」他向利比亞人喊道。

兩根長矛又狠又準地刺進了第三個特警的胸膛。第四個肩部受傷，正企圖要逃跑。

莫希拔起一根插在沙地上的長矛，神準地射中了他的目標。

背部被射中的那名特警終於倒地不起。

「信任我會帶給你無數的黃金。」莫希向目瞪口呆的六趾說道。

63

達克泰最近又胖了許多，因為他無法抗拒廚子為他所做的佳餚美味。而且，他越是心煩、吃得就越多。這個早上，他又狼吞虎嚥地吃下了一整個小豬腿、鮮乳酪和數串葡萄，儘管如此，他還是無法靜下心來。

他從一個出色的科學家變成了底比斯中央實驗所所長，而現在卻沉淪於奢華而舒適的生活，過去想要破除迷信、帶領埃及走入新紀元的雄心壯志早已拋諸腦後。

令他墮落的罪魁禍首有一個名字：莫希。這個狗賊將軍曾經向他保證一個光明燦爛的未來，最後卻不守信用。莫希一直未能將光之石拿到手，奪取最高政權的慾念也只不過是一個幻想。

莫希這個時候大概已經死在利比亞人的手中，這次的沙漠行動足以證明莫希已經瘋了。

「大人，我是否可以為您梳理鬍子、擦上香水？」他的理髮師問道。

「動作快一點，我必須要出去一趟。」

達克泰並不打算去實驗所磨時間，而是準備去皇宮打聽莫希的消息。

如果莫希不是被人扛著屍體回來，就是他已經消失無蹤。萬一很不幸地，莫希帶著傷、甚至是安然無恙地回來，達克泰決定要向皇后法老桃賽特告發這個魔鬼，並且把自己所知道的一切一五一十地說給皇后聽。他會解釋自己受到恐嚇才會任其擺佈，而現在他唯一在乎的就是把事實的真相說出來。

只有這樣他才能向這個瘋子報仇。

達克泰穿好衣服準備出門，就在這時，總管向他通報有客人來訪。

「莫希將軍在客廳等您，他時間很趕。」

達克泰頓時臉色發白。

最好的辦法是不是從花園逃走？可是莫希很快就會發現異狀，他可能還沒來得及越過西岸到皇宮就會被莫希逮到。

莫希總不至於明目張膽地在他家把他殺掉！萬一如此，僕人們會證明莫希殺了人，他會因此而被判死刑。不，只要他不出自己家門，他就沒有什麼好怕的……假使莫希有一點威脅性的動作出現，他就立刻大喊救命。

達克泰的胃不斷地在翻絞。他走進客廳，莫希正不耐煩地踱著方步。

「怎麼讓我等那麼久，達克泰！」

「將軍……真的是您嗎？」

「你以為我已經消失在沙漠裡了？」

「那是一個非常危險的行動，我……」

「你放心，沒有人能夠消滅我的！一切都進行得很順利，我現在已經擁有一個利比亞突擊隊，再過不久，我就可以用到他們了。」

「可是……那些埃及沙漠特警有什麼反應？」

莫希兩眼盯著達克泰。

「他們全都死了，那還用說。」

「您該不是說……」

「死了就是死了，親愛的達克泰，任何知道我和利比亞首領會面的人，都不能留下活口。」

達克泰困難地嚥下一口口水。

「你就不一樣了……你是我的盟友。」

「您可以信任我，將軍！」

「我有一個非常好的消息：桃賽特皇后因為身體突然不適，所以取消了所有的召見。她已不再有能力來審查所有的檔案和治理國事。換句話說，我又成了底比斯的主人，真理村這下子也失去了它的靠山。這是給它致命一擊的最佳機會。」

「的確，真的是很好的消息……」

「我需要一種特殊的武器，親愛的達克泰，這就要交給你來為我製造。」

＊　＊　＊

小書記伊姆尼為莫希管理他位於中埃及的一棟大別墅，儘管他被賦予全權管理，可是他仍然無法接受自己被真理村開除的事實。只有他有資格領導行會，而且他也蒐集了所有資料、向大家證明他的要求合理，然而他卻受到這種待遇！

伊姆尼意志消沉了很長一段時間，現在終於走出了陰影，而且準備反擊。他打算以一份非常詳細的辯護文件，讓村子的法庭撤消對他的判決，同時罷免肯伊，由他來取代陵寢書記的位置。接著，他要排除帕尼泊，讓自己變成行會的老闆。

還有一個智女要對付，而他卻拿她沒辦法！他到時得向底比斯當地法庭申請取消這個職位。這是耐心的問題……

伊姆尼熱情地招呼著底比斯市長的助理，同時也是一位優秀的法學家，任何最複雜的法律條文都難不倒他。

「謝謝您花這麼多的時間來研究我的資料，而且勞駕您大老遠來到我這裡。」

「我很喜歡這一個地區，再說，您的案子令我很感興趣。」

伊姆尼開始有點緊張。

「您對於我的辯白書有何高見？」

「不是不好，但還不足以打敗您的對手。」

「這麼說，我是一點機會都沒有了！」

「我沒有這麼說，」法學家說道，「不過最好的方法就是找到一項形式上的瑕疵，而不提實質上的問題。因為就算您提到了問題，真理村的法庭不同於其他法庭，它可駁回您的請求。」

「可是我還是受到了委屈！他們沒有認同我的優點、忽視我的才能，而且拒絕讓我擔任我應該獲得的職位！」

「也許吧，可是我以法律的角度來看，您這種說法一文不值。」

伊姆尼略為平靜了一點。

「這個形式上的瑕疵……您有沒有找到？」

「我想我已經找到了。根據行會的宗教日曆，它可分為吉祥與不祥之日，行會應該要遵守它，然而在您被開除的那一天是個不祥之日，若開除您會使您陷入險境，因此行會必須恢復您的職位，以做為賠償。之後您再正式申請當真理村的首長。」

「皇后法老會同意我的作法嗎？」

「皇后的健康情形越來越差……看來是由塞特・奈克特來任命您當首長。」

從伊姆尼被逐出村子以來，他的臉上第一次露出了笑容。

＊　　＊　　＊

長頸瓶內裝的是一種香膏，成份有精油、相思樹開的花，以及熱熔過的油脂。這種香膏外表為凝膠狀，擦在皮膚上有清香的味道，不但有防曬作用，而且令皮膚呈現淡淡的古銅色。

碧玉一絲不掛地享受著正午的陽光，她用指尖將香膏均勻地抹在胸部上。

帕尼泊坐在她身邊，將這美妙的一幕盡收眼底。

「你可不可以幫我抹一點在臀部的地方？」碧玉建議道。

她趴在蓆子上，讓帕尼泊的手溫柔地滑過每一寸肌膚、挑起她全身的情慾。她盡情地享受這種快感，一點兒也不想反抗。

當他輕吻碧玉的肩頸時，她忍不住想要他進入自己的身體，與他熱情地做愛。她永遠不會厭倦彼此之間的愛慾。熾熱的太陽是他們兩人的催情劑，它用它的熱力愛撫著兩人，更引起了他們的激情。

「妳還是拒絕嫁給我嗎？」

「我的答案比過去更肯定，」碧玉說道。「我有像你這樣的一個情人，怎麼會瘋狂到去換一個平庸的丈夫？再說，如果我破了戒，我們倆都會遭到不幸。趕快把這個念頭從你的腦子裡連根拔起，而且好好去想你準備向兩隊工匠發表的談話。」

帕尼泊從比拉美西斯回來後，立刻便向智女、陵寢書記和左隊隊長做了一個簡短的報告，讓他們知道塞特・奈克特已經同意他的提議。由於首長在大家的心目中已成了足以克服所有困難的英雄人物，工匠們一定會要求他敘說詳細的過程。帕尼泊寧可來看碧玉，而她對他所做的歡迎儀式也沒有令他失望。

「我最討厭發表談話了……既然前面的路已無任何障礙，我們只管認真工作，將桃賽特和塞特・奈克特的陵墓創造出前所未有的偉大。」

「你不是在與你的前輩做比賽，帕尼泊。」

碧玉這句話像一條鞭子抽在他身上。

「我是在和自己做比賽，否則我就不會再有進步。這也就是為什麼我不斷地要求我的雙手做出前所未有的嘗試。」

64

帕尼泊監視顏料的火候已經連續有二十個小時。模子裡的溫度可達到一千度，他不斷地調整火力，以取得獨一無二的湛藍粉粒。

他不讓別人代勞，而要親手將粉粒研成細細的粉末，然後將它們壓成圓片狀。每當他需要用到時，便可自圓片取下一部份拌水攪和。此外，他用黃連木的種籽搗成上好的清漆，以固定壁畫的顏色。

當他走進桃賽特和塞特・奈克特兩人未來的陵墓時，每個工匠都感覺到一個重要的階段就要開始，就連傑德也有一種莫名的感動。

「光線的分配還可以嗎？」傑德向首長問道。

三十盞燈各自固定在必要的位置上，每盞燈都有三根燈蕊，強烈的光芒照亮了整個下坡的走廊。

「非常好。有沒有備用的燈？」

「肯伊給了我們一大箱。」

首長對牆面的準備工作做最後一次的檢查。石灰岩質的牆面已漆上了一層薄薄的塗料，很適合畫筆在表面上作畫。

「牆面的準備工作做得非常好。」他讚美道。

「藍圖也已經準備就緒，我們現在可以開始畫出方格。」

「不需要。」

傑德感到很意外。

「不需要……你打算不用方格比例、直接在牆面上作畫？」

「我的手必須能自然地掌握比例，否則便會失敗。」

「你這麼做很危險！」

「我知道，傑德。我已經在無數個夜裡夢見這座陵寢內的每一幅圖、也感覺到了它們的強烈性，以及將光明傳送到黑暗的力量。當我們再度把陵墓大門關上的時候，諸神的話語便會響起。我希望這些畫作能無愧於真理村的名譽。」

帕尼泊莊嚴的聲音在這個仍是空虛而無生命力的地方四處響起。所有的右隊工匠原以為自己已經很了解帕尼泊，卻在這時看到了他的另一面。

「尼菲寡言在他義子身上復活了。」狄弟亞低語道。

「而且領導行會的首長始終是同一個人。」圖弟附和道。

帕尼泊面對著光滑的牆面久久不動。

「你們該回去山口休息了。」他說道，「我要在這裡過夜。」

隊員們一離開了國王谷地，帕尼泊馬上就開始工作。沉入西方的太陽正要開始它在黑夜中十二個小時的洗禮，而他正要迎接陵墓內沉默的挑戰，獨自一人面對著作品的誕生。

* * *

工匠們一回到工地，便看見首長眼睛半閉、靜靜地坐在陵寢的入口處。太陽已高高掛在天空中。

「我可以進去嗎？」傑德問道。

帕尼泊緩緩地點了頭。

其他的工匠跟著傑德進入了走廊，裡面仍有殘餘的燈光。

他們無法置信地望著牆上的畫面。那是陰間的幾位守門神，每一位神都佩戴著一把刀，模樣令人很害怕。若要通過夜裡的每一個時辰，必須知道祂們的名字，才不會被毀滅。帕尼泊畫得如此出色，顏色用得如此鮮艷，令同事們有一種深深的感動，並領悟到那些無形的真相。

「雖然沒有事先畫方格，可是每個結構與細節都精確得教人無法置信！」卡烏讚嘆道。

「如果我們不知道令這些人物平息的咒語，我大概會被祂們嚇壞。」帕伊坦承道。

「西峰之火為帕尼泊的雙手帶來了靈感。」烏奈士有感而發道。

大家看得很入迷，眼光始終離不開這些無情的守門神，同時也是正義的保證者。

「幹活兒了。」帕尼泊走近同事們下令道。

「你不要去睡一下？」雷努貝好心地建議道。

「肯伊會把我當成懶蟲看待！我們繼續挖鑿下去，並開始準備下幾個走廊。」

* * *

莫希和賽克塔舉辦的宴席依然如往常般成功，每個底比斯的官員都讚不絕口，包括了皇宮的御醫總長。賽克塔穿著暴露的低胸禮服，不斷地向他示好。

「整個底比斯省都對您歌功頌德，大夫。」莫希恭賀道。「很多人認為您的診斷能力非常出色。」

總長大夫握緊了手上的紅酒杯子。

「您太過獎了，將軍。」

「一點兒也不，親愛的朋友！同事們對您的嫉妒不就證明您已經成功了嗎？」

「您是否有聽到某些批評？」總長大夫擔心地問道。

「我最討厭那些只會眼紅的人，而且也潑了他們一盆冷水。」

「真不知道該怎麼謝您，將軍？」

「很幸運的是，我的身體非常健康！不過只要有一點毛病，我會請您幫忙的。」

「這將是我的榮幸。那些批評……有沒有威脅到我的職位？」

「有許多大夫希望能取代您的職位，而擁有無數的特權……不過您可以放心，您有了我這個最好的捍衛者，底比斯不會不聽我的意見的。」

「我很清楚這點，將軍，也但願能隨時為您效勞。」

莫希為了避開大廳的嘈雜人聲，特別將他引到花園裡。

「您知道我對我們的皇后非常敬重。」莫希壓低聲音說道。「我承認在我聽到許多流言之後，不禁感到非常地憂心。有些人說她只是一時的不舒服，有些則謠傳她得了一種重症，甚至無法治癒……由於我這三個禮拜以來一直無法見到陛下，好幾個該做的決定都因此而耽擱了下來，我實在不知道該怎麼想。」

總長大夫的表情顯得很為難。

「我很了解您的意思，可是基於醫療保密……」

「我非常讚賞您的敬業精神，大夫。但您是不是該想到此乃有關國家大事？我們的皇后賦予我保護省城安全的任務，若沒有清楚的指示，我的任務會困難重重。因此我只有靠您了。」

總長大夫咬著嘴唇，內心交戰不已。

「您能否答應我絕對要保密，將軍？」

「我剛剛說過，這是有關國家大事，我當然非支持您不可。」

「我會需要……」

「您的困難是否比我想像中來得嚴重?」

「皇后得了一種無法治癒的血液疾病，將軍。一旦我的同事發現我無法治好她，他們會指摘我的無能，而令我失去現有的職位，儘管我沒有任何的疏失。」

「您是指我們親愛的皇后正走向死亡?」

「的確，她已經沒有希望了。」

「這個消息太可怕了!不過您信任我是對的，我到時一定會為您辯護。」

「將軍，我不知道該說什麼……」

「您好好去放鬆一下心情，我的朋友。」

只要桃賽特一死，莫希立刻就給這個無能的傢伙炒魷魚，並將他放逐到努比亞的某個小鎮上。

不久之後，他的對手將只剩老塞特・奈克特一個人。

「有一封急件，將軍。」總管將一封來自比拉美西斯的信交給莫希。

賽克塔看到丈夫一個人走到角落，去拆閱他的情報員軍官所寫的來信。

一看見莫希的臉色變得通紅，賽克塔馬上走近他。

「太不可思議了，賽克塔，真是不可思議!真理村首長去了一趟比拉美西斯，他和塞特・奈克特曾談過話，而我居然今天晚上才知道這個消息!我們原本有機會設下埋伏，攔截帕尼泊，把他……」

莫希突然張大嘴巴，彷彿嚴重缺氧一般。他鬆了手上的信紙，並將雙手壓在胸前。

「你怎麼了，親愛的?」

「一陣可怕的疼痛……我好痛，我……」

莫希搖搖晃晃、兩眼翻白，總管趕過來及時扶住他。

「快叫大夫來，快!」賽克塔尖叫道。莫希突然心臟病發!

65

真理村的工匠隊全員到齊，大家身上穿著禮儀服，等皇后法老前來為她的百萬年大神廟主持開幕典禮。再過不久，太陽就要升到頭頂，小而比例完美的神廟沐浴在一片金色的陽光下。

兩隻朱鷺與一些紅鶴在寧靜的天空中飛翔，北風在一旁大吃苜蓿。

「我們是不是整天都要待在這裡？」卡洛憂慮地問道。

「如果有必要的話，有何不可？」雷努貝回嘴道。

「你根本不在乎酷熱的太陽燒烤！」卡烏反駁他。

「被你這麼一說，我也覺得有點熱……」

「我們總可以要求喝一點水吧？」卡沙建議道。

陵寢書記坐在蔭涼處的一張矮凳子上，負責安排典禮的程序，而典禮本該在清晨就開始舉行。時間一分一秒過去，他也越來越擔心。

「桃賽特不會來了。」帕尼泊低語道。

「也許只是有事情耽擱……」

「您很清楚不可能。」

「也沒接到通知說開幕典禮要延期！我們耐心再等一下吧……」

「工匠們已經又餓又渴，肯伊。」

老肯伊困難地站了起來，他前去找廟裡的祭司打商量。後者答應到皇宮一趟，以取得進一步的消息。

祭司才剛走出廟門，便碰到皇宮派來的代表。經過一番短暫的交談，他走回到肯伊身邊。

「陛下被一些事情絆住走不開。」他說道；「我們不用等她，直接進行開幕典禮。」

「為何不乾脆將典禮延期？」首長提議道。

「陛下已經做了明確的指示。」

行會成員朝神殿走去，開始了神廟的啟用典禮。在智女的主持下，大家祈禱神廟發揮它的功能，讓它散發出源源不絕的能量與精氣。只是，皇后的身體能否因此而康復？

* * *

莫希的豪宅內失去了平日的熙來攘往。廚子不知道該準備什麼餐點，也沒有人敢去向賽克塔請示，因為她的精神已瀕臨崩潰的邊緣。

莫希的房門終於打開了。皇宮的御醫總長從裡面走出來。

「怎麼樣，大夫？」

「您的夫婿已經沒有生命危險了。」

「他的心臟有沒有受到嚴重的損害？」

「我不認為。不過這是一個警訊，他必須減少一些工作量，並且多休息。我已經給他開了藥方，讓他很快就會復元，但記得在各方面的活動都不可過量。」

賽克塔連聲謝謝都沒有，便衝進了房間裡。她只擔心自己的丈夫變成了一個半死不活的病人，而不再有能力追逐政權。如果真是這樣，總長大夫當時就不該救活他，她只好日後再想辦法擺脫這個不中用的包袱。

然而，莫希人卻好好地站在那裡，臉色看起來很紅潤，而且正在吃無花果。

「你身體覺得怎麼樣，親親？」

「好的不得了，而且我餓死了！妳放心，我的心臟和花崗岩一樣堅固，再說，我不會因為一時的疲勞而放慢了腳步。」

賽克塔撒嬌地扭動著屁股。

「你想不想用行動證明給我看？」

莫希搓揉著她豐滿的胸部。

「妳永遠找不到像我一樣勇猛的男人，不過我現在有緊急的事情要辦。我需要一些黃金來應付利比亞人，今天我就會收到來自努比亞的黃金。」

「你不是該把它們送到卡納克神廟嗎？」

「當然要送去，而且我不會誤事的。」

「可是……」

「我們的朋友達克泰的確是一個出色的科學家。他會幫我解決這個小問題。」

* * *

莫希帶領一隊士兵，負責將金條與銀條護送到卡納克的金庫，做為裝飾神殿之用。大祭司與莫希交談了一會兒，並稱讚他在安全方面所做的萬全措施。從他負責監督黃金的運輸工作以來，任何偷竊與意外事件都沒有再發生過。

這些金子的用途在於鑲一些廟裡的宏偉大門和雕像，白銀則準備鋪在一座聖殿的地板上，使它像一座噴出生命泉源的原始小池。

按照規定，卡納克會有一名金銀匠來檢驗這些貴金屬的品質。平常都是由一個快要退休的老工匠來負責，而他總是很快就完成這項檢驗工作，因為駐守在努比亞的埃及品管人員不可能讓劣質的黃金和白銀被送到底比斯。

然而這個早上，老工匠因為人不舒服，便由一名年輕的金銀匠來代替他進行檢驗的工作。他的個性向來以吹毛求疵而聞名，在印上品質優良的字樣之前，他必得拿起每個金屬條一一地仔細檢查過。

「快來吃中飯吧！」他的同事喊道：「你已經頭也沒抬地連續工作五個小時了！」

「我這就來……啊，再等一下！」

「快點，我肚子餓死了。」

「不，這不可能……」

「怎麼了？」

「這得馬上通知工匠長。」

「我們最好不要挑這個時候去打擾他！」

「快把午飯忘了……這件事情非比尋常。」

* * *

陵寢書記和首長原本正在聊天，臨時被前來的牛妞打斷了談話。

「卡納克的金銀工匠長來到村子大門口，說要見你們一面。」

肯伊和帕尼泊面面相覷，甚感驚訝；這個重要人物甚少走出阿蒙神城，也非真理村的支持者，為何突然出現在這裡？

首長扶肯伊站起來，並將枴杖遞給他。

「我看有必要請智女為您重新開過藥方。」牛妞嘴巴唸道：「否則您真的會老得不能動。」

肯伊知道自己說不過她，所以不想跟她鬥嘴，只是急急忙忙離開了家裡。

卡納克的金銀工匠長依舊是過去那副眼睛長在頭頂上的高傲模樣，不過帕尼泊在他傲慢的外表下發現他實際上心事重重，而且，對於大老遠跑到助理區來的目的，看得出他似乎難以啟口。

「不能有任何人聽到我們的談話。」他不安地說道。

「我們到山腳那邊坐著談，」帕尼泊說道；「那裡不會有人來打擾我們。」

肯伊心裡覺得好笑。這個傲慢的大人物八成是需要行會的幫忙，所以話才會那麼難出口。

「我們碰到了一些麻煩。」他坦白道。

「有金銀匠手腳不乾淨？」肯伊猜道。

「不是，當然不是……而是送來的貨很可疑。」

「從努比亞來的貨？」

「對，沒錯。」

「不可能的！」陵寢書記叫道；「那裡的檢驗人員都很嚴格！」

「我也是這麼想，過去一直到現在也確實是這樣……可是這一次，我們有點懷疑，所以我希望能有……外人的意見。」

「換句話說，您希望聽聽真理村的金銀匠、也就是圖弟的意見。」

「如果您有辦法說服他的話……因為我們兩人水火不相融。」

事實上，他過去是圖弟的上司，圖弟就是因為受不了他的野心、自大卻又能力不足，所以才會義無反顧地離開了卡納克。

「這要看圖弟本人的意思，」陵寢書記說出這句話時，心裡多少有點得意。「首長會向他提出這個要求，不過我不能向您保證什麼。」

帕尼泊雖然和肯伊一樣不想對這個人示好，可是他似乎感覺是命運之神派他走這一趟，因此不能坐視不管。

＊　　＊　　＊

圖弟從智女的診所走出來。經過智女幾次的磁氣療法後，他肝部的氣血暢通，已不再有持續頭痛的毛病。正當他準備去大吃一頓時，他在路上碰到了首長。

「我需要你來鑑定一些東西，圖弟。」

「沒問題……是什麼東西？」

「貴金屬條。」

「我已經檢查過我們的貴金屬：它們的品質都非常好。」

「我指的是卡納克神廟的貴金屬，金銀工匠長已親自把它們送來這裡。」

圖弟的怒氣猛然上升。

「就是那個專制、愛吹牛、卻又眼高手低的傢伙？這個王八蛋別想求我，叫他自己想辦法！」

「親自跑這一趟對他而言已經是夠丟臉了。」

「還不夠！叫他先三跪九叩爬上西峰再說！」

「是我要你做這個鑑定的，圖弟。」

「你是指……以首長的名義？」

「是的。」

「那就完全不一樣了……還有，我應該不用和這個混蛋直接接觸吧？」

「我作中間人。」

「我們覺得這些金條沒問題，」工匠長用沒有把握的語氣說道，「只有這一個除外。」

圖弟先把它拿在手上掂一掂，接著用一枝很小的鑿子刮一刮，最後把它貼在胸口上。

「它裡面含有白銀的成份，這沒有什麼不正常。假使把我叫來這裡是為了尋我開心，我就立刻走人！」

「不，不是的！」工匠長懇求道，「我們倆持同樣的看法，我甚至還責備那位年輕的金銀匠過於吹毛求疵。不過，就銀條來看，我擔心他的判斷……」

「先不要說太多。」圖弟打斷他的話。

這一次，他檢驗的結果不是令他很滿意。

「我得跑一趟我的工作室。」

一個小時後，圖弟回來了。他兩眼盯著過去的上司。

「您這個年輕的金銀匠怎麼說？」

「他覺得這個銀條很不對勁，所以遲遲不敢判定為『優良』。」

「他的直覺這麼靈敏，您應該趕快升他的官才對，因為他對金屬的感覺非常正確！你們被一個天才偽造者給欺騙了。我本來以為只有我一人懂得這一招，沒想到這個人也知道。他先將白錫條洗過四次，再把它與白銅混合，結果便得到上等品質的假銀條，就連一般內行、有經驗的金銀匠都會被它的外表給騙過去。」

智女幫忙讓卡納克的工匠長甦醒過來，肯伊則忙著去通知索貝克隊長。

陵寢書記、首長、圖弟、索貝克和雙手仍在發抖的工匠長全聚集在第五堡壘的辦公室內。

「一定要派一個可靠的人到銀礦場去調查，」肯伊說道，「而且不能通知卡納克當局，怕的是他們可能也參與了這件偽造案。」

「這怎麼可能！」工匠長氣憤地說道。

「別像隻老母雞一樣在那邊咯咯叫了！」陵寢書記說道，「要不就是礦場與卡納克之間有同謀關係，否則就是礦場送來的銀條沒有問題。」

「如果是這樣，」帕尼泊研判道，「在運輸的過程中可能發生了偷竊與調包的情形。」

「所以必須查清楚整個運輸的過程，並且找相關的人員問話。」索貝克說道。

「也正因為如此，你得連同兩名部下和圖弟立刻就出發。」肯伊決定道。「一定要帶著肯定的答案回來。」

66

「請妳於平靜中醒來，偉大的女神。」首長在燈光微弱而寧靜的神殿裡祈禱著。

帕尼泊從神龕內取出瑪亞特的小雕像。它約有一個手肘高，由黃金與光之石打造而成。帕尼泊為瑪亞特女神灑上香水、穿上衣服，並為祂獻上各種食物之菁華。

接著他舉起瑪亞特小雕像，朝著天上無形的瑪亞特祈禱，行會與神聖宇宙間的和諧便在這個儀式中形成。

帕尼泊祭祀完後，心中一片感動。他關上了神殿的大門，然後走出神廟。燦爛的陽光自西峰散發出來。迎面走過來的卡萊兒溫柔地對他微笑，她的笑容也和陽光一樣燦爛。再過一會兒，整個村子將會空無一人，因為帕尼泊特別放大家一天假，好讓他們去採購貨物以準備卜塔神的大節慶。

市場上人聲喧嘩，叛徒在妻子採買布料時也假裝對一旁的香草攤位感興趣。這個女攤販用精湛的化妝技術易容改裝，同時頭上戴了一頂厚重的假髮。

「我已經收到妳的密碼信。」叛徒低聲說道。

「你有沒有什麼進展？」賽克塔問道。

「我想我已經知道光之石藏在哪裡，不過這個地點很難潛入，我不能冒任何的危險。」

「你這麼做是對的。再過不了多久，我們會用更積極的方法來幫助你。」

「您打算怎麼做？」

「你到時候就知道了。目前，我們遇到了一個麻煩。」

「跟我有關嗎？」叛徒擔心地問道。

「沒有，你可以放心。不過我需要知道一件事情，只有你可以給我答案，讓我得以解決這個問題。」

賽克塔得到了她想要的答案。

＊　＊　＊

碧玉將含有貝殼粉的美容膏抹在皮膚上，然後梳理頭髮，擦上帕尼泊為她在卡納克神廟的實驗室所買的香水。這種香水是一種人造合成產品，需要五十天的時間才能完成。它的香氣令碧玉更加地迷人。

接著她穿上哈托爾女祭司的紅色連身長裙，並戴上一條光玉髓與肉紅玉髓相間的珠鍊。

碧玉穿戴完畢後走出家門，朝神廟的方向走去。村子裡的其他婦女忍不住以羨豔的眼光欣賞著她的美麗，就連舌頭最毒辣的女人也挑不出她的缺點。四十七歲的碧玉所展現的光采依舊令人眩目。

行會的成員已聚集在神廟的塔門前，碧玉不是最後一個與大家會合的人，因為卡沙的妻子在最後一刻不小心弄斷了一條裙帶，只好再回去換上另一件。

「伊普伊和娃貝特負責籌辦了這次的慶典，」首長向大家說道。「他們會向各位指示慶典過程中的每個不同步驟，首先按照慣例從祭拜卜塔神開始。」

歐塞哈特揭開了卜塔神雕像的布幕。卜塔神穿著一件白色的衣裳，一隻手握著象徵「穩定」的模型柱，另一隻手則握著代表「力量」的權杖。工匠們齊聲高唱創造和諧的讚美歌，哈托爾女祭司們則以豎琴及笛子為他們伴奏。

「典禮進行得很順利，」卡洛說道。「可是大家都在為圖弟擔心，他是不是早該從努比亞回來了？」

「他要檢查的項目很多，大家不需要太擔心。別忘了有索貝克在保護他的安全。」

大家聽到這些話才感到比較放心，於是開始準備第一場盛宴。

＊　　＊　　＊

就在太陽下山時，巨鵝大壞蛋開始發出警報，小黑也跟著吠了起來。有人走近村子。奈克特跑到村子大門口，幾分鐘後又帶著滿面的笑容折返回來。

「是圖弟！他在索貝克的辦公室裡等你。」

帕尼泊與智女、陵寢書記一同趕過去。

「你交代我們要帶回肯定的答案，」圖弟說道，「我們有了確定的答案。那些礦工一開始對我們頗有敵意，不過，等到我告訴他們我是真理村的金銀匠時，他們的態度立刻改善了許多。我檢查過了那些銀條，索貝克也盤問了他們的檢驗人員。一切都符合規定。」

「所以你們就把注意力轉移到運輸人員的身上了？」

「這些人員隸屬於努比亞總督的直接管轄。他們的隊長排除了所有弊端的可能性，甚至堅持親自到這裡向瑪亞特的神像發誓立據。如果你希望和他談一談，你可以到第二堡壘找他。」

原來巨鵝和小黑之所以會發出鳴叫，是因為牠們感覺到有不尋常的外人接近村子。

「他把貨交給誰？」帕尼泊問道。

「交給莫希將軍本人。」索貝克答道。「還有一個讓人覺得奇怪的地方。將軍不但沒有立即把貨送到卡納克，反而將它們運到西岸存放了一天。除此之外，一名守衛說有人看見他和中央實驗所所長達克泰進去過保險庫。」

「達克泰……他是一名出色的化學家……」

「結論已經很明顯了，」圖弟說道，「將軍命令他的同謀達克泰製造一些假銀條，然後一起去把真的掉包過來。」

「這意味著莫希需要用這筆小小的財富來暗中收買一些同夥。」帕尼泊進一步推測道。

「這種勾當可能已經持續有好長一段時間了，」索貝克接著說道。「莫希將軍不但是一個竊賊，而且用賄賂的方式收買他人的良知，好讓他在底比斯得以呼風喚雨。」

「很不幸，我們沒有任何具體的證據。」

「這些跡象串連起來還不夠嗎？我已經寫了一份詳細的報告，同時加上了許多人的證詞。」

「所有的箭頭都指向莫希，」陵寢書記坦承道。「別忘了他上次也曾經企圖毀掉首長的名譽。」

「還要記得加上我們的多項懷疑，」索貝克強調道，「這個竊賊說不定也是一名殺人犯，應該要把他拖到法庭面前受審，逼他把一切都招出來。等到莫希面對法官、不再有特權時，他就會露出他懦夫的真面目。」

「由於他的職位很高，」肯伊思索道，「只有一個人可以下令逮捕莫希將軍，那就是桃賽特皇后法老。」

「我明天早上就到皇宮，把我們所發現的一切告訴皇后，」帕尼泊說道。「就算她臥病在床，皇后也知道該怎麼決定。」

這麼多年以來，索貝克第一次感到生活上所帶來的快樂；這個莫希將軍終於無法再害人了！

* * *

首長靠著他的堅持與說服力，幾乎克服了所有的障礙。現在只剩下一個問題要解決——皇宮的御醫總長禁止所有人進入桃賽特的臥房。

「我要向皇后報告的事情極為重要。」帕尼泊向總長大夫說道。

「她無法接見您。」

「這件事攸關著整個底比斯的安危，」首長強調道。「請准許我和她說話，大夫，否則您就要為它的嚴重後果負責！」

「我真的沒有辦法幫助您。」大夫悲嘆道。

「為什麼？」

「陛下已經陷入了昏迷狀態，而且永遠不會醒過來了。」

67

「有一封您的信。」牛妞向肯伊說道，後者正在吃一頓很營養的早餐，有鮮奶、魚干、無花果，以及剛出爐的麵包。

「把內容唸給我聽。」

陵寢書記一聽完信的內容，驚訝得喘不過氣來。

「快去幫我把帕尼泊找來！」

首長一看完信，也和肯伊同樣的感到吃驚。

「這是一種挑釁。」他研判道。

「說不定這個告密者說的是實話。以這種情況而言，常常是其中一人害怕可能發生的後果，因而出賣了其他人。」

「您認為該怎麼做，肯伊？」

「用最簡單的方法。或許，我們終於可以知道是誰在迫害我們！」

* * *

賽克塔喬裝潛入特漢貝的家具倉庫內，後者正埋首於帳簿中。

過去真理村的叛徒為他製作家具的樣品，他再將之複製賣給客戶，自從叛徒不再為他做這種工作以後，他的營業額開始明顯的下降。然而，特漢貝唯一的信仰正是他的營業額，他就像個母親一樣不斷地密切觀察自己嬰兒的生長曲線。

儘管他的客戶為數不少，而且在買賣交易中，他總是很有技巧地佔客戶一些便宜，但他的收入仍然令他非常失望。特漢貝只不過是一個懂得會計的商人，對於高級木器的工藝概念一竅不通，就算偶而想出一些點子，卻總是以失敗結尾。因此他必須儘快改善他的經濟狀況。也正是因為如此，他決定利用手上的絕對機密對莫希夫婦進行勒索。

「您來得正好，賽克塔夫人，因為我已經開始失去耐心了。我還在想您是不是真的打算讓我加入你們的大計劃。」

「不但是，而且是最重要的一個計劃，朋友。」

「您……此話當真？」

「絕不虛假。既然命運安排要我們成為盟友，我們何不將彼此的力量聯合起來？」

「是什麼樣的計劃？」

「等我一說出口，你就不能再改變主意，而且我們要一起行動，不能有絲毫的隱瞞。你同不同意？」

「您說吧！賽克塔夫人。」

「經過了多年的研究，我們終於知道真理村的創立者阿孟霍特普一世的陵墓在哪裡，同時準備去盜這個墓。」

「可是……您怎麼進入國王谷地？」

賽克塔不屑地笑了一下。

「那些工匠們狡猾得很，他們要大家以為這個埋有無價之寶的陵墓是在國王谷地。但現在我們已經得知根本不是這麼一回事。」

「那麼，您知道它正確的地點囉？」

「我們明晚就去盜取阿孟霍特普墓裡的財物。如果你願意，你可以加入這次的行動。」

「我的要求比這個更多，我自己會選幾個人來籌畫這次的行動。」

賽克塔顯得有點不滿。

「想要說服莫希對我來說很難……」

「我開出的條件就是這樣，而且不會改變。陵墓到底在哪裡？」

「太陽下山後，我們在托特神崗的山腳下碰面。我到時會交給你一張地圖，然後在那裡等你回來一起分贓。」

「就這麼說定，不過您只能一個人來。」

特漢貝帶著店裡資格最老的三名職員一起來到相約的地點。這三個職員一想到有一大筆財富可分，全都興奮得紅了眼。特漢貝在四周查看了一下。此處看起來似乎是隱藏重要陵墓的最佳地點。

他遠遠看到賽克塔獨自一人走過來。

「您有沒有把圖帶來？」特漢貝緊張地向她問道。

「在這裡。」

她遞給他一個用粗繩繫住的皮套。特漢貝好不容易才把它解開，並從裡面取出一張紙莎草紙圖。

他藉著月光檢視地圖。

「陵墓離這兒並不遠……就在西邊的第二個山丘背後。」

「你們有沒有帶一些挖鑿的必要工具？」

「那當然，要打開墓門不是問題。」

「你們的動作千萬要快！」

特漢貝四人匆忙地趕往目的地。他們有信心能挖到一大筆財富，而且逍遙法外。特漢貝甚至已經開始盤算如何佔有大半的贓物。

一等到這夥人消失在視線中，賽克塔便趕緊離開原地。特漢貝雖然寫了一封信告發莫希，但他千不該、萬不該將密函寄給代理大法官，因為後者早已被莫希用重金收買，成了莫希最忠實的支持者之一。

這下子特漢貝不但不再具有威脅性，而且成了莫希對付行會的一個卒子。

「就是這裡。」特漢貝輕聲說道；「我們開始挖吧！」

四個人使盡了吃奶力量揮動著鶴嘴鋤，並清出了幾道階梯。

一座大門深鎖的陵墓終於出現在特漢貝的眼前。

「我們要發財了，同志們！」

特漢貝舉起鐵鎬準備敲掉大門上的泥章，就在這時，索貝克威嚴的喝令聲使得他們僵立在原地。

「我以侵犯陵墓的現行犯罪名當場逮捕你們。」索貝克宣佈道，「你們一個都別想逃，否則我的部下會格殺勿論。」

這四個人心裡很明白自己揹上了如此嚴重的罪名，非被判死刑不可，任何一位法官都不會有所寬容。

他們其中一人拔腿就往沙漠的方向逃跑。一隻箭從背後射中了他的頸部而當場斃命。

「你們這幾個給我安份一點，否則會有跟他一樣的下場！」

看來，肯伊收到的那封告密信一點兒也不假，而信上的署名為特漢貝的一名職員。索貝克很高興肯伊授權給他，讓他能夠以現行犯的罪名逮捕了這幾個傢伙。

「我就是赫赫有名的商人特漢貝！你們最好不要碰我！」

「你這個混蛋，等一下你就知道害怕了！把他們全部都銬起來。」

「我……不是我……是……」

特漢貝突然因腹部劇痛而露出了痛苦的表情，他雙手直勾勾地伸向索貝克，終於面部朝下、不支倒地。

「我們根本沒有碰他，隊長。」一名警察詫異地說道。

特漢貝的屍體已開始發出一種臭味。原來賽克塔預計肯伊收到告密信後，一定會通知索貝克隊長來抓這群盜罪。她為了阻止特漢貝向索貝克招供，於是用一種慢性毒藥塗在皮套的粗繩上，從他解開粗繩的那一刻開始，他只有半個時辰可活，而這半個小時剛好夠他抵達陵墓，並在垂死前掙扎個幾秒鐘。

肯伊大惑不解。

「這麼說來，是這個家具商一心要毀掉真理村……」

「當然不是。」索貝克否認道：「這個傢伙只不過是一個小配角罷了。」

智女和首長都同意他的看法。

「這個事件主要是想聲東擊西，」索貝克繼續說道；「我們絕不能再放過莫希了。特漢貝被人下了毒，除了底比斯西岸的中央實驗所所長達克泰，也就是莫希的朋友，有誰會比他更懂得毒藥？」

「這只不過是個假設而已。」肯伊答道。

「我的預感告訴我，莫希已經是窮途末路了。」索貝克堅持道。

「我也有同樣的想法。」智女平靜地說道。「在這種情況下，他會變得更危險。」

「怎麼辦？」肯伊著急地問道，「桃賽特皇后現在已無法做任何的決定。」

「那就通知塞特・奈克特法老。」首長建議道。

「但我們沒有具體的證據啊！」

「我會對這件事情負責。」

「如果莫希被逼得走投無路，他一定會採取激烈的行動。」索貝克肯定地說道。

「他總不敢帶兵攻擊我們吧？」陵寢書記發了火：「底比斯的士兵絕不會服從這麼一個荒謬的命令。」

「我還是會加強我的戒備。」索貝克保證道。

「別忘了村內還有一個叛徒會想辦法和他裡應外合。」帕尼泊提醒道。

68

在肯伊的口述下，牛妞執筆寫下真理村對莫希將軍的種種懷疑，準備將這份報告寄給塞特・奈克特法老。就在這時，左隊隊長海伊前來打斷了兩人的工作。

「郵差烏普弟希望能見陵寢書記一面。」

「一定得去嗎？」

「他是說有很重要的事情。」

「什麼時候別人才不會來煩我……」老肯伊發著牢騷。「先是這份彷彿寫不完的報告，而且不能出一點差錯，接著我又要出發到國王谷地！到底有沒有人尊重我這把年紀啊？」

「只有工作才會讓您保持健康。」牛妞說道。

老肯伊吃力地拄著枴杖走向助理區。一想到郵差這麼堅持要見他，於是他在最後幾公尺遠的地方加快了腳步。

「您知不知道伊姆尼又回到了這一帶？」烏普弟向他問道。

「這個小滑頭不是在底比斯？」

「的確很不幸，肯伊。他堅持親手交給我一份法律文件，準備下令行會撤消開除他的判決。他有底比斯市長助理在給他撐腰，而這個人是個法學專家，所以伊姆尼認為自己能夠恢復職務，並成為下一任首長。」

肯伊立刻拆閱了這封催告書。

「伊姆尼說的是真的嗎？」烏普弟擔心地問道。

「恐怕是……這些都只不過是法律上一套廢話，不過也不能低估它。」

「這個人渣總不會得逞吧？」

「我們會盡全力去應付的。」陵寢書記說道，「不過我們先暫時忘了他，因為我要交給你一個任務。」

烏普弟的態度立刻轉為嚴肅。

「我洗耳恭聽。」

「再過幾天，我會交給你一封給塞特•奈克特法老的信，到時要你親自把它帶去比拉美西斯。」

「這是我莫大的榮幸。不過我得向上級報告要出這趟差。」

「你一定要非常小心，烏普弟。」

「我到時會搭專門運送急件的郵船，哪會有什麼問題？」

* * *

正當達克泰狼吞虎嚥地啃著一大隻鵝腿時，莫希將軍闖進了他的餐廳。

「上路吧，達克泰！」

達克泰差點噎著。

「我們……要去哪裡？」

「你馬上和我的副官及五名侍從到石油山一趟，這些人都會守口如瓶。」

「這麼累人的遠行……」

「你知道地方，而且也很清楚該儘快帶什麼東西回來給我。」

「也許我不是最適當的人選，還有……」

「正好相反，親愛的達克泰！你才是唯一能夠完成這個敏感任務的人。等到你一回來，我們立刻就採取行動。你不是一直希望我有所作為嗎？現在你應該感到高興才對。」

*　*　*

帕尼泊帶領著兩隊工匠在桃賽特的陵墓內努力趕工，同時間索貝克也加強了國王谷地的安全戒備。他越來越相信莫希一定會襲擊他們，而且他的打手一定不會選擇戒備森嚴的正常路線，所以索貝克在一些偏僻的地方佈署了額外的警力。

索貝克起勁地重新研究有關莫希的整個檔案，尤其是當年無法著手調查的一些細節。陵寢書記簽了一張查票，並到代理大法官那兒辦理登記，後者自然不敢拒絕陵寢書記這項要求。因此，索貝克現在可以盡情地翻閱警察各單位的人事調動檔案。

根據一份清楚的資料顯示，當初想要把索貝克調到河上警察署的人不是當時的西岸總督阿布利，而是莫希將軍本人！

看來這個偽君子的確處心積慮要排除索貝克，讓另一個唯命是從的人來取代他的職位，如此一來，真理村便少了一層保護，更重要的是不讓索貝克繼續調查他部下被殺的那樁謀殺案……因為莫希本人就是兇手！

索貝克的心跳加速。他乘坐渡船越過尼羅河，然後快馬加鞭地趕回真理村。

首長、陵寢書記和智女一得知索貝克回來，立刻便趕到他的辦公室與他會合。

「我已經很肯定將軍的罪行。」他把自己的發現做了一番報告後說道。「塞特・奈克特法老也一定會相信的！莫希是個殺人兇手，他把所有可能會揭發他的人都給做掉，例如總督阿布利、潛入村子裡的利比亞傭兵，還有其他人等等。」

「你向我們描述的人簡直是一個魔鬼！」肯伊說道。

「更毒辣的還在後面，」索貝克繼續說道。「這是一封匿名信，信中告發尼菲寡言殺了我那名年輕的部下，還有一封是莫希主張要把我調走的信。」

「兩封信的筆跡一模一樣！」帕尼泊發現道。「這是……」

卡萊兒的臉色開始發白。

「莫希試圖要讓我們以為謀殺尼菲的兇手是一名助理工，」索貝克回憶道，「還有，為什麼一個工匠會背叛行會？如果不是為了掩護他的同謀，那是為了什麼？這個叛徒正是莫希的一把刀子，他唯一的目的就是要毀了真理村，並取走它的寶物。」

索貝克的話一說完，只見眾人沉默不語。智女閉上了眼睛。

「索貝克說的沒錯。」她說道。

「我要親手殺了莫希！」帕尼泊咬牙切齒地說道。

「你不能用這種方法伸張正義。」肯伊反對道。「我會把這些事件都寫在我的報告裡，讓塞特·奈克特下令逮捕莫希。」

* * *

莫希一整個早上都在紙莎草叢內狩獵，由於收穫不多，他帶著惡劣的脾氣回到豪宅內，同時也再一次地把氣出在僕人身上。

賽克塔眉開眼笑地躺在水池旁安慰他。

「我們的小問題已經解決了。」她宣稱道。

「特漢貝死了？」

「我曾失手過嗎，親愛的？你看……一名軍官給你帶來了一份警方的報告。」

莫希看了內容之後感到很滿意。

「完全如妳所計劃的，索貝克隊長將特漢貝一行人以現行犯逮捕。他和其中一名已經喪命，另外兩個也被關到大牢裡了。」

「對索貝克和真理村而言，最險惡的敵人已經除去，這下子他們會放鬆警惕而……」

總管有事前來向他們通報。

「您的私人秘書要求見您，將軍。」

「叫他到客廳等我。」莫希下令道，同時覺得有點奇怪。

秘書的表情很凝重。

「我有一些極為不好的消息，將軍。」

「關於什麼？」

「索貝克隊長在皇宮的同意下，正在對您進行徹底的調查。他把多年前您要求將他調職的文件給帶走了。」

「真糟糕。」

「也許他還發現了其他事情……」

「為什麼這麼說？」

「因為郵差烏普弟不久就要到比拉美西斯特別出一趟差，也就是說，他要負責把一封非常重要的信帶給塞特．奈克特國王。」

「內容會是什麼？」

「可能與您有關，將軍……」

「你一有其他的消息，就立刻通知我。」

莫希回到賽克塔身邊。

「又有痲煩了，小親親。」

她睜開眼睛，依舊一副懶洋洋的樣子。

「這次又是誰在找你痲煩？」

「索貝克老是不鬆手……這個努比亞鬼子，等到達克泰一回來，我就親自對付他。至於妳，我要妳負責對付郵差烏普弟。」

「這個不難……」

「他手上的信絕對不能落到塞特•奈克特的手裡。把他做掉以後，妳把另一封信放在他身上，這封信會立刻被送到國王手裡。我會在信中親筆簽名，向國王舉發帕尼泊和行會的工匠意圖謀害親王。」

「這個主意不錯。」賽克塔讚美道。

69

努比亞小女僕因為不小心打翻了一個酒杯，而被莫希狠狠地修理了一頓，於是哭著躲進馬廄裡。總管四處尋她不著，而她已下定決心要離開這個只會虐待她的地方。

不僅如此，她不會像其他同事般屈服於莫希的淫威之下，相反地，她準備鼓起勇氣揭發事實的真相。她曾聽說過負責真理村安全的一名警察是個廉正的努比亞同胞。因此她打算把一切都告訴這個人。

小女僕一直等到四下無人才走出莫希的房子，一路上經過許多農田，最後來到沙漠的邊緣。她在這裡向一名農婦問了路。

她不顧疲倦一路走到第一堡壘。一名努比亞警衛把她攔了下來。

「妳要到哪裡，小姑娘？」

「我要見你的上司。」

「妳打算跟他說什麼？」

「我要對莫希將軍提出控告。」

警衛原本想發笑，但小姑娘的神情看起來是如此地認真，以致於他也跟著認真起來。

「我們會通知他，妳在這裡等著。」

* * *

「聽說妳想要和我談有關莫希的事情？」索貝克問道。他魁梧的身材令努比亞小女僕感到有些害怕，但她仍然決定克服恐懼、堅持到底。

「將軍動手打了我好幾次。我身上還有傷痕存在。」

索貝克發現她並沒有說謊。

「這是一個極為嚴重的罪行，將軍可以因此而坐牢。」

「最好不過了！」

「妳有沒有勇氣在法庭面前重覆這些話？」

「要我重覆十次都可以！」

「那麼我就把妳的陳述寫下來，然後我們一起到法官們前提出正式告訴。說不定在法老還沒看到陵寢書記的報告之前，莫希就會被關起來。」

「除了他，還有一個人也該被判刑。」小姑娘接道。

「喔……還有誰？」

「他的妻子……一個瘋女人！賽克塔夫人一生氣起來，連牆壁都會震動，她會在地上打滾，她吃東西可以連續吃上好幾個小時，再不然就是尖叫！他每次都用做愛的方式來安撫她，就好像是一隻發情的動物。還有她會喬裝……」

「我不懂妳的意思。」

「她那麼有錢，卻在一個箱子裡藏了很多農婦的衣服，我曾經看過她穿得像個窮人的樣子離開家門。」

索貝克臨時想起曾經有一個農婦被懷疑是殺人兇手……這個兇手不是別人，正是賽克塔，是莫希的幫兇！

「有一次，」小姑娘繼續說道，「他們和一個獐頭鼠目的小書記談到有關真理村和您的事情。」

「妳記不記得這個小書記的名字？」

「應該是叫伊姆尼，我想。」

看來叛徒的確就是他！還好行會已經擺脫了他，可是索貝克不能多浪費一分鐘，他必須儘快阻止莫希這對無惡不作的夫婦再度害人。

「我會叫人拿一些食物和水給妳，而且我們會保護妳的安全。」

努比亞小女僕在索貝克的臉上親了一下。他極力掩飾住自己的感動，隨後便立刻跑到村子口。他一等肯伊出來，馬上就把小女僕所說的事情告訴他。

「莫希將軍這次是輸定了。」陵寢書記說道。可惜烏普弟已經出發到比拉美西斯，否則我會把這個小女僕的控訴加進我的報告裡。」

「已經出發了……糟糕，他可能會有生命的危險！因為他絕不會對一個農婦懷有戒心！」

* * *

郵差烏普弟穿上他最漂亮的衣服，並親手把托特神的神杖擦得晶亮，這把神杖象徵著他的神聖職務。接著他把陵寢書記的報告放進一只白色的皮質背包裡。

走在前往碼頭的路上，他遇見了兩名年輕的書記，後者很恭敬地向他打招呼。

在一棵老檉柳樹下，有一個村婦正痛苦地扭成一團，厚重的假髮遮住了她的半邊臉。

烏普弟原本不該停下腳步，然而看到這個女人痛苦的樣子，他無法坐視不管。反正郵船會等他的。

「妳怎麼了？」

「我想我的腿可能已經骨折了。」賽克塔呻吟道。

「我去找人來幫忙。」

「不，不要，我害怕一個人留在這裡……請你扶我站起來！」

「這麼做太危險了，妳可能會使傷口惡化。」

「求求你，幫助我……」

賽克塔的技倆既簡單、又有效率。她打算等到郵差一伸手扶她時，她便立刻從衣服內抽出預藏的匕首，一刀刺進他的心臟。可是她為了要站起來並選取一個最佳的攻擊角度，她不得不去扶托特神杖。

「不准碰它！」烏普弟生氣地說道，同時快速地往後退了一步。

賽克塔這時已經站了起來，手上也拿著刀子，可是卻錯過了突襲的機會。

「妳……妳簡直是個瘋子！」

賽克塔怒吼一聲，朝烏普弟衝了過去。

烏普弟直覺認為郵件已受到威脅，於是毫不猶豫地舉起了托特神杖往這個瘋女人的腦門敲下去。

賽克塔血流滿面、兩眼翻白、手指緊緊握住刀柄，她的身體搖晃了兩下，終於倒在地上死去。

「托特是知識與聖言之神，祂絕不容許有人侵犯信差。」烏普弟把這句話當作悼詞送給了賽克塔。

* * *

「郵差烏普弟殺了莫希的妻子賽克塔。」索貝克陳述道。「她喬裝成一個農婦企圖刺殺烏普弟，想要藉此毀掉陵寢書記寫給塞特・奈克特的那份報告，同時換上一封莫希的親筆簽名信，信中指控行會正在密謀對付法老。我已經去過將軍他家和西岸的辦公室，但兩處都找不到他人。」

「大概是逃到東岸的底比斯總營部去了。」肯伊猜測道。

「那是一定的，只可惜我沒有權力去逮捕他。」

「我這就去補寫報告，你再把它交給烏普弟。」

「烏普弟現在已受到警方的保護，他只等你一聲命令就可出發。還有另一個消息：從那個被莫希虐待的小女僕證詞中，我們現在已經知道了叛徒的名字，那就是過去的陵寢助理書記伊姆尼。」

「伊姆尼，謀殺尼菲寡言的兇手……」肯伊喃喃自語道。「他怎麼可能犯下這種滔天大罪？」

帕尼泊似乎顯得無動於衷。

「我勸你們回去村子以後把武器分發給大家。」索貝克慎重地說道；「我擔心莫希將軍會做困獸之鬥。」

70

「真理村直接受命於法老，」步兵司令重申道。「沒有陛下明確的指令，任何一名底比斯士兵都不能對村子進行攻擊，使行會發生流血事件。」

莫希對這個立場一點都不感到驚訝。塞特・奈克特也絕不可能下這種命令的。

「我們應該對士兵的忠誠感到驕傲，」莫希裝模作樣地說道；「埃及正是因為有士兵的忠誠才會成為一個強大的國家。再過不久，我們要舉行一場演習，同時訓練士兵使用那些兵工廠生產的新式武器。你去叫人把它們搬到第一倉庫裡。」

步兵司令接到命令後便走出了辦公室。

莫希一得知賽克塔已經喪命，立刻便橫渡尼羅河來到東底比斯的總營部避風頭，他在這裡暫時很安全。然而，一旦卡納克收到塞特・奈克特所下的詔書，警察就會有權逮捕他。

真理村要勝利可沒那麼容易。莫希只要運用武力就可得到最後的勝利。

*　*　*

達克泰只比預定的時間晚一天回來。他和莫希的副官及五名侍從因沿途趕路而精疲力竭。

「你有沒有把東西帶回來？」

「有，將軍，我們帶回了為數可觀的石油！」

「你有沒有檢驗過它們的性質？」

「它們一定不會教您失望的。」

「我們現在只需把第一倉庫的武器運出來，然後與利比亞的突擊隊會合。他們躲在一座廢棄的堡壘裡。」

倉庫前的哨兵很訝異看到莫希和他的副官，以及五名非軍人身份的侍從將長矛、刀劍及弓箭搬上驢背，然後火速離開了營區。他只是一個小小的士兵，當然無法說什麼。

六趾以內行人的眼光欣賞著刀刃的鋒利、長矛的輕盈、以及箭頭的硬度與銳利。

「這是我們最好的武器。」莫希解釋道，「不過更精彩的還在後面！我們還擁有一種很特別的武器，有了它，真理村將會被我們徹底摧毀，那些努比亞警衛只能做無謂的抵抗。」

「那是什麼樣的武器？」

「就在這些罐子裡面。」

六趾打開其中一罐。

「這……這只不過是一些發臭的污油嘛！」

「可是它卻有驚人的力量，我的朋友達克泰會證明給你看。」

達克泰把油倒一點在用來運送武器的一個箱子上，然後用火石做的打火器點燃了火。

火勢迅速的蔓延開來，六趾和他的部下看得目瞪口呆。

「有了這種油，我們什麼都可以燒，甚至是石頭！」莫希強調道。

莫希突然抓起油罐向達克泰身上灑過去。

「將軍……您這是幹什麼？」

「科學家總是喜歡做實驗，不是嗎？我們來看看這個實驗是否會成功。」

莫希把還在燃燒的一片火苗扔向達克泰，後者立刻全身著火。他一路尖叫地朝著沙漠跑過去，所有的利比亞人看得汗毛直豎。達克泰終於不支倒地，全身化成一具焦黑的屍體。

「這就是真理村使徒的未來下場，」莫希得意地說道。「六趾，你現在把我的副官和這五個蠢材通通給除去。我要和我的過去一筆勾銷。」

只有副官一人企圖反抗，可是他喉嚨上很快就被劃了一刀。

「這種油的力量雖然很強大，但和我們準備去奪取的寶物比較起來，實在不算什麼。」莫希說道；「有了它，我將帶著利比亞走向最後的勝利。」

* * *

村子一切看來很平靜，可是大貓迷人突然豎起了全身的毛，小黑也跟著發出一陣低吼，巨鵝大壞蛋則激烈地揮動著翅膀在大街上跑來跑去。

村外的守衛用力敲著大門。

工匠們走出了村子，帕尼泊和智女走在他們的最前頭。

「我的一名偵察員剛剛發現了三十幾名的武裝人員，」索貝克說道，「我已經通知了司令部，但由於莫希不在，沒有一名軍官願意出面負責。」

「我們既不是士兵、也不知道如何作戰。」帕伊哭喪著臉說道。

「上帝不會讓造反者侵犯神廟，願沉默化為力量。」卡萊兒引用一句聖人的名言。「當時候來臨時，我會請西峰的朋友助我們一臂之力。」

肯伊從保險室裡取出鐵匠歐貝德所製造的刀箭等武器。

「由於目前情況危急，」陵寢書記說道，「我准許大家使用武器。」

「左隊跟我一起行動，」帕尼泊決定道，「右隊則留在村子裡保護婦孺的安全。」

索貝克知道帕尼泊為何做出這種決定：他並不相信前助理書記伊姆尼就是叛徒。如果他將武器交給了這名叛徒，在這場戰役中他可能因此而腹背受敵。

帕尼泊把左隊隊長拉到一邊。

「我完全信任你，海伊。你到時要守在智女身邊保護她，並聽從她的指示，不管她對你要求什麼。」

「我答應你，帕尼泊。」

假使叛徒打算在村內造反，卡萊兒能否及時識破他的身份？海伊又是否能靠著右隊隊員的幫忙打敗叛徒？

「你們跟我來，」索貝克說道：「我向你們解釋如何應變。」

帕尼泊只用一個武器，就是天神作了記號的那枝大鎬。除了雷風暴雨之神塞特，還有誰更能激起他的戰鬥力量？

*　*　*

莫希避開了正常的路徑而改走一條偏僻的小路，因為索貝克從來不會在這條小路上放哨。

莫希盤算著等到利比亞人把努比亞的警衛都殺掉以後，他再親手解決索貝克。他想像著自己將利劍刺進他的腹部，然後看著他慢慢地痛苦死去。接著會是一場大屠殺，沒有一個村民可以逃過他的手掌心。他讓利比亞人去掠奪金子，自己負責光之石，最後再用石油將整個真理村燒個精光。

莫希一隊人馬沿著田埂往前走，突然間，走在最前面的利比亞人頸部中箭倒下。

莫希還來不及找出弓箭的發射位置，另外四名利比亞人也已倒地不起。

莫希開始驚慌失措。

怎麼會有人攻擊他們？這裡離村子還有一大段距離，而且索貝克的警力應該不會監視到這個地方才對。

等到接二連三的利比亞人跟著倒下時，莫希終於明白他們已被打得一敗塗地，於是他企圖從田裡逃走。

左隊的三名工匠擋住他的去路。莫希轉而往山丘上逃跑。他跑到六趾身邊，後者正帶著部下與對手進行激烈的生死戰，並企圖扭轉惡劣的情勢。兩名努比亞警衛已壯烈犧牲，其他好幾名也受到了重傷。

眼看著兩個工匠就要支撐不住，這時地上似乎竄出了許多條眼鏡蛇，咬住了利比亞人的小腿。

「牠們是智女的盟友！」帕尼泊大叫道。「有了牠們的幫忙，我們已不再有危險！」

六趾依然不肯罷手。他面對狂怒的索貝克，企圖朝他的頭部一刀砍下去，然而索貝克動作比他更快地將劍刺進了他的胸膛。

工匠們已停止了打鬥，因為那些眼鏡蛇正在對付最後幾名利比亞人。

「把受傷的同伴全帶回村子裡。」帕尼泊對左隊隊員下令道。「卡萊兒會為他們治療的。」

經過了這次的短兵相接，四周的山丘又恢復了原有的寧靜。所有利比亞人已全數死亡。

「隊長，我們找不到莫希的屍體。」一名警衛說道。

「這個膽小鬼八成是躲到山裡去了……不過他逃不掉的！」

帕尼泊在戰役中連續擊退了許多利比亞殺手而救了好幾名工匠，現在終於可以靠在一塊岩石上喘口氣。

「帕尼泊，小心！」索貝克大聲叫道。

莫希從藏身處跳了出來，同時一刀刺進帕尼泊的背裡。

帕尼泊面色不改地轉過身來，彷彿身上所受的傷根本不痛不癢。

莫希的臉色大變。

「這不可能……你應該死了才對！」

「你在你渾渾噩噩的人生過程中，只知道從背後偷襲別人……我行事光明磊落，所以面對面來解決你！」

如同他對卡萊兒的承諾，帕尼泊一把舉起大鎬，用盡全身的力量朝莫希的頭頂劈過去。

71

卡萊兒走出了她的診所。

「怎麼樣了？」肯伊問道。所有的村民都圍在他身邊。

「帕尼泊雖然身受重傷，不過他活了下來。」

帕尼泊的胸膛裹著繃帶出現在大家面前。他的臉龐因痛楚而顯得有些憔悴。

「我晚一點再休息……因為我還有一個緊急的工作要完成。大家現在就把木乃伊棺運到國王谷地。」

「這太瘋狂了！」海伊反對道：「你應該要聽智女的話好好休息。」

「上路吧！」

郵差烏普弟為真理村帶來了兩個消息。第一個是桃賽特的過世，第二個是塞特・奈克特也已經去世。兩位法老將同時葬在同一個陵寢內。等到喪禮一開始，埃及將選出一位新法老。

叛徒內心竊喜不已。

當山丘腳下正在進行戰役時，他什麼也沒做。賽克塔和莫希已經死了，他不再需要對任何人負責。目前混亂的時期剛開始，他一定有機會找到光之石，然後帶著它遠走高飛。光之石將只屬於他一人！

再也沒有人能夠告發他，儘管殺了尼菲寡言，他卻可以永遠不受法律的制裁。

＊　＊　＊

帕尼泊和卡萊兒單獨留在桃賽特的陵墓內，他在瑪亞特的頭飾上畫了最後一道藍色。畫中的瑪亞特伸出雙手，兩道生命之光從其中發射出來，以賜予信仰祂之人。

卡萊兒欣賞著這位真理村的守護之神瑪亞特，她深深地意識到帕尼泊在繪畫的領域裡已達到顛峰的境界。在過去的生命中他已參與了七座陵寢的建築，也因此成了瑪亞特最傑出的使徒。

「我們現在為木乃伊棺舉行開光儀式。」穿著金色長袍的智女說道。

石棺被雕成一條船的外形，船頭上放著光之石。桃賽特的靈魂將乘坐著這條神舟航行於天堂。

卡萊兒跪下來舉起雙手開始祈禱。

「一切奧妙的化身過程將於此處展開，它同時也是瑪亞特幫助奧塞利斯復生之金坊。天母覆蓋著奧塞利斯的光明之體，讓其靈魂與永垂不朽之星星結合。」

此刻光之石射出了一道強烈的光芒，包住了整個花崗石棺。如今它已不再是單純的雕刻品，而是蘊釀生命的所在處。

「光之石已耗盡了它的精氣，」智女指示道。「請把它放到牆邊。」

帕尼泊覺得自己舉起的光之石彷彿毫無重量。

「請直視著聖甲蟲，帕尼泊。用你強烈的目光凝視著它。」

首長全神貫注地望著聖甲蟲。

突然間，他在牆上畫的每個太陽射出許多道光，並直接注入了光之石。光之石於是又再度充滿了生命力。

* * *

肯伊急得像隻熱鍋上的螞蟻。他先是為帕尼泊的身體感到擔憂，因為後者不顧傷口的情況回到國王谷地工作。接著他又不斷地想著一個問題，到底哪一個工匠才是謀殺尼菲的兇手，而且長久以卻來背信忘義、偽裝出正直友善的態度？

卡沙有時刻薄而且凡事計較，費奈德過份沉默而無法自離婚的陰影中走出來，卡洛老是愛抱怨，奈克特常常無法控制自己的脾氣，歐塞哈特個性傲慢且自以為是。至於伊普伊喜歡吹毛求疵，情緒容易緊張，雷努貝只顧追求舒適的生活。而傑德既高傲又冷淡，卡烏嚴肅而缺乏幽默感，烏奈士凡事都想知道，外表也令人存疑。還有帕伊的天真可能只是一個表面，狄弟亞動作緩慢，個性深不可測，圖弟的體格脆弱卻有堅強的意志……不可能，這些人就算有他們的缺點，也不可能跟莫希一樣，是個殺人不眨眼的兇手！

雖說如此，肯伊還是接受了智女和首長所提的方法，以找出真正的叛徒。

＊　＊　＊

工匠所組成的隊伍在瑪亞特及哈托爾神廟前停了下來。

「我們的工作已暫時告一段落。」帕尼泊強忍著傷口的疼痛宣佈道。「目前也不再面臨什麼威脅。」

「萬一新法老對我們懷有敵意怎麼辦？」

「塞特・奈克特的長子不久將宣佈即位。」肯伊向大家說明道。「他已明確地表示他的想法：他將會參加其父與桃賽特的葬禮，同時，他也向我來函保證真理村仍是國家的最主要機構之一。」

大家一聽到這個好消息，立刻發出一陣歡呼聲。

奈克特看到帕尼泊身體有點搖晃，立刻走過去扶著他。

「我們大家都需要休息。」首長用虛弱的聲音說道。

「你是其中最需要休息的一個。」伊普伊勸道。

所有的工匠開始陸續解散，但叛徒卻沒有回家。

他躲在神廟的一個角落，看著帕尼泊將一只蓋著布的立方形東西扛在肩上，然後走向村子的陵園，肯伊跟在他後面，並不時地回頭張望。

看來他們所搬運的東西的確是光之石，叛徒終於可以知道它被藏在何處了！

當他們兩人走進肯伊的陵墓中庭時，叛徒以為自己又要再度失望，不過他卻看到帕尼泊爬上了墳丘上的平台，上面蓋有一個尖頂的小金字塔。首長取下了光之石的蓋布，它的光芒立即照亮了昏暗的四周。帕尼泊隨即打開金字塔底部的一個小門，然後將它放了進去。

這個金字塔象徵著創造宇宙的原始光芒……多麼理想的隱藏地點！晨曦時分，光之石吸收初昇的太陽光芒，而這個光芒與它的本質完全相符。叛徒和其他的村民一樣經常望向肯伊的陵墓，卻從來沒有懷疑過這個地方！

首長和肯伊兩人再度走回村子。

現在，叛徒知道了。

* * *

「你應該要躺下來。」卡萊兒向帕尼泊說道。

「妳明明知道這是不可能的事情……我的工作還沒有完成。」

儘管智女有再高的法力，也無法說服他躺下來休息。她只好繼續用藥膏為他治療嚴重的傷口、用浸潤過蜂蜜的繃帶為他包紮，同時給他服用一些止痛丸。任何人如果受到這種重傷，早已無法站起來走路，只有帕尼泊除外。

他輕手輕腳地爬起床，儘量避免吵醒迷人。這隻大貓知道主人生病，所以夜裡總是睡在他身邊。

「你要不要我幫你忙？」

這個聲音……不正是碧玉的聲音嗎？碧玉居然在他家！

「是妳……真的是妳嗎?」

「我為你準備了一頓豐盛的早餐。你需要恢復一點力氣。」

每個警衛都開心的不得了。所有的高度戒備措施總算解除了!大家又重新回到了輪流站崗的制度,而且也可以正常地放假。此外,陵寢書記贈給他們許多的食物、衣服和香膏,以感謝他們的英勇行為。

目前只等新法老的名字揭曉,可是那些來自首府的傳言令人感到相當憂慮。的確,塞特‧奈克特的長子最受到朝廷與人民的歡迎,假設他能夠戰勝所有的黨派,他打算採用什麼年號來闡揚他的執政理念?

「今天,一等到驢隊把水送來,全體工匠和助理工都跟著放假,你們也是。」

驢隊走了以後,村子不似平常般早起。經過了這一陣子的風風雨雨,村民們全都讓自己好好睡個懶覺。娃貝特和兩名哈托爾女祭司則代表全體村民來祭拜祖先。

對叛徒而言,是採取行動的時候了。

72

帕尼泊痛苦地在生與死的邊緣掙扎，若沒有碧玉在他的枕邊日夜照顧，他很可能會熬不過來。如今，智女終於可以肯定地說出她常說的那句話：我知道這個病，而且可以治好它。

「碧玉……為什麼妳不能留在這裡和我在一起？我現在已是個自由之身。」

「難道你忘了我的誓言？如果我違背了它，我就不配擁有你的愛。」

「女神已准許我同意讓妳解除這個誓言。」

帕尼泊緊緊地握住碧玉的手。

「沒有人能夠反對智女的決定，尤其是哈托爾女祭司！」首長興奮地說道。

從碧玉的微笑與眼中的光彩看來，帕尼泊知道他終於可以和他所深愛的女人度過每一個夜晚。

肯伊闖進了帕尼泊的房間，看起來彷彿年輕了十歲。

「有兩個好消息！我終於完成了我的《夢之鑰》，牛妞將來會幫忙多抄錄幾本副本。就算有些愛澆冷水的人會批評我這本文學作品，它還是會繼續流傳到後代。」

「那第二個好消息呢？」

「啊，第二個好消息！我承認它也和前一個一樣重要。皇室剛剛來了一封正式的詔書，我們終於知道新法老的名字了。」

陵寢書記賣個關子停了一下，然後才繼續說下去。

「拉美西斯三世。」

帕尼泊馬上站了起來。

「拉美西斯……拉美西斯又再度統治國家了！」

一陣不尋常的狗叫聲驚動了在場的所有人。小黑站在大門口，尾巴用力地甩著，兩隻眼睛彷彿會說話。

「我們還有一個很大的問題要解決。」首長暗示道。

* * *

當然，叛徒這麼做很冒險，不過警衛的監視系統已經減至最低程度，村民們又仍在睡大頭覺，現在是他奪取光之石的大好機會。他的妻子在西邊的小門為他把風，準備到時和他一起沿著皇后谷地的小徑遠走高飛。

他到了陵園後立刻便溜進了肯伊的陵墓裡，然後直接爬上小金字塔平台。

叛徒的手突然被狠狠抓了一下。

「迷人……你這個畜牲，給我滾開！」

大貓拱起了背，並發出嘶嘶的聲響。牠為了避開叛徒對牠的攻擊，於是不情願地跳上一座小牆。叛徒無視於手上的傷口，只是迅速地將光之石從小金字塔內取出來。光之石雖然很重，不過他還有足夠的力氣把它搬到最近一處農田，打算到了那裡再雇用一頭驢子。他將寶物用一塊布包起來，然後欣喜如狂地往村子的方向走去。

帕尼泊將整個過程都看在眼裡。

這麼說來，是他了……他，是右隊的工匠，曾經在行會的議事堂內發下重誓。他，從來沒有停止過將阿沛弟推向歧途；他，假造了藍圖讓首長及其他的同伴蒙受不白之冤；他，智女曾經為他治療病痛，同事也對他懷有兄弟之情；他，是謀殺尼菲寡言的兇手；他，是一個冷血動物，同時有一個鼻子過長的醜陋長相；他扮演著惡魔的角色，從來沒有停止過違背他的誓言。

他就是卡烏。

* * *

在西邊小門等待叛徒的人不是他的妻子，而是首長本人。

「你的共犯已經被抓了，卡烏。你帶了什麼貴重的東西？」

「是一些……私人用品。」

「該不會是光之石吧？」

「你胡說！」

「你為什麼要謀殺我的義父？」

卡烏輕蔑地冷笑了一下。

「除了我，沒有人夠資格擔任首長一職！所以說，他最好消失在這個世界上……我與莫希將軍聯手是對的，因為只有靠他，我才能夠變得有錢又有勢。」

「你是個懦夫、偽君子、貪婪的殺人兇手……你這個造孽者是絕對躲不掉閻羅王對你的審判的。」

卡烏向後退了一步。

「你總不敢……殺了我吧？瑪亞特禁止你這麼做！」

「而你呢？你居然還敢說出這位正直女神的名字？」

帕尼泊的憤怒令卡烏打了一個寒顫。他一定會把自己給殺了！

叛徒只有一條路可逃，那就是通往西峰的一條山徑。

他緊抱著光之石，拚命地往斜坡跑去。當他手上傳來一陣陣的灼熱感時，他原以為是貓抓的傷痕所致；然而他很快地便無法忍受這種疼痛，於是只好將光之石放在地上。燒灼的感覺變得越來越強烈，彷彿他的手指被一把熊熊的烈火燃燒著。

突然間，他的視線開始模糊。四周的山岩似乎逐漸擴大，最後消失在一片濃霧中，而這時的天空卻是一片湛藍，早晨的太陽高掛在其中。

「我到底怎麼了？」卡烏呻吟道。「我……我的眼睛瞎了！」

他用雙手去揉眼睛，卻反而被自己的手灼傷而發出痛苦的嘶吼。他急欲擺脫這種殘酷的折磨，於是沒命地往山徑上攀爬。

一條巨蛇矗立在他的面前。

這條聖蛇是沉默之神的化身，牠猛然衝向叛徒，尖銳的牙齒深深地嵌入了他的喉嚨。

* * *

奈克特和狄弟亞打開村子大門，恭敬地迎接拉美西斯的到來。後者魁梧的儀表令所有的村民為之一震。

帕尼泊的胸部雖然裹著繃帶，可是他依然強忍著疼痛向法老鞠躬行禮。

「各位所享有的權利仍然維持不變，」法老宣佈道，「我所計劃的幾個巨大工程會需要一些年輕的工匠加入。這個工作就由你來負責，首長。」

一位高貴而莊嚴的女性走向拉美西斯，他立刻便認出了這位就是行會之母。

卡萊兒獻給國王一把酪梨樹的枝葉。這是她從尼菲寡言陵墓前的那棵大樹所採下來的禮物，它象徵著尼菲的精神永遠與他們同在。

拉美西斯凝視著智女，就在此刻，他很清楚地知道：真理村在西峰的保護下將永遠繼續它的光明之路。

（完）